Italien

guide de conversation

Guide de conversation - Coffret audio Italien 1
Traduit de l'ouvrage *Italian Audio Phrasebook 1, September 2009*
© Lonely Planet Publications Pty Ltd 2009

place
des
éditeurs

Traduction française : © Lonely Planet 2010,
12 avenue d'Italie, 75627 Paris cedex 13
☎ 01 44 16 05 00
🖳 lonelyplanet@placedesediteurs.com
🖳 www.lonelyplanet.fr

Dépôt légal
Juin 2010
ISBN 978-2-81610-267-3

Illustration de couverture
La Vespa de l'amour, de Daniel New

texte © Lonely Planet Publications Pty Ltd 2010
illustration de couverture © Lonely Planet Publications Pty Ltd 2010

Imprimé par Leo Paper, Chine

Ce guide de conversation *Italien* est l'œuvre de Lonely Planet et d'Annelies Mertens et Piers Kelly, secrétaires d'édition. Karina Coates, Pietro Iagnocco et Susie Walker se sont chargés des traductions en italien.

Responsable éditorial : Didier Férat
Coordination éditoriale : Cécile Bertolissio
Coordination graphique : Jean-Noël Doan
Traduction et adaptation en français : Marylène Di Stefano

La maquette de ce guide et de la couverture a été créée par Yukiyoshi Kamimura, Patrick Marris et Nicholas Stebbing. Christian Deloye a réalisé, avec brio, la maquette pour l'édition française, Corinne Holst s'est chargée de la couverture. Les illustrations sont de Yukiyoshi Kamimura, adaptées par David Guittet pour l'édition française.

Natasha Velleley, Paul Piaia et Wayne Murphy ont créé la carte de répartition de la langue. David Guittet l'a adaptée en français.

Un grand merci à Françoise Blondel pour sa contribution au texte.

Nos plus vifs remerciements vont à Émilie Esnaud qui a apporté une aide précieuse à la réalisation de ce guide, à Branka Grujic, Jean-Noël Doan et Dominique Spaety, à Clare Mercer et Ellie Cobb du bureau londonien, ainsi qu'à Debra Herrmann du bureau australien.

Sachez tirer parti de votre guide ...

Nous pouvons tous parler une langue étrangère ! Tout est question de confiance en soi. Peu importe si vous n'avez rien gardé de vos cours de langue à l'école. Si vous assimilez aujourd'hui ou ne serait-ce que les expressions de base reproduites sur la couverture de ce guide, votre voyage en sera métamorphosé. N'hésitez pas, profitez de cette porte ouverte sur l'Italie, lancez-vous dans l'aventure de la communication !

comment se repérer

Ce guide est divisé en sections, matérialisées par des onglets de couleur. Le chapitre **basiques** expose les bases de l'italien. Il sera votre référence permanente. La partie **pratique** présente les situations de la vie quotidienne. Celle intitulée **en société** vous offre les clés des rapports sociaux : comment engager une conversation, tester son pouvoir de séduction ou exprimer une opinion. Une section entière, **à table**, est consacrée à l'alimentation, avec des rubriques gastronomie, plats végétariens et spécialités locales. La partie **urgences** aborde les problèmes de sécurité en voyage et de santé. Un index détaillé, situé en fin d'ouvrage, répertorie les différentes questions abordées. Il est précédé d'un dictionnaire bilingue.

pour vous exprimer

Chaque phrase et expression de ce guide est présentée en italien, accompagnée de sa transcription phonétique (matérialisée par des phrases de couleur dans la partie droite de chaque page) et de sa traduction en français. Notre système de transcription est expliqué en détail dans le chapitre **prononciation** de la partie **basiques**. Il ne requiert pas d'apprentissage spécifique.

le disque

Vous remarquerez, tout au long de l'ouvrage, que certaines phrases sont numérotées – **3A** par exemple –, pour vous permettre d'en retrouver sur le disque la prononciation. Le numéro fait référence à la piste, et la lettre à l'ordre sur cette même piste. Utilisez-les pour parfaire votre élocution, ou placez le fichier MP3 sur votre lecteur portable et réécoutez-le au moment opportun.

sommaire

5

italien

- Bern
- Suisse
- Slovénie
- Ljubljana
- Zagreb
- Croatie
- Saint-Marin
- ITALIE
- Rome
- Mer Adriatique
- Mer Tyrrhénienne
- Sardaigne
- 0 — 100 km
- MER MÉDITERRANÉE
- Sicile

■ langue nationale

■ nombreux locuteurs

EUROPE

Pour plus de détails, voir l'**introduction**.

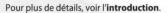

L'italien – comme l'espagnol, le portugais ou le roumain – est une langue romane. Restée très proche du latin, elle présente de nombreuses similitudes avec le français, dans sa grammaire comme dans son vocabulaire. La plupart d'entre nous, parfois sans même le savoir, possèdent déjà des connaissances en italien. Songez, par exemple, à des mots comme *ciao*, *pasta* et *bello*, pour ne citer que les plus courants. Vous aurez du mal à rester insensible aux charmes d'une langue où chaque phrase sonne comme une *aria*, et à ne pas engager la conversation !

On estime à environ 65 millions le nombre d'italophones dans le monde. Essentiellement parlée en Italie, elle est utilisée en Suisse, en France et en Slovénie, mais aussi en Australie, en Argentine et aux États-Unis, où vivent de nombreux migrants italiens depuis le début du XXe siècle. L'italien est fréquemment parlé en Istrie, presqu'île de la Croatie, où est implantée une importante communauté italienne depuis la colonisation d'une partie de la côte dalmate par les Vénitiens au XIIe siècle. On parle italien en Érythrée, pays d'Afrique de l'Est et colonie italienne de 1880 à 1941.

Il existe beaucoup de dialectes dans la Péninsule. On en recense

en bref...

langue : italien

en italien : *italiano* i·ta·lya·no

groupe linguistique : langue romane

pays principal : Italie

nombre de locuteurs : 65 millions

langues apparentées : espagnol, français, portugais, roumain

emprunts à l'italien : nombreux emprunts dans le domaine de la cuisine (spaghettis, broccolis, macaronis, etc.), de la musique (virtuoso, opera, viola), de l'architecture (studio, stucco, etc.) ou de l'art (maestro, fresco).

sur tout le territoire et certains d'entre eux sont si différents de l'italien standard qu'on les considère comme des langues à part entière. Ce n'est en effet qu'à partir du XIXᵉ siècle que le toscan – la langue de Dante, Boccace, Pétrarque et Machiavel – est devenu la langue de la nation. L'italien standard est parlé à l'école, et utilisé par les médias et l'administration. C'est lui qui vous accompagnera dans vos pérégrinations. Toutes les phrases que nous présentons ici sont celles que les Italiens utilisent tous les jours.

Ce guide vous fournira tous les mots dont vous aurez besoin en chemin, ainsi qu'une série de phrases idiomatiques. Vous n'êtes toujours pas décidés ? Souvenez-vous que les contacts que vous nouerez dans la langue de Dante rendront votre voyage unique. Les habitudes locales, de nouveaux amis et une grande satisfaction sont sur le bout de votre langue, alors ne restez pas plantés là, dites quelque chose !

> abréviations utilisées dans ce guide :

f	féminin
fam	familier
m	masculin
sing	singulier
pl	pluriel
pol	formule de politesse

Le système phonétique italien vous semble probablement familier : en effet, une grande partie des sons que vous entendez existent déjà en français. Vous noterez certainement de légères différences, mais cela ne vous empêchera ni de démarrer ni d'être compris. Ce guide fournit la prononciation de l'italien courant – celui qu'on utilise partout, dans les médias et à l'école.

voyelles

symbole	équivalent français	exemple italien
a	par	*pane*
è / é	père / musée	*letto / prendere*
i	jeudi	*vino*
o	pot	*molo*
ou	moule	*frutta*

L'alphabet italien compte 5 voyelles (a, e, i, o, u). Les voyelles **a**, **i** et **o** se prononcent comme en français. Le **e**, qui n'est jamais muet, peut se prononcer fermé, comme dans "musée", ou ouvert, comme dans "lettre". Quant au **u**, il se prononce "ou" comme dans "chou".

L'italien possède également une série de diphtongues. Reportez-vous au tableau suivant :

symbole	équivalent français	exemple italien
eille	oseille	*vorrei*
aille	bataille	*mai*
oï	langue d'oïl	*poi*

consonnes

symbole	équivalent français	exemple italien
b	**b**ien	*bello*
tch	**tch**in-tchin	*centro/cioccolato*
d	**d**emain	*denaro*
dz	**Z**ingaro	*zaino/ mezzo* (son dur dû au redoublement de la consonne)
f	**f**amilier	*fare*
g/gu	**g**olfe/**gui**	*gomma/ghiza*
dj	**j**azz	*cugino/giorno*
k	**k**araté	*cambio/quanto/chiesa*
l	**l**undi	*linea*
ly	mi**lli**on	*figlia*
m	**m**aison	*madre*
n	**n**on	*numero*
ny	ca**ny**on	*bagno*
p	**p**etit	*pronto*
r	**r**ire (en roulant le r)	*ristorante*
s	**s**oir	*sera/posso*
ch	**ch**oisir	*scena, sci, shopping*
t	**t**oile	*teatro*
ts	**ts**é-tsé	*grazie/ sicurezza* (son dur dû au redoublement de la consonne)
v	**v**oyage	*viaggio*
w	**ou**ate	*uomo*
y	**y**o-yo	*italiano/juventus*
z	ro**s**e	*casa*

Le système consonantique italien, outre les règles de prononciation présentées ci-dessus, possède une particularité : contrairement au français, les doubles consonnes se prononcent. Le son émis est alors plus long et plus dur que celui d'une simple consonne, et la voyelle précédente est prononcée ouverte. Cette différence de prononciation, qui confère également à la phrase sa force expressive, suffit à changer le sens de mots graphiquement très proches.

Les exemples reportés ci-dessous illustrent la différence qu'il existe entre ces deux prononciations, due au redoublement de la consonne :

sonno	*son·no*	**sommeil**
sono	*so·no*	**je suis**
pappa	*pap·pa*	**bouillie**
papa	*pa·pa*	**pape**

Quand vous rencontrerez une double consonne, vous l'allongerez en la durcissant avec insistance. Toutefois, même si votre prononciation reste imprécise, ne vous inquiétez pas, le contexte éclairera votre phrase.

accent tonique

En italien, on accentue généralement l'avant-dernière syllabe d'un mot. Lorsqu'un mot est écrit avec une voyelle accentuée (comme dans *città*), l'accent tombe sur cette syllabe. La mélodie caractéristique de la phrase italienne dérive ainsi de la prononciation rythmée et régulière des syllabes, suivie d'une baisse de ton sur le dernier mot.

Dans ce guide, la syllabe accentuée est toujours marquée en italique ; vous ne pourrez donc pas vous tromper, même si vous avez oublié la règle générale !

lancez-vous !

Ne vous en faites pas trop au sujet de la prononciation. Écoutez les gens parler. La phonétique vous indiquera la place de l'accent et la bonne prononciation de chaque phrase.

orthographe et prononciation

Le rapport entre l'italien écrit et sa prononciation est simple et cohérent. Les règles suivantes vous aideront à lire l'italien que vous rencontrerez dans vos voyages :

an, on, in, en/ am, om, im, em	les nasales n'existent pas en italien. Les prononcer comme dans "bonne" ou "pomme"	*pronunciare/ cambiare*
c, g, sc	avant *a, o, u* et *h*, le son est guttural comme le "k" de "koala", le "g" de "gourmand" et le "sc" de "scooter"	*bianco, dischetto, gomma, fresco*
	avant *e* et *i*, le son est plus doux comme le "tch" de "tchin", le "dj" de "jazz" ou le "ch" de "chemin"	*centro, gelato, ascensore*
ci, gi sci	avant *a, o, u*, on ne prononce pas le *i*	*ciao, giallo* et *prosciutto*
h	le *h* est toujours muet	*traghetto, ho*
j, w, k, x et *y*	on ne les rencontre que dans des mots d'origine étrangère	*jogging, weekend, kosher, fax* et *yogurt*
z	prononcé "dz" ou, selon les cas, "ts"	*zaino* *grazie*
s	on le prononce comme un "z" quand il est placé entre 2 voyelles, comme un "s" dans les autres cas	*casa* *sì, essere* et *scatola*
gli, gn	prononcé respectivement comme "lyi" de "million" et "ny" de "canyon"	*figlia, bagno*

adjectifs

Comme en français, les adjectifs s'accordent en genre et en nombre avec le nom auquel ils se rapportent :

un chat noir
un gatto nero   ounn *gat·*to nè·ro
(litt : un chat noir)

Le pluriel des adjectifs en *-o* est généralement en *-i* ; celui des adjectifs en *-a* est en *-e*. Les adjectifs en *-co, -go, -ca, -ga* ont toutefois un pluriel en *-chi, -ghi, -che, -ghe* ; et certains adjectifs placés devant le nom (*bello, buono, grande*) suivent la règle de l'article :

	singulier	pluriel
masculin	*-o*	*-i*
féminin	*-a*	*-e*

Les adjectifs qui finissent par *-e* au singulier, comme *felice* (heureux), prennent un *-i* au pluriel, sans distinction entre masculin et féminin :

	singulier	pluriel
masculin/féminin	*-e*	*-i*

les chats heureux
i gatti felici   i *gat·*ti fé·*li·*tchi
(litt : les chats heureux)

article indéfini

En italien, l'article indéfini se traduit par *un/una* et, comme en français, s'accorde en genre avec le nom auquel il se rapporte (voir la rubrique **genre**).

Je voudrais un sandwich et une pomme.

Vorrei un panino e   vor·*reille* ounn pa·*ni*·no é
una mela.   *ou*·na mè·la

(litt : voudrais un sandwich et une pomme)

Il existe deux autres formes, *uno* et *un'*, qui dépendent chacune de la première lettre du mot qui suit :

	avec la plupart des substantifs		exceptions
masculin	*un*	*uno*	noms commençant par un s "impur" (suivi d'une consonne) ou par *z, gn, pn, ps, x* or *y*
féminin	*una*	*un'*	noms commençant par une voyelle

Le pluriel se construit sans l'article.

Lire des livres.

Leggere libri.   lé·djè·ré *li*·bri

(litt : lire livres)

L'italien comme le français recourt parfois à l'article partitif (*dei, degli, delle*). Voir la rubrique **article partitif** (ci-dessous).

article défini

L'article défini, comme en français, s'accorde en genre et en nombre avec le nom auquel il se rapporte. Les formes *lo* et *gli* sont utilisées avec des mots masculins qui commencent par un *s* impur (suivi d'une consonne), ou par *z, gn, pn, ps, x* ou *y*.

il treno	il *trè*·no	**le train**
i treni	i *trè*·ni	**les trains**
lo zaino	lo *dza*·i·no	**le sac à dos**
gli zaini	lyi *dza*·i·ni	**les sacs à dos**
la ricevuta	la ri·tché·*vou*·ta	**le reçu**
le ricevute	lé ri·tché·*vou*·té	**les reçus**
l'uscita	lou·*chi*·ta	**la sortie**
le uscite	lé ou·*chi*·té	**les sorties**

Voir également les rubriques **genre** et **pluriel des noms**.

article partitif

Les articles définis "le", "la", "les" précédés de la préposition "de" se contractent en "du", "de la", "des", et s'accordent en genre et en nombre avec le substantif auquel ils se rapportent :

	singulier			pluriel		
	masculin		féminin	masculin		féminin
le/la/ les	*il*	*lo*	*l'*	*la*	*l'*	*i*	*gli*	*le*
du/de la/des	*del*	*dello*	*dell'*	*della*	*dell'*	*dei*	*degli*	*delle*

Je voudrais des antibiotiques.
Vorrei degli   vor·*reille* dè·lyi
antibiotici.   ann·ti·*byo*·ti·tchi
(litt : voudrais des antibiotiques)

Donnez-moi de l'eau.
Mi porti dell'aqua.   mi *por*·ti dèl·*la*·kwa
(litt : qu'elle me porte de l'eau)

grammaire de A à Z
15

avoir

Il est possible d'exprimer l'idée de possession de plusieurs façons en italien. La plus facile est d'utiliser le verbe *avere* (avoir) :

j'	ai	un billet	io	ho	un biglietto
tu	as	une montre	tu	hai	un orologio
vous	avez	l'addition	Lei	ha	il conto
il/elle	a	un problème	lei/lui	ha	un problema
nous	avons	la clef	noi	abbiamo	la chiave
vous	avez	un horaire	voi	avete	un orario
ils	ont	des enfants	loro	hanno	dei bambini

c'est...

Vous pouvez mettre quelque chose en relief en utilisant *È...* (C'est ...) :

C'est une tradition locale.
> *È una tradizione locale.*   è ou·na tra·di·*tsyo*·né lo·*ka*·lé
> (litt : est une tradition locale)

Pour poser une question, vous pouvez utiliser la même construction, mais pensez à monter le ton de votre voix.

Consultez aussi la rubrique **démonstratifs** et **questions**.

comparaison

Pour comparer une chose et l'autre, utilisez les mots *più* (plus) et *meno* (moins) de la façon suivante :

più/meno ... di	pyou/*mè*·no ... di
(litt : plus/moins ... que)	

Tu es moins fatigué que moi.
Sei meno stanco di me.   seille *mè*·no *stann*·ko di mé
(litt : es moins fatigué de moi)

il/la ... più/meno ...	il/la ... pyou/*mè*·no ...
(litt : le/la ... plus/moins ...)	

Tu es la plus belle femme du monde.
Sei la donna più   seille la *don*·na pyou
bella del mondo.   *bèl*·la dèl *monn*·do
(litt : es la femme plus belle du monde)

démonstratifs

Pour désigner une personne ou un objet, utilisez l'un des mots suivants :

singulier		pluriel	
masculin	féminin	masculin	féminin
questo	*questa*	*questi*	*queste*
quel/quello	*quella*	*quei/quegli/quelli*	*quelle*

Cette place est-elle libre ?

È libero questo posto?   è *li*·bé·ro *kwè*·sto *pos*·to
(litt : est libre cette place)

Quelle est la spécialité de cette région ?
Qual'è la specialità   kwa·*lè* la spé·tcha·li·*ta*
di questa regione?   di *kwè*·sta ré·*djo*·né
(litt : quelle est la spécialité
de cette région)

Les adjectifs démonstratifs employés seuls correspondent à "ça" :

Comment ça s'appelle ?
Come si chiama questo?   ko·mé si *kya*·ma *kwè*·sto
(litt : comment s'appelle ça)

Combien ça coûte ?

Quanto costano questi/   *kwann·to kos·ta·no kwè·sti/*
queste? m/f   *kwè·sté*
(litt : combien coûtent ces)

être

Il existe deux façons d'exprimer le verbe "être" en italien : *essere* et *stare*.

Essere est généralement utilisé pour décrire un état durable :

je	suis	content(e)	io	sono	felice
tu sing fam	es	italien(ne)	tu	sei	italiano/a
vous sing pol	êtes	artiste	Lei	è	artista
il/elle	est	riche	lui/lei	è	ricco/a
nous	sommes	tristes	noi	siamo	tristi
vous pl	êtes	jeunes	voi	siete	giovani
ils	sont	étudiants	loro	sono	studenti

Stare décrit un état temporaire :

je	vais	bien	io	sto	bene
tu sing fam	es	chez toi	tu	stai	a casa
vous sing pol	êtes	malade	Lei	sta	male
il/elle	va	mieux	lui/lei	sta	meglio
nous	sommes	en train de voyager	noi	stiamo	viaggiando
vous pl	êtes	en vacances	voi	state	in vacanza
ils	sont	en train de manger	loro	stanno	mangiando

futur

Le futur se construit avec le verbe à l'infinitif + la terminaison (*-ò*, *-ai*, *-à*, *-emo*, *-ete*, *-anno*). Les verbes en *-are* subissent une légère modification. Voici l'exemple du verbe *viaggiare* (voyager).

je	voyagerai	io	viaggerò
tu *sing.fam*	voyageras	tu	viaggerai
vous *sing.pol*	voyagerez	Lei	viaggerà
il/elle	voyagera	lui/lei	viaggerà
nous	voyagerons	noi	viaggeremo
vous *pl*	voyagerez	voi	viaggerete
ils/elles	voyageront	loro	viaggeranno

Vous pouvez aussi exprimer le futur en utilisant le présent et des indications temporelles qui concernent le futur :

Demain, nous allons à Rome.
Domani andiamo   do·*ma*·ni ann·*dya*·mo
a Roma.   a *ro*·ma
(litt : demain allons à Rome)

Je reviens dans 3 jours.
Torno fra tre giorni.   *tor*·no fra tré *djor*·ni
(litt : reviens dans trois jours)

genre

Comme le français, l'italien différencie masculin et féminin. Vous déduirez facilement le genre d'un nom en utilisant cet aide-mémoire :

masculin	féminin
· noms se terminant en *-o*	· noms se terminant en *-a*
· noms se terminant en *-ore*	· noms se terminant en *-essa*
· noms se terminant par une consonne	· noms se terminant en *-ione*
	· noms se terminant en *-trice*

négation

Pour faire une phrase négative, il suffit d'ajouter le mot *non* (non) avant le verbe :

Je parle italien.
  Parlo italiano.   par·lo i·ta·*lya*·no
  (litt : parle italien)

Je ne parle pas italien.
  Non parlo italiano.   nonn par·lo i·ta·*lya*·no
  (litt : ne parle italien)

ordre des mots

L'ordre des mots est généralement le même qu'en français (sujet-verbe-complément) :

Nous attendons le bus.
  Noi aspettiamo l'autobus.   noï a·spét·*tya*·mo la·*ou*·to·bous
  (litt : nous attendons le bus)

pluriel des noms

En général, les mots qui se terminent par -*a* au singulier, finissent par -*e* au pluriel, et les mots qui finissent par -*o* ou -*e* au singulier, finissent par -*i* au pluriel :

singulier			pluriel		
une personne	*una persona*	ou·na pér·*son*·na	trois personnes	*tre persone*	tré pér·*so*·né
un billet	*un biglietto*	ounn bi·*lyèt*·to	deux billets	*due biglietti*	dou·é bi·*lyè*·ti
un pays	*un paese*	ounn pa·è·zé	cinq pays	*cinque paesi*	tchinn·kwé pa·è·zi

Souvenez-vous que les articles et les adjectifs s'accordent en genre et en nombre au nom (voir les rubriques **adjectifs**, **article défini**, **article indéfini** et **article partitif**).

L'italien possède des pluriels irréguliers :

pluriels irréguliers

Noms féminins dont le pluriel est en -i :

| *la ala* | la *a*·la | l'aile |
| *le ali* | le *a*·li | les ailes |

Noms masculins au singulier et féminins au pluriel :

| *il labbro* | il *lab*·bro | la lèvre |
| *le labbra* | lé *lab*·bra | les lèvres |

Noms invariables :

| *la città* | la tchit·*ta* | la ville |
| *le città* | lé tchit·*ta* | les villes |

Noms dont la graphie change entre le singulier et le pluriel :

| *il dio* | il *di*·o | le dieu |
| *i dei* | i *dèi* | les dieux |

possessifs

Les adjectifs possessifs s'accordent en genre et en nombre au nom auquel ils se rapportent, et sont, sauf exception, précédés de l'article :

	singulier		pluriel	
	masculin "billet"	féminin "chambre"	masculin "livres"	féminin "chaussures"
mon/ma/ mes	*il mio biglietto*	*la mia camera*	*i miei libri*	*le mie scarpe*

ton/ta/tes *sing fem*	*il tuo biglietto*	*la tua camera*	*i tuoi libri*	*le tue scarpe*
votre/vos *sing pol*	*il Suo biglietto*	*la Sua camera*	*i Suoi libri*	*le Sue scarpe*
son/sa/ses	*il suo biglietto*	*la sua camera*	*i suoi libri*	*le sue scarpe*
notre/nos	*il nostro biglietto*	*la nostra camera*	*i nostri libri*	*le nostre scarpe*
votre/vos *pl*	*il vostro biglietto*	*la vostra camera*	*i vostri libri*	*le vostre scarpe*
leur(s)	*il loro biglietto*	*la loro camera*	*i loro libri*	*le loro scarpe*

Si le contexte le permet, il est possible d'écourter la phrase à l'aide d'un pronom possessif :

C'est mon billet.

È il mio biglietto.   è il *mi·*o bi-*lyèt·*to

(litt : est le mon billet)

C'est le mien.

È il mio.   è il *mi·*o

(litt : est le mien)

possession

Voir également les rubriques **avoir**, **article partitif** et **possession**.

Il existe plusieurs façons d'exprimer l'idée de possession en italien. La plus facile consiste à utiliser le verbe *avere* (voir la rubrique **avoir**). Vous pouvez également avoir recours à l'emploi de l'adjectif possessif (voir la rubrique **possessifs**) ou du complément du nom. ce dernier se compose de la préposition *di* (de) suivie du nom :

C'est le sac à dos de Lorenzo.
> *È lo zaino di Lorenzo.*   è lo *dza·i·*no di lo·*rènn·*tzo
> (litt : est le sac de Lorenzo)

Pour savoir qui est le propriétaire d'un objet, vous pouvez poser l'une des questions suivantes : *Di chi è ...?* (à qui est ... ?) pour un seul objet, ou *Di chi sono ...?* (à qui sont ... ?) pour plusieurs objets :

À qui est cette place ?
> *Di chi è questo posto?*   di ki è *kwè·*sto *po·*sto
> (litt : de qui est cette place)

pronoms personnels sujets

Les pronoms personnels correspondant à "je", "tu", "il/elle", "nous", "vous" et "ils/elles" sont souvent omis, car la terminaison des verbes permet d'en connaître le sujet. Utilisez-les si vous voulez insister sur le sujet (moi, je ...).

singulier		pluriel	
je	io	**nous**	noi
tu fam	tu	**vous** fam	voi
vous pol	Lei	**vous** pol	loro
il/elle	lui/lei	**ils/elles**	loro

Le pluriel de politesse "vous" (*Lei*) s'utilise lorsque l'on s'adresse à des inconnus, des personnes agées ou des gens importants. Lorsque vous parlez à votre famille, à vos amis intimes ou à des enfants, vous utiliserez la forme familière *tu* ("tu").

Vous vivez/tu vis ici ?
> *Lei è di qui?* pol   *leille* è di kwi
> (litt : il/elle est d'ici)
> *Tu sei di qui?* fam   tou *seille* di kwi
> (litt : tu es d'ici)

questions

La forme interrogative peut emprunter la construction de la phrase affirmative, en employant un ton ascendant à la fin de la phrase, comme c'est le cas en français.

Tu parles français ?

Parli francese? par·li frann·tchè·zé
(litt : parles français)

Vous entendrez souvent des questions qui commencent par *C'è ...* ou
Ci sono ... (il y a ...).

Y a-t-il de l'eau chaude ?

C'è acqua calda? tchè a·kwa kal·da
(litt : il y a de l'eau chaude)

Y a-t-il des chambres ?

Ci sono camere? tchi so·no ka·mé·ré
(litt : il y a des chambres)

D'autres phrases interrogatives se construisent à l'aide de pronoms
ou d'adverbes interrogatifs et d'une inversion du sujet. Elles engen-
drent généralement une réponse plus élaborée.

pronoms et adverbes interrogatifs		
qui	*chi*	ki
Qui est-ce ?	*Chi è?*	ki è
que	*che*	ké
	cosa	ko·za
Quel métier faites-vous/fais-tu ?	*Che lavoro fa/fai?* pol/fam	ké la·vo·ro fa/faille
Qu'étudiez-vous/qu'études-tu ?	*Cosa studia/studi?* pol/fam	ko·za stou·dya/stou·di
quel(le)/quel(le)s	*quale/i* sg/pl	kwa·lé/kwa·li
Quel autobus va à Pise ?	*Quale autobus va a Pisa?*	kwa·lé a·ou·to·bous va a pi·sa
Quels sont les prix ?	*Quali sono le tariffe?*	kwa·li so·no lé ta·rif·fé
quand	*quando*	kwann·do
à quelle heure	*a che ora*	a ké o·ra
Quand fut construit ?	*Quando fu costruito?*	kwann·do fou ko·strou·i·to
À quelle heure passe le prochain bus ?	*A che ora passa il prossimo autobus?*	a ké o·ra pa·sa il pros·si·mo a·ou·to·bous

où	*dove*	*do·vé*
Où est-ce que je peux acheter un billet ?	*Dove posso comprare un biglietto?*	*do·vé pos·so* komm·*pra*·ré ounn bi·*lyèt*·to
comment	*come*	*ko·mé*
Comment vas-tu ?	*Come stai?*	*ko·mé* staille
combien	*quanto/a* m/f *quanti/e* m/f	*kwann*·to/a *kwann*·ti/é
Combien ça coûte ? **Combien de jours ?**	*Quanto costa?* *Quanti giorni?*	*kwann*·to *kos*·ta *kwann*·ti *djor*·ni
pourquoi	*perché*	*pèr·ké*
Pourquoi est-ce fermé ?	*Perché sta chiuso?*	*pèr·ké* sta *kyou*·zo

verbes

Je parle, écris et comprends l'italien.

Parlo, scrivo   *par·lo skri·vo*
e capisco l'italiano.   é ka·*pi*·sko li·ta·*lya*·no
(litt : parle, écris et comprends l'italien)

Il existe trois types de verbes : ceux qui se terminent par *-are* (par exemple : *parlare*, "parler"), ceux qui se terminent par *-ere* (par exemple : *scrivere*, "écrire") et ceux qui se terminent par *-ire* (par exemple : *capire*, "comprendre"). Les désinences des verbes des trois groupes sont quasiment identiques :

singulier		pluriel	
je	*-o*	**nous**	*-iamo*
tu	*-i*	**vous**	*-ate*, *-ete* ou *-ite*
vous **il/elle/on**	*-a* (verbes en *-are*) *-e* (verbes en *-ere* et *-ire*)	**ils/elles**	*-ano* (verbes en *-are*) *-ono* (verbes en *-ere* et *-ire*)

Comme toutes les langues, l'italien possède des verbes irréguliers. Les plus courants sont *essere*, *stare* et *avere* (voir les rubriques **être** et **avoir**).

l'alphabet italien					
A *a*	a	B *b*	bi	C *c*	tchi
D *d*	di	E *e*	é	F *f*	è·fé
G *g*	dji	H *h*	a·ka	I *i*	i
L *l*	è·lé	M *m*	è·mé	N *n*	è·né
O *o*	o	P *p*	pi	Q *q*	kou
R *r*	è·ré	S *s*	è·sé	T *t*	ti
U *u*	ou	V *v*	vou	Z *z*	dsè·ta

1A Vous parlez/Tu parles (anglais) ?
Parla/Parli (inglese)? pol/fam   par·la/par·li (inn·glè·zé)

Quelqu'un parle (français/anglais) ?
C'è qualcuno che parla   tchè kwal·kou·no ké par·la
(francese/inglese)?   (frann·tchè·zé/inn·glè·zé)

1B Vous comprenez/tu comprends ?
Capisce/Capisci? pol/fam   ka·pi·ché/ka·pi·chi

1C Je comprends.
Capisco.   ka·pi·sko

1D Je ne comprends pas.
Non capisco.   nonn ka·pi·sko

Je parle (italien).
Parlo (italiano).   par·lo (i·ta·lya·no)

Je ne parle pas (italien).
Non parlo (italiano).   nonn par·lo (i·ta·lya·no)

Je parle un peu.
Parlo un po'.   par·lo ounn po

Comment ... ?	*Come si ...?*	ko·mé si ...
ça se prononce	*pronuncia*	pro·nounn·tcha
	questo	kwè·sto
écrit-on	*scrive*	skri·vé
"arrivederci"	*"arrivederci"*	a·ri·vé·dèr·tchi

1E Pouvez-vous/peux-tu répéter s'il vous/te plaît ?
Può/Puoi ripeterlo   pwo/pwoï ri·pè·tér·lo
per favore? pol/fam   pér fa·vo·ré

**1F Pouvez-vous/peux-tu parler plus lentement
s'il vous/te plaît ?**
Può/Puoi parlare più   pwo/pwoï par·la·ré pyou
lentamente per favore? pol/fam   lènn·ta·mènn·té pér fa·vo·ré

1G Pouvez-vous/peux-tu l'écrire, s'il vous/te plaît ?

Può/Puoi scriverlo   pwo/pwoï *skri*·vér·lo
per favore? pol/fam   pér fa·vo·ré

Que signifie "*vietato*" ?

Che cosa vuol dire   ké *ko*·za vwol *di*·ré
"vietato"?   vyé·*ta*·to

exercices de diction

La musicalité de la langue italienne donne lieu à une pléiade de virelangues ou *scioglilingue*. Épatez donc vos amis italiens en prononçant nonchalamment l'un d'entre eux :

**O schiavo con lo schiaccianoci che cosa schiacci?
Schiaccio sei noci del vecchio noce con lo schiaccianoci.**
o *skya*·vo konn lo *skya*·tcha·*no*·tchi ké *ko*·za *skya*·tchi *skya*·tcho seille *no*·tchi dèl *vè*·kyo *no*·tché konn lo skya·tcha·*no*·tchi
("Oh, esclave, avec le casse-noix que casses-tu ?
Je casse six noix du vieux noyer avec le casse-noix")

Orrore, orrore, un ramarro verde su un muro marrone!
o·ro·ré o·ro·ré ounn ra·*ma*·ro *vèr*·dé sou ounn *mou*·ro ma·ro·né
("Horreur, horreur, un lézard vert sur un mur marron !")

Trentatre Trentini entrarono a Trento, tutti e trentatre trotterelando.
trènn·ta·*tré* trènn·*ti*·ni ènn·*tra*·ro·no a *trènn*·to *tou*·ti é·trènn·ta·*tré* trot·té·ré·*lann*·do
("Trente-trois habitants de Trente entrèrent dans Trente, les trente-trois trottinant.")

nombres cardinaux

			i numeri cardinali
	0	*zero*	*dzè·ro*
3A	1	*uno*	*ou·no*
3A	2	*due*	*dou·é*
3A	3	*tre*	tré
3A	4	*quattro*	*kwat·tro*
3A	5	*cinque*	*tchinn·kwé*
3A	6	*sei*	seille
3A	7	*sette*	*sè·té*
3A	8	*otto*	*ot·to*
3A	9	*nove*	*no·vé*
3A	10	*dieci*	*dyè·tchi*
	11	*undici*	*ounn·di·tchi*
	12	*dodici*	*do·di·tchi*
	13	*tredici*	*tré·di·tchi*
	14	*quattordici*	kwa·*tor*·di·tchi
	15	*quindici*	*kwinn·di·tchi*
	16	*sedici*	*sé·di·tchi*
	17	*diciassette*	di·tchas·*sèt*·té
	18	*diciotto*	di·*tchot*·to
	19	*diciannove*	di·tchan·*no·vé*
3B	20	*venti*	*vènn*·ti
	21	*ventuno*	vènn·*tou*·no
	22	*ventidue*	vènn·ti·*dou·é*
3B	30	*trenta*	*trènn·ta*
3B	40	*quaranta*	kwa·*rann·ta*
3B	50	*cinquanta*	tchinn·*kwann·ta*
3B	60	*sessanta*	sés·*sann·ta*
3B	70	*settanta*	sét·*tann·ta*
3B	80	*ottanta*	ot·*tann·ta*
3B	90	*novanta*	no·*vann·ta*
3B	100	*cento*	*tchènn·to*
	200	*duecento*	dou·é·*tchènn·to*
3C	1 000	*mille*	*mil·lé*

2 000	*duemila*	dou·é·*mi*·la
3D 1 000 000	*un milione*	ounn mi·*lyo*·né

nombres ordinaux

numeri ordinali

1er	*primo/a* m/f	*pri*·mo/a
2^e	*secondo/a* m/f	sé·*konn*·do/a
3^e	*terzo/a* m/f	*tèr*·tso/a
4^e	*quarto/a* m/f	*kwar*·to/a
5^e	*quinto/a* m/f	*kwinn*·to/a

fractions

frazioni

un quart	*un quarto*	ounn *kwar*·to
un tiers	*un terzo*	ounn *tèr*·tso
un demi	*mezzo*	*mè*·dzo
trois quarts	*tre quarti*	tré *kwar*·ti
tout/toute	*tutto/a* m/f sing	*tout*·to/a
tous/toutes	*tutti/e* m/f pl	*tout*·ti/é
rien	*niente*	*nyènn*·té

expression de la quantité

quantità utili

Combien ?	*Quanto/a?* m/f	*kwann*·to/a
Combien ?	*Quanti/e?* m/f	*kwann*·ti/é
Pouvez-vous	*Può*	pwo
m'en donner...	*darmi ...,*	*dar*·mi ...
s'il vous plaît.	*per favore.*	pèr fa·*vo*·ré
(juste) un peu	*(solo) un po'*	(so·lo) ounn po
certain(e)s	*alcuni/e* m/f pl	al·*kou*·ni/é
beaucoup	*molto/a* m/f sing	*mol*·to/a
beaucoup	*molti/e* m/f pl	*mol*·ti/é
moins	*di meno*	(di) *mè*·no
plus	*di più*	(di) pyou

heure

Indiquer l'heure en italien est très simple, même si c'est un peu différent du français. "Il est (...)." se traduit en effet par *Sono le* (...). "Il est 1h." se traduit par *È l'una*, "Il est midi." par *È mezzogiorno* et "Il est minuit." par *È mezzanotte*.

4A Quelle heure est-il ?	*Che ora è?*	ké o·ra è
4B Il est 1h.	*È l'una.*	è *lou*·na
Il est (2h).	*Sono le (due).*	so·no lé (*dou*·é)
(1h) cinq.	*(L'una) e cinque.*	(*lou*·na) é tchinn·kwé
(1h) un quart.	*(L'una) e un quarto.*	(*lou*·na) é ounn *kwar*·to
(1h) et demie.	*(L'una) e mezza.*	(*lou*·na) é mè·dza
(8h) moins le quart.	*(Le otto) meno un quarto.*	(lé ot·to) mè·no ounn *kwar*·to
(8h) moins vingt.	*(Le otto) meno venti.*	(lé o·to) mè·no vènn·ti

le matin	*di mattina*	di mat·*ti*·na
l'après-midi	*di pomeriggio*	di po·mé·*ri*·djo
le soir	*di sera*	di sè·ra
la nuit	*di notte*	di *not*·té
midi	*mezzogiorno*	mé·dzo·*djor*·no
minuit	*mezzanotte*	mé·dza·*no*·té

À quelle heure... ?	*A che ora...?*	a ké o·ra...
À 1h.	*All'una.*	al·*lou*·na
À (6h).	*Alle (sei).*	al·lé (seille)
À (19h57).	*Alle (19.57).*	al·lé (di·tcha·*no*·vé é tchinn·kwann·ta·sè·té)

jours de la semaine

5A	lundi	*lunedì*	lou·né·*di*
5A	mardi	*martedì*	mar·té·*di*
5A	mercredi	*mercoledì*	mér·ko·lé·*di*
5A	jeudi	*giovedì*	djo·vé·*di*
5A	vendredi	*venerdì*	vé·nér·*di*
5A	samedi	*sabato*	*sa*·ba·to
5A	dimanche	*domenica*	do·mè·ni·ka

calendrier

il calendario

> mois

5B	janvier	*gennaio*	djén·*na*·yo
5B	février	*febbraio*	féb·*bra*·yo
5B	mars	*marzo*	*mar*·tso
5B	avril	*aprile*	a·*pri*·lé
5B	mai	*maggio*	*ma*·djo
5B	juin	*giugno*	djou·nyo
5B	juillet	*luglio*	*lou*·lyo
5B	août	*agosto*	a·*go*·sto
5B	septembre	*settembre*	sét·*tèmm*·bré
5B	octobre	*ottobre*	ot·*to*·bré
5B	novembre	*novembre*	no·*vèmm*·bré
5B	décembre	*dicembre*	di·*tchèmm*·bré

> dates

6A Quel jour sommes-nous ?
Che giorno è oggi? ké djor·no è o·dji
Nous sommes le (18) octobre.
È (il diciotto) ottobre. è (il di·*tchot*·to) ot·*to*·bré

> saisons

5C	été	*estate*	é·*sta*·té
5C	automne	*autunno*	a·ou·*toun*·no
5C	hiver	*inverno*	inn·*vèr*·no
5C	printemps	*primavera*	pri·ma·*vè*·ra

présent

maintenant	*adesso*	a·*dès*·so
ce/cet(te) ...		
après-midi	*oggi pomeriggio*	o·dji po·mé·*ri*·djo
matin	*stamattina*	sta·mat·*ti*·na
week-end	*fine settimana*	fi·né sét·ti·*ma*·na
mois	*questo mese*	kwè·sto mè·zé
semaine	*questa settimana*	kwè·sta sét·ti·*ma*·na
année	*quest'anno*	kwè·*stan*·no
6C aujourd'hui	*oggi*	o·dji
cette nuit	*stasera*	sta·sè·ra

passé

avant-hier	*l'altro ieri*	*lal*·tro yè·ri
7A la semaine dernière	*la settimana scorsa*	la sét·ti·*ma*·na skor·sa
7B le mois dernier	*il mese scorso*	il mè·zé skor·so
7C l'année dernière	*l'anno scorso*	lan·no skor·so
la nuit dernière	*ieri notte*	yè·ri not·té
depuis (le mois de mai)	*da (maggio)*	da (*ma*·djo)
il y a (3 jours)	*(tre giorni) fa*	(tré *djor*·ni) fa
6B hier...	*ieri ...*	yè·ri ...
après-midi	*pomeriggio*	po·mé·*ri*·djo
soir	*sera*	sè·ra
matin	*mattina*	mat·*ti*·na

futur

après-demain	*dopodomani*	do·po·do·*ma*·ni
dans (6 jours)	*fra (sei giorni)*	fra (seille *djor*·ni)
8B le mois prochain	*il mese prossimo*	il mè·zé *pros*·si·mo

8A la semaine	la settimana	la sét·ti·*ma*·na
prochaine	prossima	*pros*·si·ma
8C l'année prochaine	l'anno prossimo	*la*·no *pros*·si·mo
6D demain	domani	do·*ma*·ni
demain soir	domani sera	do·*ma*·ni sè·ra
demain	domani	do·*ma*·ni
après-midi	pomeriggio	po·mé·*ri*·djo
demain	domani	do·*ma*·ni
matin	mattina	mat·*ti*·na
jusqu'au mois	fino a (giugno)	*fi*·no a (djou·nyo)
de (juin)		

dans la journée

		durante il giorno
aube	alba f	*al*·ba
lever du jour	alba f	*al*·ba
jour	giorno m	*djor*·no
4C matin	mattina f	mat·*ti*·na
midi	mezzogiorno m	mé·dzo·*djor*·no
4D après-midi	pomeriggio m	po·mé·*ri*·djo
coucher du soleil	tramonto m	tra·*monn*·to
4E soir	sera f	sè·ra
nuit	notte f	*not*·té
minuit	mezzanotte f	mé·dza·*no*·té

cent ans

Il existe deux façons d'indiquer les siècles. Comme en français (*il tredicesimo secolo*) ou par un nom propre (*il Duecento*) :

Il Duecento (lit : le 200)
il dou·é·*tchènn*·to — **XIIIᵉ siècle**

Il Trecento (lit : le 300)
il tré·*tchènn*·to — **XIVᵉ siècle**

Il Quattrocento (lit : le 400)
il kwa·tro·*tchènn*·to — **XVᵉ siècle**

Il Cinquecento (lit : le 500)
il tchinn·kwé·*tchènn*·to — **XVIᵉ siècle**

C'est combien ?
Quant'è? kwann·tè

Combien ça coûte ?
Quanto costa questo? *kwann*·to ko·sta *kwè*·sto

C'est gratuit.
È gratuito. è gra·tou·*i*·to

Ça coûte ... euros.
È ... euro. è ... è·ou·ro

Pouvez-vous écrire le prix ?
Può scrivere il prezzo? pwo *skri*·vé·ré il *prè*·tso

On peut changer de l'argent ici ?
Si cambiano i soldi qui? si *kamm*·bya·no i *sol*·di kwi

Acceptez-vous ... ?	*Accettate ...?*	a·tché·*tat*·té ...
les cartes de crédit	*la carta di credito/debito*	la *kar*·ta di *krè*·di·to/*dè*·bi·to
les chèques de voyage	*gli assegni di viaggio*	lyi as·*sè*·nyi di *vya*·djo

Je voudrais ...	*Vorrei ...*	vo·*reille* ...
encaisser un chèque	*riscuotere un assegno*	ri·*skwo*·té·ré ou·nas·*sè*·nyo
changer de l'argent	*cambiare i soldi*	kamm·*bya*·ré i *sol*·di
changer un chèque de voyage	*cambiare un assegno di viaggio*	kamm·*bya*·ré ou·nas·*sè*·nyo di *vya*·djo
retirer de l'argent	*fare prelievi*	*fa*·ré pré·*lyè*·vi

À combien s'élève ... ?	*Quant'è ...*	kwann·tè
la commission	*la commissione?*	la kom·mi·*syo*·né
le taux de change	*il cambio?*	il *kamm*·byo

Je voudrais ...	Vorrei ...,	vor·reille ...
s'il vous plaît.	per favore.	pér fa·vo·ré
un reçu	una ricevuta	ou·na ri·tché·vou·ta
la monnaie	il mio resto	il mi·o rè·sto
être remboursé(e)	un rimborso	ounn rimm·bor·so

Il y a une erreur dans l'addition.
C'è un errore nel conto.   tché ounn ér·ro·ré nèl konn·to

Je ne veux pas payer plein tarif.
Non voglio pagare il   nonn vo·lyo pa·ga·ré il
prezzo intero.   prè·tso inn·tè·ro

Je dois payer d'avance ?
Devo pagare   dè·vo pa·ga·ré
in anticipo?   inn·ann·ti·tchi·po

Où est le distributeur de billets le plus proche ?
Dov'è il Bancomat più   do·vè il bann·ko·mat pyou
vicino?   vi·tchi·no

circuler

andare in giro

À quelle heure part/arrive... ?	A che ora parte/arriva ...?	a ké *o*·ra *par*·té/ar·*ri*·va ...
le bateau	*la nave*	la *na*·vé
le bus	*l'autobus*	*laou*·to·bou·se
le bac	*il traghetto*	il tra·*ghè*·to
l'hydrofoil	*l'aliscafo*	la·li·*ska*·fo
le métro	*la metropolitana*	la mé·tro·po·li·*ta*·na
l'avion	*l'aereo*	la·è·ré·o
le train	*il treno*	il *trè*·no

12A À quelle heure passe le premier bus ?
A che ora passa   a ké *o*·ra pa·sa
il primo autobus?   il *pri*·mo *aou*·to·bous

12B À quelle heure passe le dernier bus ?
A che ora passa   a ké *o*·ra pa·sa
l'ultimo autobus?   *loul*·ti·mo *aou*·to·bous

12C À quelle heure passe le prochain bus ?
A che ora passa   a ké *o*·ra pa·sa
il prossimo autobus?   il *pros*·si·mo *aou*·to·bous

parler local

tché *ou*·no cho·pé·ro *C'è uno sciopero.*	**Il y a une grève.**
dè·vé kamm·*bya*·ré a (*par*·ma) *Deve cambiare a (Parma).*	**Vous devez changer à (Parme).**
il *trè*·no é kann·tchél·*la*·to *Il treno è cancellato.*	**Le train a été annulé.**
la·è·ré·o è inn ri·*tar*·do *L'aereo è in ritardo.*	**L'avion a du retard.**

À quelle heure part le prochain vol pour (Cagliari) ?
A che ora parte il prossimo volo per (Cagliari)?
a ké o·ra par·té il pros·si·mo vo·lo pér (ka·lya·ri)

Savez-vous à quelle heure nous arrivons à (Taranto) ?
Mi sa dire quando arriviamo a (Taranto)?
mi sa di·ré kwann·do ar·ri·vya·mo a (ta·rann·to)

Je veux descendre ici.
Voglio scendere qui.
vo·lyo chenn·dé·ré kwi

14A Cette place est-elle libre ?
È libero questo posto?
è li·bé·ro kwè·sto po·sto

14B C'est ma place.
Quel posto è mio.
kwél po·sto è mi·o

billets

11A Où est-ce que je peux acheter un billet ?
Dove posso comprare un biglietto?
do·vé pos·so komm·pra·ré ounn bi·lyè·to

11B Il faut réserver ?
Bisogna prenotare (un posto)?
bi·zo·nya pré·no·ta·ré (ounn po·sto)

Est-ce que vous pouvez me mettre sur la liste d'attente ?
Posso essere messo/a in lista d'attesa? m/f
pos·so ès·sé·ré mès·so/a inn li·sta dat·tè·za

11C Je voudrais annuler le billet, s'il vous plaît.
Vorrei cancellare il mio biglietto per favore.
vo·reille kann·tchél·la·ré il mi·o bi·lyèt·to pér fa·vo·ré

11D Je voudrais changer mon billet, s'il vous plaît.
Vorrei cambiare il biglietto per favore.
vo·reille kamm·bya·ré il bi·lyèt·to pér fa·vo·ré

Deux billets ...	Due biglietti ...	dou·é bi·lyèt·ti ...
(pour Rome),	(per Roma),	(pér ro·ma)
s'il vous plaît.	per favore.	pér fa·vo·ré
en 1re classe	di prima classe	di pri·ma kla·sé

en 2ᵉ classe	*di seconda classe*	di sé·*konn*·da *kla*·sé
tarif enfant	*per bambini*	pér bamm·*bi*·ni
aller simple	*di sola andata*	di *so*·la ann·*da*·ta
aller-retour	*di andata e ritorno*	di ann·*da*·ta é ri·*tor*·no
tarif étudiant	*per studenti*	pér stou·*dènn*·ti
Je voudrais une place..., s'il vous plaît.	*Vorrei un posto ..., per favore.*	vo·*reille* ounn *po*·sto ... pér fa·*vo*·ré
côté couloir	*sul corridoio*	soul ko·ri·*do*·yo
non-fumeur	*per non fumatori*	pér nonn fou·ma·*to*·ri
fumeur	*per fumatori*	pér fou·ma·*to*·ri
côté fenêtre	*vicino al finestrino*	vi·*tchi*·no al fi·né·*stri*·no
Y a-t-il... ?	*C'è ...?*	tchè ...
l'air conditionné	*l'aria condizionata*	*la*·rya konn·di·tsyo·*na*·ta
une couverture	*una coperta*	ou·na ko·*pèr*·ta
des toilettes	*un gabinetto*	ounn ga·bi·*nè*·to
un magnétoscope	*un video-registratore*	ounn *vi*·dé·o·ré·dji·stra·*to*·ré

Je voudrais une couchette, s'il vous plaît.
Vorrei una cuccetta, per favore. — vo·*reille* ou·na kou·*tchè*·ta pér fa·*vo*·ré

Combien ça coûte ?
Quant'è? — kwann·*tè*

Est-ce que je dois payer un supplément ?
Devo pagare un supplemento? — *dè*·vo pa·*ga*·ré ounn soup·plé·*mènn*·to

13A Il faut combien de temps ?
Quanto ci vuole? — kwann·to tchi *vwo*·lé

13B C'est direct ?
È un itinerario diretto? — è ou·ni·ti·né·*ra*·ryo dir·rè·to

13C De combien est le retard ?
Di quanto ritarderà? — di *kwan*·to ri·tar·dé·*ra*

À quelle heure dois-je me présenter à l'enregistrement ?
A che ora devo   a ké o·ra dè·vo
presentarmi per   pré·zènn·tar·mi pér
l'accettazione?   la·tché·ta·tsyo·né

Pour les problèmes de douane et d'immigration, voir la rubrique
passer la frontière, p. 49.

bagages

Mon bagage n'est pas arrivé.
Non è arrivato il mio   nonn è ar·ri·va·to il mi·o
bagaglio.   ba·ga·lyo

16A **Mon bagage a été abîmé.**
Il mio bagaglio è stato   il mi·o ba·ga·lyo è sta·to
danneggiato.   dan·né·dja·to

16B **Mon bagage a été perdu.**
Il mio bagaglio è stato perso.   il mi·o ba·ga·lyo è sta·to pèr·so

16C **Mon bagage a été volé.**
Il mio bagaglio è stato rubato.   il mi·o ba·ga·lyo è sta·to rou·ba·to

Je voudrais ...	*Vorrei ...*	vor·reille ...
un casier	*un armadietto*	ounn ar·ma·dyè·to
pour mon bagage	*per il bagaglio*	pér il ba·ga·lyo
de la monnaie	*della moneta*	dè·la mo·nè·ta
des jetons	*dei gettoni*	deille djét·to·ni

bus, tram et métro

Quel bus va à (Rome) ?
Quale autobus va   kwa·lé aou·to·bous va
a (Roma)?   a (ro·ma)

Bus/Tram numéro (3).
Autobus/Tram   aou·to·bous/tram
numero (tre).   nou·mé·ro (tré)

Combien y a-t-il d'arrêts avant (le musée) ?

Quante fermate   kwann·té fér·*ma*·té
mancano (al museo)?   mann·ka·no (al mou·zè·o)

15A **Pourrez-vous m'avertir quand nous arriverons (à), s'il vous plaît.**

Mi dica per favore   mi *di*·ka pér fa·*vo*·ré
quando arriveremo   kwann·do ar·ri·vé·ré·mo
(a).   (a)

panneaux

Fermata del tram	fér·*ma*·ta dèl tram	**Arrêt de tram**
Fermata	fér·*ma*·ta	**Arrêt**
dell'autobus	dè·*laou*·to·bous	**de bus**
Metropolitana	è·mé	**Métro**
Stazione della	sta·*tsyo*·né *dè*·la	**Station**
metropolitana	mé·tro·po·li·*ta*·na	**de métro**
Uscita	ou·*chi*·ta	**Sortie**

train

15B **Quelle est cette gare ?**
Che stazione è questa? ké sta·*tsyo*·né è *kwè*·sta

15C **Quelle est la prochaine gare ?**
Qual'è la prossima kwa·*lè* la *pros*·si·ma
stazione? sta·*tsyo*·né

Ce train s'arrête à (Milan) ?
Questo treno si ferma *kwè*·sto *trè*·no si *fèr*·ma
a (Milano)? a (mi·*la*·no)

Je dois changer (de train) ?
Devo cambiare (treno)? *dè*·vo kamm·*bya*·ré (*trè*·no)

Où est le wagon-restaurant ?
Dov'è il vagone ristorante? do·*vè* il va·*go*·né ri·sto·*rann*·té

Quel est le	*Quale carrozza*	kwa·lé kar·*ro*·tsa
wagon ... ?	*è ...?*	è ...
de 1ʳᵉ classe	*di prima classe*	di *pri*·ma *klas*·sé
de 2ᵉ classe	*di seconda classe*	di se·*con*·da *klas*·sé
pour (Rome)	*per (Roma)*	pér (*ro*·ma)

coup d'œil sur les trains

diretto di·*rèt*·to
signifie que vous n'avez pas besoin de changer de train
pour arriver à destination

espresso é·*sprès*·so
ne s'arrête que dans les principales gares

Eurostar Italia (ES) é·ou·ro·*star* i·*ta*·lya
très rapide, l'équivalent du TGV

Inter City inn·*tér* *si*·ti
circule d'une grande ville à l'autre

locale lo·*ka*·lé
s'arrête dans toutes les gares et peut être très lent

rapido ra·pi·do
circule entre les grandes villes ; plus rapide que l'*espresso*

bateau

Y a-t-il des gilets de sauvetage ?
Ci sono giubbotti di   tchi *so*·no djoub·*bo*·ti di
salvataggio?   sal·va·*ta*·djo

Comment est la mer aujourd'hui ?
Com'è il mare oggi?   ko·*mè* il *ma*·ré o·dji

J'ai le mal de mer.
Ho il mal di mare.   o il mal di *ma*·ré

taxi

17A **Je voudrais un taxi...** *Vorrei un tassì ...*   vor·*reille* ounn ta·*si* ...
17B **Je voudrais un taxi à (9h du matin).**
Vorrei un tassì alle   vor·*reille* ounn ta·*si* a·lé
(nove di mattina).   (*no*·vé di mat·*ti*·na)

17C **Ce taxi est libre ?**
È libero questo tassì?   é *li*·bé·ro *kwè*·sto tas·*si*

17D **Combien ça coûte pour... ?**
Quant'è per ...?   kwann·*tè* pér ...

18A **Utilisez le taximètre, s'il vous plaît.**
Usi il tassametro,   *ou*·zi il tas·*sa*·mé·tro
per favore.   pér fa·*vo*·ré

18B **Conduisez-moi à (cette adresse), s'il vous plaît.**
Mi porti a (questo   mi *por*·ti a (*kwè*·sto
indirizzo), per piacere.   inn·di·*ri*·tso) pér pya·*tchè*·ré

18C **Ralentissez, s'il vous plaît.**
Rallenti, per favore.   ral·*lènn*·ti pér fa·*vo*·ré

18D **Attendez-moi ici, s'il vous plaît.**
Mi aspetti qui, per favore.   mi a·*spèt*·ti kwi pér fa·*vo*·ré

18E **Arrêtez-vous ici, s'il vous plaît**
Si fermi qui, per favore.   si *fèr*·mi kwi pér fa·*vo*·ré

adresses		
Borgo (B.go)	*bor·*go	**bourg**
Corso (C.so)	*kor·*so	**cours/boulevard**
Largo (L.go)	*lar·*go	**allée**
Piazza (P.za)	*pya·*tsa	**place**
Strada (Str.)	*stra·*da	**route**
Via (V.)	*vi·*a	**rue**
Viale (V.le)	*vya·*lé	**avenue/boulevard**
Vicolo (V.lo)	*vi·*ko·lo	**ruelle**
à Venise :		
Calle	*kal·*lé	**rue**
Campiello	kamm·*pyèl·*lo	**petite place**
Fondamenta	fonn·da·*mènn·*ta	**rue (le long des canaux)**
Riva	*ri·*va	**rue (litt : rivage/bord)**
à Gênes :		
Carrugio	kar·*rou·*djo	**ruelle**
dans les villes moyenâgeuses :		
Contrà	konn·*tra*	**rue**
Contrada	konn·*tra·*da	**rue**

voiture et moto

la macchina e la moto

> location de voitures et de motos

19A **Je voudrais louer une voiture.**
Vorrei noleggiare una macchina.   vor·*reille* no·lé·*dja·*ré *ou·*na *ma·*ki·na

19B **Je voudrais louer une moto.**
Vorrei noleggiare una moto.   vor·*reille* no·lé·*dja·*ré *ou·*na *mo·*to

un 4x4	*un fuoristrada*	ounn fwo·ri·*stra·*da
une voiture	*una macchina*	*ou·*na *ma·*ki·na
automatique/	*automatica*	a·ou·to·*ma·*ti·ka
manuelle	*manuale*	ma·nou·*a·*lé

avec/sans ...	*con/senza ...*	konn/*sènn*·tsa ...
(l')air conditionné	*aria*	*a*·rya
	condizionata	konn·di·tsyo·*na*·ta
(de l')antigel	*anticongelante*	ann·ti·konn·djé·*lann*·té
(un) conducteur	*un'autista*	ou·na·ou·*ti*·sta
(des) chaînes	*le catene da neve*	lé ka·*tè*·né da *nè*·vé

19D Combien ça coûte par jour ?
Quanto costa al giorno? kwann·to ko·sta al *djor*·no

19E Combien ça coûte par semaine ?
Quanto costa alla settimana? kwann·to ko·sta *a*·la sét·ti·*ma*·na

> sur la route

Quelle est la limite de vitesse en ville/hors agglomération ?
Qual'è il limite di kwa·*lè* il *li*·mi·té di
velocità in vé·lo·tchi·*ta* inn
città/campagna? tchi·*ta*/kamm·*pa*·nya

20A C'est la route pour ... ?
Questa strada porta a ...? kwè·sta *stra*·da *por*·ta a ...

Où y a-t-il une station-service ?
Dov'è una stazione do·*vè* ou·na sta·*tsyo*·né
di servizio? di sér·*vi*·tsyo

essence
benzina f
bènn·*dzi*·na

pare-brise
parabrezza m
pa·ra·*brè*·dza

batterie
batteria f
ba·té·*ri*·a

moteur
motore m
mo·*to*·ré

feu
fanale m
fa·*na*·lé

pneu
gomma f
go·ma

Le plein, s'il vous plaît.
Il pieno, per favore.   il *pyè*·no pér fa·*vo*·ré

Je voudrais (30) litres.
Vorrei (trenta) litri.   vo·*reille* (*trènn*·ta) *li*·tri

gas-oil/diesel	*gasolio/diesel* m	ga·zo·lyo/*di*·zèl
essence normale	*benzina* f con	bènn·*dzi*·na konn
	piombo	*pyomm*·bo

panneaux

Italien	Prononciation	Français
Accesso permanente	a·*tchè*·so pér·ma·*nènn*·té	**Ouvert 24h/24**
Alt	alt	**Stop**
Attenzione	a·tènn·*tsyo*·né	**Attention**
Autostrada	a·ou·to·*stra*·da	**Autoroute**
Dare la precedenza	*da*·ré la pré·tché·*dènn*·tsa	**Laisser la priorité**
Deviazione	dé·vya·*tsyo*·né	**Déviation**
Divieto di accesso	di·*vyè*·to di a·*tchè*·so	**Accès interdit**
Divieto di sorpasso	di·*vyè*·to di sor·*pa*·so	**Dépassement interdit**
Divieto di sosta	di·*vyè*·to di *so*·sta	**Stationnement interdit**
Entrata	ènn·*tra*·ta	**Entrée**
Lavori in corso	la·*vo*·ri inn *kor*·so	**Travaux**
Parcheggio	par·*kè*·djo	**Parking**
Passo carrabile	*pa*·so ka·*ra*·bi·lé	**Sortie de voitures**
Pedaggio	pé·*da*·djo	**Péage**
Pericolo	pé·*ri*·ko·lo	**Danger**
Rallentare	ra·lènn·*ta*·ré	**Ralentir**
Rimozione forzata	ri·mo·*tsyo*·né for·*tsa*·ta	**Enlèvement immédiat**
Senso unico	*sènn*·so *ou*·ni·ko	**Sens unique**
Stop	stop	**Stop**
Uscita	ou·*chi*·ta	**Sortie**

PRATIQUE

GPL	*gasauto* m	ga·*za*·ou·to
essence sans plomb	*benzina* f *senza*	bènn·*dzi*·na
	piombo	sènn·tsa *pyomm*·bo

Pouvez-vous contrôler,	*Può controllare*	pwo konn·tro·*la*·ré
s'il vous plaît ...	*..., per favore?*	... pér fa·*vo*·ré
l'huile	*l'olio*	*lo*·lyo
la pression	*la pressione*	la pré·*syo*·né
des pneus	*delle gomme*	dè·lé go·mé
l'eau	*l'acqua*	*la*·kwa

Je peux me garer ici (pendant combien de temps) ?
(Per quanto tempo) Posso (pér *kwann*·to *tèmm*·po) *po*·so
parcheggiare qui? par·ké·*dja*·ré kwi

Où dois-je payer ?
Dove si paga? do·vé si *pa*·ga

> problèmes

20B J'ai besoin d'un mécanicien.
Ho bisogno di un o bi·*zo*·nyo di ounn
meccanico. mék·*ka*·ni·ko

**La voiture/moto est tombée en panne
(au croisement).**
La macchina/moto si è la *mak*·ki·na/*mo*·to si è
guastata (all'incrocio). gwa·*sta*·ta (al·linn·*kro*·tcho)

J'ai eu un accident.
Ho avuto un incidente. o a·*vou*·to ounn inn·tchi·*dènn*·té

La voiture/moto ne démarre pas.
La macchina/moto non parte. la *mak*·ki·na/*mo*·to nonn *par*·té

20C Mon pneu est crevé.
Ho una gomma bucata. o *ou*·na *gom*·ma bou·*ka*·ta

J'ai perdu mes clés (de voiture).
Ho perso le chiavi della o *pèr*·so lé *kya*·vi dè·la
macchina. *mak*·ki·na

J'ai fermé la voiture avec les clés à l'intérieur.
Ho chiuso la macchina con o *kyou*·zo la *mak*·ki·na konn
le chiavi dentro. lé *kya*·vi *dènn*·tro

20D Je n'ai plus d'essence.
Ho esaurito la benzina. o é·za·ou·ri·to la bènn·dzi·na

Pouvez-vous la réparer (aujourd'hui) ?
La può aggiustare la pwo a·djou·sta·ré
(oggi)? (o·dji)

Ça va prendre combien de temps ?
Quanto ci vuole? kwann·to tchi vwo·lé

vélo

19C Je voudrais louer un vélo.
Vorrei noleggiare vo·raille no·lé·dja·ré
una bicicletta. ou·na bi·tchi·klèt·ta

Je voudrais...	*Vorrei ...*	vo·raille ...
acheter	*comprare*	komm·pra·ré
un vélo	*una bicicletta*	ou·na bi·tchi·klè·ta
d'occasion	*di seconda mano*	di sé·konn·da ma·no

Combien ça coûte... ?	*Quanto costa ...?*	kwann·to ko·sta ...
pour un après-midi	*per un pomeriggio*	pér ounn po·mé·ri·djo
par jour	*al giorno*	al djor·no
par heure	*all'ora*	a·lo·ra
pour la matinée	*per una mattina*	pér ou·na ma·ti·na

20C Mon pneu est crevé.
Ho una gomma bucata. o ou·na go·ma bou·ka·ta

---

parler local

dè·vo or·di·na·ré il pè·tso di ri·kamm·byo
Devo ordinare **Je dois commander**
il pezzo di ricambio. **la pièce de rechange.**

ké ti·po di mak·ki·na/mo·to è
Che tipo di macchina/ **Quel type de voiture/**
moto è? **moto est-ce ?**

10A **Je suis ici pour affaires.**
Sono qui per affari. so·no kwi pér af·*fa*·ri

10B **Je suis ici en vacances.**
Sono qui in vacanza so·no kwi inn va·*kann*·tsa

Je reste ici ...	*Sono qui per ...*	so·no kwi pér ...
(21) jours	*(ventuno) giorni*	(vènn·*tou*·no) djor·ni
(2) mois	*(due) mesi*	(*dou*·é) mè·zi
(3) semaines	*(tre) settimane*	(tré) sét·ti·*ma*·né

J'ai un	*Ho un*	o ounn
permis de ...	*permesso di ...*	pér·*mès*·so di ...
séjour	*soggiorno/lavoro*	so·*djor*·no/la·*vo*·ro
séjour étudiant	*studio*	*stou*·dyo
étranger		

parler local

il *sou*·o ...	*Il Suo ...,*	**Votre ...,**
pér fa·*vo*·ré	*per favore.*	**s'il vous plaît.**
pas·sa·*por*·to	*passaporto*	**passeport**
vi·sto	*visto*	**visa**
vya·dja ...	*Viaggia ...?*	**Vous voyagez ... ?**
da *so*·lo/a	*da solo/a* m/f	**seul/e**
inn *group*·po	*in gruppo*	**en groupe**
konn fa·*mi*·lya	*con famiglia*	**avec votre**
		famille

10C Je n'ai rien à déclarer.

Non ho niente da dichiarare.   nonn o *nyènn*·té da di·kya·*ra*·ré

10D J'ai quelque chose à déclarer.

Ho delle cose da dichiarare.   o *dèl*·lé *ko*·zé da di·kya·*ra*·ré

Je ne savais pas que je devais le déclarer.

Non sapevo che dovevo dichiararlo.   nonn sa·*pè*·vo ké do·*vè*·vo di·kya·*rar*·lo

Avez-vous ce formulaire en français ?

Avete questo modulo in francese?   a·*vè*·té *kwè*·sto *mo*·dou·lo inn frann·*tchè*·zé

panneaux		
Controllo passaporti	konn·*trol*·lo pas·sa·*por*·ti	**Contrôle des passeports**
Dogana	do·*ga*·na	**Douanes**
Immigrazione	im·mi·gra·*tsyo*·né	**Immigration**

trouver un hébergement

trovare alloggio

26A Où pourrais-je trouver une pension ?
Dov'è una pensione?   do·vè ou·na pènn·syo·né

26B Où pourrais-je trouver un hôtel ?
Dov'è un albergo?   do·vè ou·nal·bèr·go

26C Où pourrais-je trouver une auberge de jeunesse ?
Dov'è un ostello della   do·vè ounn·o·stè·lo dè·la
gioventù?   djo·vènn·tou

26D Où pourrais-je trouver un camping ?
Dov'è un campeggio?   do·vè ounn kamm·pè·djo

27A Pouvez-vous me conseiller un endroit bon marché ?
Può consigliare qualche   pwo konn·si·lya·ré kwal·ké
posto economico?   po·sto é·ko·no·mi·ko

27B Pouvez-vous me conseiller un endroit luxueux ?
Può consigliare qualche   pwo konn·si·lya·ré kwal·ké
posto di lusso?   po·sto di lou·so

27C Pouvez-vous me conseiller un endroit bon marché ?
Può consigliare qualche   pwo konn·si·lya·ré kwal·ké
posto vicino?   po·sto vi·tchi·no

Quelle est l'adresse ?
Qual'è l'indirizzo?   kwa·lè linn·di·ri·tso

Pour formuler les réponses à ces questions, voir la rubrique
orientation, p. 61.

réservation

29A Avez-vous une chambre simple ?
Avete una camera singola? a·vè·té ou·na ka·mé·ra sinn·go·la

29B Avez-vous une chambre double ?
Avete una camera doppia a·vè·té ou·na ka·mé·ra dop·pya
con letto matrimoniale? konn lè·to ma·tri·mo·nya·lé

29C Avez-vous une chambre à deux lits ?
Avete una camera doppia a·vè·té ou·na ka·mé·ra dop·pya
a due letti? a dou·é lè·ti

28A Je voudrais réserver une chambre, s'il vous plaît.
Vorrei prenotare una vot·reille pré·no·ta·ré ou·na
camera, per favore. ka·mé·ra pér fa·vo·ré

28B J'ai une réservation.
Ho una prenotazione. o ou·na pré·no·ta·tsyo·né

28C Combien ça coûte pour une nuit ?
Quanto costa per una notte? kwann·to ko·sta pér ou·na not·té

28D Combien ça coûte par personne ?
Quanto costa per kwann·to ko·sta pér
persona? pér·so·na

Je m'appelle ...
Mi chiamo ... mi kya·mo ...

Pour (3) nuits/semaines.
Per (tre) notti/settimane. pér (tré) not·ti/sét·ti·ma·né

Du (2 juillet) au (6 juillet).
Dal (due luglio) al dal (dou·é lou·lyo) al
(sei luglio). (seille lou·lyo)

Est-ce que je peux la voir ?
Posso vederla? pos·so vé·dèr·la

Ça va. Je la prends.
Va bene. La prendo. va bè·né. la prènn·do

Est-ce que je dois payer d'avance ?
Devo pagare dè·vo pa·ga·ré
in anticipo? i·nann·ti·tchi·po

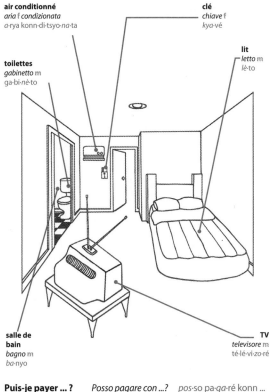

air conditionné
aria f *condizionata*
a·rya konn·di·tsyo·*na*·ta

clé
chiave f
kya·vé

lit
letto m
lè·to

toilettes
gabinetto m
ga·bi·*nè*·to

salle de bain
bagno m
ba·nyo

TV
televisore m
té·lé·vi·zo·ré

Puis-je payer ... ?	*Posso pagare con ...?*	*pos*·so pa·*ga*·ré konn ...
par carte de crédit	*la carta di credito*	la *kar*·ta di *krè*·di·to
avec un chèque de voyage	*un assegno di viaggio*	ou·nas·*sè*·nyo di *vya*·djo

Voir aussi la rubrique **banque**, p. 79.

renseignements et services

30A À quelle heure est le petit déjeuner ?
A che ora è la prima
colazione?
a ké o·ra è la pri·ma
ko·la·tsyo·né

30B Où prend-on le petit déjeuner ?
Dove si prende la
prima colazione?
do·vé si prènn·dé la
pri·ma ko·la·tsyo·né

30C Réveillez-moi à (7h), s'il vous plaît.
Mi svegli (alle sette),
per favore.
mi svè·lyi (a·lé sèt·té)
pér fa·vo·ré

Pouvez-vous me donner un(e) autre ... ?
Può darmi un altro/a ... m/f   pwo dar·mi ou·nal·tro/a

Puis-je utiliser ... ?   *Posso usare ...?*   po·so ou·za·ré ...
   la cuisine   *la cucina*   la kou·tchi·na
   la buanderie   *la lavanderia*   la la·vann·dé·ri·a
   le téléphone   *il telefono*   il té·lè·fo·no

30D Avez-vous un ascenseur ?
C'è un ascensore?   tchè ou·na·chènn·so·ré
30E Avez-vous un coffre ?
C'è una cassaforte?   tchè ou·na kas·sa·for·té

un tableau d'affichage   *una bacheca*   ou·na ba·kè·ka
une piscine   *una piscina*   ou·na pi·chi·na

Est-ce que vous ... ici ?   *Si ... qui?*   si ... kwi
   organisez   *organizzano*   or·ga·ni·dza·no
   des visites   *delle gite*   dél·lé dji·té
   changez   *cambiano*   kamm·bya·no
   de l'argent   *i soldi*   i sol·di

Puis-je laisser un message pour quelqu'un ?

*Posso lasciare un
messaggio per qualcuno?*

po·so la·*cha*·ré ounn
mé·*sa*·djo pér kwal·*kou*·no

Y a-t-il un message pour moi ?

C'è un messaggio per me?

tché ounn mé·*sa*·djo pér mé

Ma chambre est fermée et j'ai laissé les clefs à l'intérieur.

*Mi sono chiuso/a
fuori dalla mia
camera. m/f*

mi *so*·no kyou·zo/a
fwo·ri da·la mi·a
ka·mé·ra

La porte (de la salle de bain) est fermée à clef.

*La porta (del bagno) è
chiusa a chiave.*

la *por*·ta (del *ba*·nyo) è
kyou·za a *kya*·vé

se loger

réclamations

La chambre est trop ...	La camera è troppo ...	la *ka*·mé·ra è *trop*·po ...
froide	*fredda*	*frè*·da
sombre	*scura*	*skou*·ra
chère	*cara*	*ka*·ra
lumineuse	*luminosa*	lou·mi·*no*·za
bruyante	*rumorosa*	rou·mo·*ro*·za
petite	*piccola*	*pi*·ko·la

31A **L'air conditionné ne fonctionne pas.**
L'aria condizionata la·rya konn·di·tsyo·*na*·ta
non funziona nonn founn·*tsyo*·na

31B **Le ventilateur ne fonctionne pas.**
Il ventilatore il vènn·ti·la·*to*·ré
non funziona nonn founn·*tsyo*·na

31C **Les toilettes ne fonctionnent pas.**
Il gabinetto il ga·bi·*nè*·to
non funziono nonn founn·*tsyo*·no

Ce(t)/cette ... n'est pas propre.
Questo/a ... non è *kwè*·sto/a ... no·nè
pulito/a. **m/f** pou·*li*·to/a

Si vous avez d'autres envies ou besoins, consultez la rubrique **dictionnaire**.

on frappe à la porte...

Qui est-ce ?	*Chi è?*	ki è
Un instant.	*Un momento.*	ounn mo·*mènn*·to
Entrez.	*Avanti.*	a·*vann*·ti
Revenez plus tard, s'il vous plaît.	*Torni più tardi, per favore.*	*tor*·ni pyou *tar*·di pér fa·*vo*·ré

quitter un hôtel

32A À quelle heure doit-on quitter sa chambre ?
A che ora si deve lasciar   a ké o·*ra* si *dè*·vé la·*char*
libera la camera?   *li*·bé·ra la *ka*·mé·ra

Est-ce que je peux quitter ma chambre plus tard ?
Posso liberare la   *pos*·so li·bé·*ra*·ré la
camera più tardi?   *ka*·mé·ra pyou *tar*·di

32B Est-ce que je peux laisser mes bagages ici ?
Posso lasciare il mio   *po*·so la·*cha*·ré il *mi*·o
bagaglio qui?   ba·*ga*·lyo kwi

Je pars maintenant.
Parto adesso.   *par*·to a·*dès*·so

36D Il y a une erreur dans la note.
C'è un errore nel conto.   tché ou·nér·*ro*·ré nèl *konn*·to

Pouvez-vous m'appeler un taxi (pour 11h) ?
Può chiamarmi un tassì   pwo kya·*mar*·mi ounn tas·*si*
(per le undici)?   (pér lé *ounn*·di·tchi)

32C Pourrais-je avoir ma caution, s'il vous plaît ?
Posso avere la caparra,   *po*·so a·*vè*·ré la ka·*pa*·ra
per favore?   pér fa·*vo*·ré

32D Pourrais-je avoir mon passeport, s'il vous plaît ?
Posso avere il mio   *po*·so a·*vè*·ré il *mi*·o
passaporto, per favore?   pa·sa·*por*·to pér fa·*vo*·ré

32E Pourrais-je avoir mes objets de valeur, s'il vous plaît ?
Posso avere i miei oggetti   *po*·so a·*vè*·ré i *myeille* o·*djè*·ti
di valore, per favore?   di va·*lo*·ré pér fa·*vo*·ré

Je reviens ...   *Torno ...*   *tor*·no ...
  dans (3) jours   *fra (tre) giorni*   fra (tré) *djor*·ni
  (mardi)   *(martedì)*   (mar·té·*di*)

se loger

C'était très bien, merci.
Sono stato/a   *so*·no *sta*·to/a
benissimo/a, grazie. m/f   bé·*nis*·si·mo/a *gra*·tsyé

Vous avez été parfait(e).
È stato/a bravissimo/a. m/f   é *sta*·to/a bra·*vis*·si·mo/a

Je vais le conseiller à mes amis.
Lo consiglierò   lo konn·si·lyè·*ro*
ai miei amici.   aille myeille a·*mi*·tchi

camping

Où est ... le/les plus proche(s) ?	*Dov'è ... più vicino?*	do·*vè* ... pyou vi·*tchi*·no
le camping	*il campeggio*	il kamm·*pè*·djo
le magasin	*il negozio*	il né·*go*·tsyo
les douches	*il servizio doccia*	il sér·*vi*·tsyo *do*·tcha

Avez-vous ... ?	*Avete ...?*	a·*vè*·té ...
l'électricté	*la corrente*	la kor·*rènn*·té
des douches	*il servizio doccia*	il sér·*vi*·tsyo *do*·tcha
un emplacement	*un sito*	ounn *si*·to
des tentes à louer	*tende da noleggiare*	*tènn*·dé da no·lé·*dja*·ré

C'est combien par ... ?	*Quant'è per ...?*	kwann·*tè* pér ...
caravane	*roulotte*	rou·*lotte*
personne	*persona*	pér·*so*·na
tente	*tenda*	*tènn*·da
véhicule	*veicolo*	vé·*i*·ko·lo

26E Puis-je camper ici ?
Si può campeggiare qui?   si pwo kamm·pé·*dja*·ré kwi

Puis-je me garer près de ma tente ?
Si può parcheggiare   si pwo par·ké·*dja*·ré
accanto alla tenda?   ak·*kann*·to a·la *tènn*·da

À qui dois-je demander l'autorisation de rester ici ?
A chi chiedo permesso per stare qui?
a ki *kyè*·do pér·*mès*·so pér *sta*·ré kwi

Où sont les sanitaires les plus proches ?
Dove sono i servizi igienici più vicini?
do·vé *so*·no i sér·*vi*·tsi i·*djè*·ni·tchi pyou vi·*tchi*·ni

Ça marche avec des jetons ?
Funziona a gettoni?
founn·*tsyo*·na a djét·*to*·ni

L'eau est potable ?
L'acqua è potabile?
la·kwa è po·*ta*·bi·lé

Est-ce que je pourrais emprunter (un maillet) ?
Potrei prendere in prestito (un mazzuolo)?
po·*treille* prènn·dé·ré inn *prè*·sti·to (ounn ma·*tswo*·lo)

Pour en savoir plus, consulter la rubrique **dictionnaire**.

location

Je viens pour le/la … que vous louez.
Sono qui per il/la … che date in affitto.
so·no kwi pér il/la … ké *da*·té i·na·*fi*·to

Avez-vous	*Avete …*	a·*vè*·té …
… à louer ?	*d'affittare?*	da·fi·*ta*·ré
un appartement	*un appartamento*	ou·nap·par·ta·*mènn*·to
une cabine	*una cabina*	ou·na ka·*bi*·na
une maison	*una casa*	ou·na *ka*·za
une chambre	*una camera*	ou·na *ka*·mé·ra
une villa	*una villa*	ou·na *vil*·la
(en partie)	*(in parte)*	(inn *par*·té)
meublé/e	*ammobiliato/a* m/f	am·mo·bi·*lya*·to/a
non meublé/e	*non ammobiliato/a* m/f	non am·mo·bi·*lya*·to/a
C'est combien pour … ?	*Quant'è per …?*	kwann·*tè* pér …
(1) semaine	*(una) settimana*	(*ou*·na) sét·ti·*ma*·na
(2) mois	*(due) mesi*	(*dou*·é) *mè*·zi

Les factures sont en plus ?
 Sono extra le bollette? so·no èk·stra lé bol·lè·té

loger chez l'habitant

allogiare dalle persone del luogo

Est-ce que je peux dormir chez vous/toi ?
 Posso stare da Lei/te? pol/fam po·so sta·ré da leille/té

Est-ce que je peux donner un coup de main ?
 Posso aiutare in po·so a·you·ta·ré inn
 qualche modo? kwal·ké mo·do

J'ai	*Ho il mio*	o il *mi*·o
mon ...	*proprio ...*	*pro*·pri·o ...
matelas	*materasso*	ma·té·*ra*·so
sac de couchage	*sacco a pelo*	*sa*·ko a pè·lo

Est-ce que je peux ... ?	*Posso ...?*	*pos*·so ...
amener	*portare*	por·*ta*·ré
quelque chose	*qualcosa*	kwal·*ko*·za
pour le repas	*per il pasto*	pér il *pa*·sto
faire la vaisselle	*lavare i piatti*	la·*va*·ré i *pyat*·ti
mettre/débarrasser la table		
	apparecchiare/	ap·pa·rék·*kya*·ré/
	sparecchiare	spa·rék·*kya*·ré
jeter les	*gettare la*	djét·*ta*·ré la
ordures	*spazzatura*	spa·tsa·*tou*·ra

Merci pour votre/ton accueil.
 Grazie per la Sua/tua gra·tsyé pér la *sou*·a/*tou*·a
 ospitalità. pol/fam o·spi·ta·li·*ta*

Consultez également la rubrique **se restaurer**, p. 143.

21A Où est-ce ?
Dov'è   do·vè

21B Quelle est l'adresse ?
Qual'è l'indirizzo?   kwa·lè linn·di·ri·tso

21C Comment fait-on pour y aller ?
Come ci si arriva?   ko·mé tchi si ar·ri·va

21D C'est loin ?
Quant'è distante?   kwann·tè di·stann·té

21E Pouvez-vous me montrer (sur le plan) ?
Può mostrarmi   pwo mo·strar·mi
(sulla pianta)?   (soul·la pyann·ta)

Je cherche (les toilettes).
Cerco (i servizi   tchèr·ko (i sér·vi·tsi
igienici).   i·djè·ni·tchi)

Où se trouve (la poste) ?
Dove si trova (l'ufficio   do·vé si tro·va (louf·fi·tcho
postale)?   po·sta·lé)

22A C'est loin	*È lontano*	è lonn·ta·no
22B C'est près (de ...)	*È vicino (a ...)*	è vi·tchi·no (a ...)
22C Ici	*Qui*	kwi
22D Là	*Là*	la
22E C'est près de ...	*È accanto a ...*	è ak·kann·to a ...
22F En face de ...		
Di fronte a ...		di fronn·té a ...
22G Toujours tout droit		
Sempre diritto		sèmm·pré di·rit·to
derrière ...	*dietro ...*	dyè·tro ...
devant ...	*davanti a ...*	da·vann·ti a ...
à gauche	*a sinistra*	a si·ni·stra
au coin	*all'angolo*	al lann·go·lo
à droite	*a destra*	a dè·stra

23A Tournez à l'angle.	*Giri all'angolo.*	dji·ri a-*lann*-go·lo
23B Tournez au feu.	*Giri al semaforo.*	dji·ri al sé·*ma*·fo·ro
23C Tournez à gauche.	*Giri a sinistra.*	dji·ri a si·*ni*·stra
23D Tournez à droite.	*Giri a destra.*	dji·ri a dè·stra

C'est à ...	*È a ...*	è a ...
(100) mètres	*(cento) metri*	(tchènn·to) mè·tri
(30) minutes	*(trenta)*	(trènn·ta)
	minuti	mi·*nou*·ti

24A en bus	*con l'autobus*	konn la·*ou*·to·bous
24B en taxi	*con il tassì*	ko·nil tas·*si*
24C en train	*con il treno*	ko·nil trè·no
24D à pied	*a piedi*	a pyè·di

25A nord	*nord*	nord
25B sud	*sud*	soud
25C est	*est*	est
25D ouest	*ovest*	o·vest

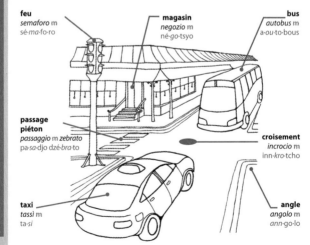

feu
semaforo m
sé·*ma*·fo·ro

magasin
negozio m
né·*go*·tsyo

bus
autobus m
a·*ou*·to·bous

passage piéton
passaggio m *zebrato*
pa·*sa*·djo dzé·*bra*·to

croisement
incrocio m
inn·*kro*·tcho

taxi
tassì m
ta·*si*

angle
angolo m
ann·go·lo

se renseigner

Où y a-t-il (une agence de voyages) ?
Dov'è (un'agenzia di viaggi)?
do·vè (ou·na·djènn·tsi·a di vya·dji)

33A Où puis-je acheter (un cadenas) ?
Dove posso comprare (un lucchetto)?
do·vé pos·so komm·pra·ré (oun lou·ké·to)

Pour demander sa route et se faire indiquer une direction, voir la rubrique **orientation**, p. 61, et pour d'autres magasins, consulter le **dictionnaire**.

indications		
Aperto	a·pèr·to	**Ouvert**
Chiuso	kyou·zo	**Fermé**
Spingere	spinn·djé·ré	**Poussez**
Tirare	ti·ra·ré	**Tirez**

achats

33B Combien ça coûte ?
Quanto costa questo?
kwann·to ko·sta kwè·sto

33C Pouvez-vous écrire le prix ?
Può scrivere il prezzo?
pwo skri·vé·ré il prè·tso

34A Je voudrais acheter...
Vorrei comprare ...
vor·reille komm·pra·ré ...

34B Puis-je jeter un coup d'oeil ?
Posso dare un'occhiata?
po·so da·ré ou·no·kya·ta

34C En avez-vous d'autres ?
Ne avete altri?
né a·vè·té al·tri

34D Il y a une garantie ?
Ha la garanzia?   a·la ga·rann·*tsi*·a

Je ne fais que regarder.
Sto solo guardando.   sto *so*·lo gwar·*dann*·do

Pouvez-vous l'emballer, s'il vous plaît ?
Può incartarlo,   pwo inn·kar·*tar*·lo
per favore?   pér fa·*vo*·ré

Pouvez-vous l'expédier à l'étranger ?
Può spedirlo all'estero?   pwo spé·*dir*·lo al·*lè*·sté·ro

Pouvez-vous le commander ?
Me lo può ordinare,   mé lo pwo or·di·*na*·ré
per favore?   pér fa·*vo*·ré

Puis-je le prendre plus tard ?
Posso ritirarlo   *po*·so ri·ti·*rar*·lo
più tardi?   pyou *tar*·di

36A Il est défectueux.
È difettoso.   è di·fét·*to*·zo

Il est cassé.
È rotto.   è *rot*·to

35A Acceptez-vous les cartes de crédit ?
Accettate la carta di credito?   a·tchét·*ta*·té la *kar*·ta di *krè*·di·to

35B Acceptez-vous les cartes de débit ?
Accettate la carta di debito?   a·tchét·*ta*·té la *kar*·ta di *dè*·bi·to

35C Acceptez-vous les chèques de voyage ?
Accettate i travellers   a·tchét·*ta*·té i *tra*·velers chèk
cheques ?   *vya*·djo

35D Pouvez-vous me donner un sac, s'il vous plaît ?
Può darmi un sacchetto,   pwo *dar*·mi ounn sa·*kèt*·to
per favore?   pér fa·*vo*·ré

---

formule de politesse

La forme de politesse "vous" se traduit par *Lei* ou *voi* en italien. Utilisez *Lei* lorsque vous vous adressez à une seule personne, et *voi* dans les autres cas. Voir la rubrique **pronoms** dans le chapitre **grammaire de A à Z**.

35E Pouvez-vous me donner un reçu, s'il vous plaît ?
Può darmi una ricevuta, per favore?   pwo *dar*·mi *ou*·na ri·tché·*vou*·ta pér fa·*vo*·ré

35F Je voudrais la monnaie, s'il vous plaît.
Vorrei il mio resto, per favore.   vor·*reille* il *mi*·o rè·sto pér fa·*vo*·ré

36C Je voudrais rendre ceci, s'il vous plaît.
Vorrei restituire questo/a, m/f *per favore.*   vor·*reille* ré·sti·tou·*i*·ré kwè·sto/a pér fa·*vo*·ré

marchander

parler local		
affaire	*affare* m	a·*fa*·ré
affairiste	*affarista* m	a·fa·*ri*·sta
arnaque	*fregatura* f	fré·ga·*tou*·ra
occasions	*occasioni* f pl	o·ka·*zyo*·ni
soldes	*saldi* m pl	*sal*·di

contrattare

33D C'est trop cher.
È troppo caro/a. m/f   è *trop*·po *ka*·ro/a

33E Pouvez-vous me faire une réduction ?
Può farmi lo sconto?   pwo *far*·mi lo *skonn*·to

Le prix est trop élevé.
Il prezzo è molto alto.   il *prè*·tso è *mol*·to *al*·to

Avez-vous quelque chose de moins cher ?
Ha qualcosa di meno costoso?   a kwal·*ko*·za di *mè*·no ko·*sto*·zo

Je vous offre ...
Le offro ...   lé *of*·fro ...

acheter des vêtements

comprare vestiti

37A Est-ce que je peux essayer ?
Potrei provarmelo/a? m/f   po·*treille* pro·var·mé·lo/a

37B Ça ne me va pas.
Non va bene.   nonn va *bè*·né

37C Je fais du ...	*Sono una taglia ...*	*so·no ou·na ta·lya ...*
32	*trentadue*	*trèn·ta·dou·é*
L	*forte*	*for·té*
M	*media*	*mè·dya*
S	*piccola*	*pi·ko·la*

correspondances des tailles

France	Italie		
36	40	*quaranta*	kwa·*rann*·ta
38	42	*quarantadue*	kwa·rann·ta·*dou*·é
40	44	*quarantaquattro*	kwa·rann·ta·*kwa*·tro
42	46	*quarantasei*	kwa·rann·ta·*séille*
44	48	*quarantotto*	kwa·rann·*to*·to

Pour en savoir plus, reportez-vous au **dictionnaire**.

réparations

le riparazioni

Puis-je faire	*Posso far*	*po·so far*
réparer ici...	*aggiustare qui?*	a·djou·*sta*·ré kwi
mon sac à dos	*il mio zaino*	il *mi*·o *dza*·i·no
mon appareil	*la mia macchina*	la *mi*·a *ma*·ki·na
photo	*fotografica*	fo·to·*gra*·fi·ka
Quand seront	*Quando saranno*	*kwann*·do sa·ra·no
prêt(e)s ... ?	*pronti/e ...? m/f pl*	*pronn*·ti/é ...
mes lunettes	*i miei occhiali m pl*	i *myeille* o·*kya*·li
(de soleil)	*(da sole)*	(da *so*·lé)
mes chaussures	*le mie scarpe f pl*	lé *mi*·é *skar*·pé

chez le coiffeur

dal parrucchiere

Je voudrais ...	*Vorrei ...*	vo·*reille* ...
me faire teindre	*farmi tingere*	*far*·mi *tinn*·djé·ré
les cheveux	*i capelli*	i ka·*pè*·li
une coupe	*un taglio*	ounn *ta*·lyo
un balayage	*i colpi di sole*	i *kol*·pi di *so*·lé

une coupe	*un taglio*	ounn *ta*·lyo
en dégradé	*scalato*	ska·*la*·to
me rafraîchir	*una spuntatina*	ou·na spounn·ta·*ti*·na
la barbe	*alla barba*	a·la *bar*·ba
une permanente	*una permanente*	ou·na pér·ma·*nènn*·té
me faire raser	*una rasatura*	oo·na ra·za·*tou*·ra
me faire lisser	*farmi stirare i*	*far*·mi sti·*ra*·ré i
les cheveux	*capelli*	ka·*pè*·li
des mèches	*le mèches*	lé méche
rafraîchir	*una spuntatina*	ou·na spounn·ta·*ti*·na
ma coupe		

Est-ce vous faites ... ? *Fate ...*   *fa*·té ...

des traitements	*i trattamenti di*	i tra·ta·*mènn*·ti di
de beauté	*bellezza*	bé·*lè*·tsa
(pour le visage)	*(al viso)*	(al *vi*·zo)
des massages	*i massaggi*	i ma·*sa*·dji
des épilations	*la depilazione*	la dé·pi·la·*tsyo*·né

Ne les coupez pas trop court.
Non li tagli troppo corti.   non li *ta*·lyi *tro*·po *kor*·ti

Coupez tout !
Li tagli tutti!   li *ta*·lyi *tou*·ti

Utilisez un nouveau rasoir, s'il vous plaît.
Usi una lametta   ou·zi ou·na la·*mè*·ta
nuova, per favore.   *nwo*·va pér fa·*vo*·ré

Je n'aurais jamais dû la laisser faire !
Non dovevo mai   non do·*vè*·vo maille
permetterLe di toccarmi!   pér·*mè*·tér·lé di to·*kar*·mi

Pour les couleurs, voir le **dictionnaire**.

livres et lecture

Y a-t-il une librairie (spécialisée en langue française) ?
C'è una libreria   tché ou·na li·bré·*ri*·a
(specializzata in   (spé·*tcha*·li·*dza*·ta inn
lingua francese)?   *linn*·gwa frann·*tchè*·zé)

Y a-t-il une section (de langue française) ?

C'è una sezione
(di lingua francese)?

tché *ou*·na sé·*tsyo*·né
(di *linn*·gwa frann·*tchè*·zé)

Y a-t-il un guide des spectacles (en français) ?

C'è una guida agli
spettacoli (in francese)?

tché *ou*·na *gwi*·da *a*·lyi
spé·*ta*·ko·li (inn frann·*tchè*·zé)

Avez-vous un livre de (Alberto Moravia) ?

C'è un libro di
(Alberto Moravia)?

tché ounn *li*·bro di
(al·*bèr*·to mo·*ra*·vya)

Avez-vous des guides Lonely Planet ?

Avete le guide del
Lonely Planet?

a·*vè*·té lé *gwi*·dé dél
lonn·li *pla*·nét

Avez-vous un meilleur dictionnaire ?

Avete un vocabolarietto
migliore di questo?

a·*vè*·té ounn vo·ka·bo·la·*ryè*·to
mi·*lyo*·ré di *kwè*·sto

musique

musica

Je voudrais ...	*Vorrei ...*	vo·*reille* ...
une cassette	*una cassetta*	*ou*·na ka·*sè*·ta
vierge	*vuota*	*vwo*·ta
un CD	*un cidì*	ounn tchi·*di*
un casque	*delle cuffie*	*dè*·lé *kou*·fyé

J'ai entendu un groupe qui s'appelle (Marlene Kuntz).

Ho sentito un gruppo
chiamato (Marlene Kuntz).

o sénn·*ti*·to ounn *grou*·po
kya·*ma*·to (mar·*lè*·né kounnts)

J'ai entendu un(e) chanteur(euse) qui s'appelle ...

Ho sentito un/una
cantante chiamato/a ... m/f

o sénn·*ti*·to ounn/*ou*·na
kann·*tann*·té kya·*ma*·to/a ...

Quel est son meilleur morceau ?

Qual'è la sua migliore
incisione?

kwa·*lè* la *sou*·a mi·*lyo*·ré
inn·tchi·*zyo*·né

Est-ce que je pourrais écouter ça ?
Potrei ascoltare questo?   po·*treille* as·kol·*ta*·ré kwè·sto

photographie

38B **Je voudrais une pellicule noir et blanc pour cette appareil.**
Vorrei un rullino in bianco   vo·*reille* ounn rou·*li*·no inn *byann*·ko
e nero per questa   é *nè*·ro pér kwè·sta
macchina fotografica   *ma*·ki·na fo·to·*gra*·fi·ka

38C **Je voudrais une pellicule couleur pour cette appareil.**
Vorrei un rullino a colori   vo·*reille* ounn rou·*li*·no a ko·lo·ri
per questa macchina   pér kwè·sta *ma*·ki·na
fotografica.   fo·to·*gra*·fi·ka

Je voudrais...	Vorrei	vo·reille
une pellicule	*un rullino*	ounn rou·*li*·no
pour cet	*per questa*	pér kwè·sta
appareil	*macchina*	*ma*·ki·na
photo.	*fotografica.*	fo·to·*gra*·fi·ka
APS	*da APS*	da a·pi·è·sé
pour diapositives	*per diapositive*	pér dya·po·zi·*ti*·vé
(100) ASA	*di (cento) ASA*	di (*tchènn*·to) *a*·za

Pourriez-vous ... ?	Potrebbe ...?	po·trè·bé ...
développer	*sviluppare*	svi·lou·*pa*·ré
cette pellicule	*questo rullino*	kwè·sto rou·*li*·no

38A **Pourriez-vous insérer la pellicule ?**
Potrebbe inserire il mio rullino?   po·trè·béinn·sé·*ri*·ré il *mi*·o rou·*li*·no

---

parler local

leille *lè*·djé *li*·bri inn i·ta·*lya*·no
Lei legge libri in   **Vous lisez des livres**
italiano?   **en italien ?**

no nonn né a·*bya*·mo
No, non ne abbiamo.   **Non, nous n'en avons pas.**

Combien ça coûte pour faire développer cette pellicule ?
Quanto costa sviluppare   kwann·to ko·sta svi·lou·pa·ré
questo rullino?   kwè·sto rou·li·no

38D Ce sera prêt quand ?
Quando sarà pronto?   kwann·do sa·ra pronn·to

Je voudrais des photos d'identité.
Vorrei delle foto tessera.   vo·reille dè·lé fo·to tè·sé·ra

Ces photos ne me plaisent pas.
Non mi piacciono   nonn mi pya·tcho·no
queste foto.   kwè·sté fo·to

Pour en savoir plus sur le matériel photo, consultez le **dictionnaire**.

souvenirs		
objets anciens	*pezzi* m	pè·tsi
	d'antiquariato	dann·ti·kwa·rya·to
verre soufflé	*vetro* m *soffiato*	vè·tro so·fya·to
masques de	*maschere* f pl *di*	ma·ské·ré di
Carnaval	*Carnevale*	kar·né·va·lé
céramiques	*ceramiche* f pl	tché·ra·mi·ké
broderie	*ricamo* m	ri·ka·mo
verrerie	*vetrame* m	vé·tra·mé
artisanat	*ogetti* m pl	o·djè·ti
	d'artigianato	dar·ti·dja·na·to
bijoux	*gioielli* m pl	djo·yè·li
dentelle	*merletto* m	mér·lè·to
articles		
de maroquinerie	*pelletterie* f pl	pé·lé·té·ri·é
papier marbré	*carta* f	kar·ta
	marmorizzata	mar·mo·ri·dsa·ta
verres de	*vetri* m pl *di*	vè·tri di
Murano	*Murano*	mou·ra·no
articles	*articoli* m pl	ar·ti·ko·li
en papier	*di carta*	di kar·ta
bois gravé	*legno* m	lè·nyo
	intagliato	inn·ta·lya·to

poste

l'ufficio postale

39A Je voudrais envoyer un fax.
Vorrei mandare un fax. vor·*reille* mann·*da*·ré ounn faks

39B Je voudrais envoyer un paquet.
Vorrei spedire un pacchetto. vor·*reille* spé·*di*·ré ounn pa·*kèt*·to

39C Je voudrais envoyer une carte postale.
Vorrei spedire una vor·*reille* spé·*di*·ré ou·na
cartolina. kar·to·*li*·na

39D Je voudrais acheter une enveloppe.
Vorrei comprare una busta. vo·*reille* komm·*pra*·ré ou·na bou·sta

39E Je voudrais acheter des timbres.
Vorrei comprare dei vo·*reille* komm·*pra*·ré deille
francobolli. frann·ko·*bol*·li

par avion	*via* f *aerea*	*vi*·a a·è·ré·a
déclaration	*dichiarazione* f	di·kya·ra·*tsyo*·né
en douane	*doganale*	do·ga·*na*·lé
courrier domestique	*domestico/a* m/f	do·*mè*·sti·ko/a
courrier rapide	*posta* f *prioritaria*	*po*·sta pri·o·ri·*ta*·rya
fragile	*fragile*	*fra*·dji·lé
colle	*colla* f	*kol*·la
international	*internazionale*	inn·tér·na·tsyo·*na*·lé
boîte aux lettres	*buca* f *delle lettere*	*bou*·ka dé·lé *lèt*·té·ré
code postal	*codice* m *postale*	*ko*·di·tché po·*sta*·lé
envoi	*posta* f	*po*·sta
en recommandé	*raccomandata*	rak·ko·mann·*da*·ta
normal	*ordinaria/ normale*	*po*·sta or·di·*na*·rya/ nor·*ma*·lé
par bateau	*via mare*	*vi*·a *ma*·ré

Envoyez-le par avion (au Danemark), s'il vous plaît.
Lo mandi via aerea   lo *mann*·di *vi*·a a·è·ré·a
(in Danimarca),   (inn da·ni·*mar*·ka)
per favore.   pér fa·*vo*·ré

Envoyez-le (à Rome) au tarif normal, s'il vous plaît.
Lo mandi per posta   lo *mann*·di pér *po*·sta
ordinaria (a Roma),   or·di·*na*·rya (a *ro*·ma)
per favore.   pér fa·*vo*·ré

Ça contient...
Contiene...   konn·*tyè*·né...

Où est la poste restante ?
Dov'è il fermo posta?   do·*vè* il *fèr*·mo *po*·sta

Y a-t-il du courrier pour moi ?
C'è posta per me?   tché *po*·sta pér mé

---

parler local

do·vé lo spé·*di*·ché
    Dove lo spedisce?   **C'est pour où ?**

pér *po*·sta pryo·ri·*ta*·rya o nor·*ma*·lé
    Per posta prioritaria   **Courrier rapide ou**
    o normale?   **normal ?**

---

téléphone

telefono

40A Quel est votre/ton (numéro de téléphone) ?
Qual'è il Suo/tuo   kwa·*lè* il *sou*·o/*tou*·o
numero di telefono? pol/fam   *nou*·mé·ro di té·*lè*·fo·no

40B Où est la cabine téléphonique la plus proche ?
Dov'è il telefono   do·*vè* il té·*lè*·fo·no
pubblico più vicino?   *pou*·bli·ko pyou vi·*tchi*·no

Je voudrais passer un	*Vorrei fare una*	vo·*reille* fa·ré *ou*·na
coup de téléphone	*chiamata*	kya·*ma*·ta
(à la charge	*(a carico*	(a *ka*·ri·ko
du destinataire)...	*del destinatario)...*	dél dé·sti·na·*ta*·ryo)...
en Belgique	*in Belgio*	inn *bèl*·djo
à Naples	*a Napoli*	a *na*·po·li

PRATIQUE

40C Je voudrais acheter une carte téléphonique.
Vorrei comprare una   vo·*reille* komm·*pra*·ré *ou*·na
scheda telefonica.   *skè*·da té·lé·*fo*·ni·ka

Je voudrais parler pendant (3) minutes.
Vorrei parlare per   vo·*reille* par·*la*·ré pér
(tre) minuti.   (tré) mi·*nou*·ti

Combien coûte... ?   *Quanto costa...?*   kwann·to ko·sta...

un appel	*una telefonata*	*ou*·na té·lé·fo·*na*·ta
de (3) minutes	*di (tre)*	di (tré)
	minuti	mi·*nou*·ti
la minute	*ogni minuto*	o·nyi mi·*nou*·to
supplémentaire	*in più*	inn pyou

Le numéro est...
Il numero è...   il *nou*·mé·ro è...

Quel est le préfixe pour... ?
Qual'è il prefisso per...?   kwa·*lè* il pré·*fi*·so pér...

La ligne est occupée.
La linea è occupata.   la *li*·né·a è ok·kou·*pa*·ta

La ligne a été coupée.
È caduta la linea.   è ka·*dou*·ta la *li*·né·a

La ligne est mauvaise.
La linea non è buona.   la *li*·né·a no·nè *bwo*·na

Allô !
Pronto!   pronn·to

C'est...
Sono...   so·no...

Est-ce que je peux parler avec... ?
Posso parlare con...?   po·so par·*la*·ré konn...

Est-ce que je peux laisser un message ?
 Posso lasciare un messaggio? po·so la-*cha*·ré ounn mé-*sa*·djo

Dites-lui que j'ai appelé.
 Gli/Le dica che ho lyi/lé *di*·ka ké o
 telefonato, per favore. m/f té·lé·fo·*na*·to pér fa·*vo*·ré

Je rappellerai plus tard.
 Richiamerò più tardi. ri·kya·mé·*ro* pyou *tar*·di

Mon numéro est...
 Il mio numero è... il *mi*·o nou·mé·ro è...

Je n'ai pas de poste fixe.
 Non ho un numero fisso. non o ounn *nou*·mé·ro *fis*·so

téléphone portable

Je voudrais...	Vorrei...	vo·*reille*...
un adaptateur	un adattatore	ou·na·dat·ta·*to*·ré
une recharge	un caricabatterie	ounn ka·ri·ka·bat·té·*ri*·é
louer un	un cellulare	ounn tchél·lou·*la*·ré
mobile	da noleggiare	da no·lé·*dja*·ré
un mobile	un cellulare	ounn tchél·lou·*la*·ré
prépayé	prepagato	pré·pa·*ga*·to
une recharge	una ricarica	ou·na ri·*ka*·ri·ka
téléphonique	telefonica	té·lé·*fo*·ni·ka
pour (Omnitel)	per (Omnitel)	pér (om·ni·tél)

40D Je voudrais une carte SIM pour le réseau téléphonique.

Vorrei una SIM card   vo·*reille* ou·na simm kard
per la vostra rete telefonica   pér la *vo*·stra rè·té té·lé·*fo*·ni·ka

Quels sont les tarifs ?

Quali sono le tariffe?   *kwa*·li *so*·no lé tar·*rif*·fé

(30 centimes) pour (30) secondes.

(Trenta centesimi) per   (*trènn*·ta tchènn·*tè*·zi·mi)
(trenta) secondi.   pér (*trènn*·ta) sé·*konn*·di

Internet

41A Où se trouve le café Internet ?

Dove si trova   *do*·vé si *tro*·va
l'Internet Point?   linn·tér·nét point

41B Je voudrais me connecter à Internet.

Vorrei usare Internet.   vor·*reille* ou·za·ré inn·tér·nét

41C Je voudrais utiliser une imprimante.

Vorrei usare una stampante.   vor·*reille* ou·za·ré ou·na stamm·*pann*·té

Je voudrais ...	Vorrei ...	vor·*reille*
contrôler	controllare il	konn·trol·*la*·ré il
mes messages	mio email	*mi*·o i·*mèl*
utiliser un scanner	scandire	skann·*di*·ré

41D **Combien ça coûte par heure ?**
Quanto costa all'ora? *kwann·to ko·sta al·lo·ra*

Combien ça coûte... ? *Quanto costa...?* *kwann·to ko·sta...*
pour (5) minutes *per (cinque)* pér (*tchinn·*kwé)
minuti mi·*nou·*ti
à la page *a pagina* a *pa·*dji·na

Avez-vous... ? *Avete...?* a·*vè·*té...
des PC *i PC* i pi·tchi
des Mac *i Mac* i mak
un Zip *uno ZIP drive* *ou·*no zip draille·ve

J'ai besoin d'aide avec l'ordinateur.
Ho bisogna d'aiuto con o bi·*zo·*nyo da·*you·*to
il computer. ko·nil komm·*pyou·*teur

Il est bloqué.
Si è bloccato. si è blok·*ka·*to

J'ai fini.
Ho finito. o fi·*ni·*to

---

la folie des portables

En Italie, pays où les gens sont plutôt bavards, le nombre de détenteurs de téléphones portables est l'un des plus élevés au monde. Les *cellulari* ou les *telefonini* (litt : petits téléphones) sont un accessoire de mode essentiel. Attendez-vous, dans le train ou le bus, à une véritable cacophonie de sonneries. Les Italiens utilisent leur mobile à la moindre occasion, comme ces hommes d'affaires qui n'hésitent pas, avant de quitter leur bureau, à appeler leur épouse pour la prévenir de leur arrivée.

Je suis ici pour ... — *Sono qui per ...* — so·no kwi pér ...
- **une conférence** — *una conferenza* — ou·na konn·fé·rènn·tsa
- **un cours** — *un corso* — oun *kor*·so
- **une réunion** — *una riunione* — ou·na ri·ou·nyo·né
- **un salon** — *una fiera* — ou·na *fyè*·ra
  commerciale — kom·mér·tcha·lé

Je suis ici avec ... — *Sono qui con ...* — so·no kwi konn ...
- **mon entreprise** — *la mia azienda* — la *mi*·a a·dzyènn·da
- **mon collègue/** — *il mio collega* m — il *mi*·o kol·*lè*·ga
- **ma collègue** — *la mia collega* f — la *mi*·a kol·*lè*·ga
- **mes collègues** — *i miei* — i myeille
  colleghi — kol·*lè*·ghi
- **(2) autres personnes** — *(due) altri* — *(dou*·é) al·tri

Je suis à (l'hôtel Minerva), chambre (309).
Alloggio al (Minerva), — al·*lo*·djo (al mi·*nèr*·va)
camera (trecentonove). — ka·mé·ra (tré·*tchènn*·to·no·vé)

Je suis seul/e.
Sono solo/a. m/f — so·no *so*·lo/a

Je reste là pendant (2) jours/semaines.
Sono qui per (due) — so·no kwi pér (dou·é)
giorni/settimane. — djor·ni/sét·ti·*ma*·né

Voici ma carte de visite.
Ecco il mio biglietto — è·ko il *mi*·o bi·*lyèt*·to
da visita. — da *vi*·zi·ta

J'ai un rendez-vous avec (M. Carlucci).
Ho un appuntamento — o ou·nap·pounn·ta·*mènn*·to
con (il Signor Carlucci). — konn (il si·*nyor* kar·*lou*·tchi)

Ça s'est bien passé.
È andato bene. — è ann·*da*·to *bè*·né

On va boire/manger quelque chose ?
Andiamo a bere/ — ann·*dya*·mo a *bè*·ré/
mangiare qualcosa? — mann·*dja*·ré kwal·*ko*·za

Où est ... ?	Dov'è ...?	do·vè ...
le centre d'affaires	*il business centre*	il *biz*·nis·se *sènn*·tér
la conférence	*la conferenza*	la konn·fé·*rènn*·tsa
la réunion	*la riunione*	la ri·ou·*nyo*·né

J'ai besoin d'/de...	Ho bisogno di ...	o bi·*zo*·nyo di ...
un ordinateur	*un computer*	ounn komm·*pyou*·teur
une connection Internet	*una connessione Internet*	*ou*·na kon·nés·*syo*·né *inn*·tér·nét
un interprète m/f	*un/un'interprete* m/f	ou·ninn·*tèr*·pré·té
cartes de visite	*biglietti da visita*	bi·*lyèt*·ti da *vi*·zi·ta
un endroit pour ranger	*un posto dove sistemare*	ounn *po*·sto *do*·vé si·sté·*ma*·ré
envoyer un mail/fax	*mandare un email/fax*	mann·*da*·ré ounn i·*mèl*/faks

J'attends ...	Aspetto ...	a·*spèt*·to ...
un appel téléphonique	*una telefonata*	*ou*·na té·lé·fo·*na*·ta
un fax	*un fax*	ounn faks

projecteur	*proiettore* m	pro·yét·*to*·ré
tableau	*lavagna* f	la·*va*·nya
de conférence	*con fogli*	konn *fo*·lyi
rétroprojecteur	*lavagna* f *luminosa*	la·*va*·nya lou·mi·*no*·za
tableau blanc	*lavagna* f *bianca*	la·*va*·nya *byann*·ka

la langue des affaires

En Italie, le monde des affaires est formel et hiérarchisé. Supérieur et subordonnés ne s'appellent pas par leur prénom. Utiliser le titre, professionnel (comme *avvocato*, *dottore* ou *professore*) ou personnel (selon la distinction reçue, par exemple *commandatore*), est non seulement de bon ton, mais peut vous aider à conclure une affaire !

D'habitude, on ne parle pas affaires autour d'un repas, et lorsque vous dînez avec des collègues italiens ou des partenaires commerciaux, attendez qu'ils abordent eux-mêmes le sujet. En tant que visiteur, vous êtes censé arriver *in orario* (à l'heure), mais ne soyez pas fâché si l'on vous fait attendre.

PRATIQUE

42A **À quelle heure ouvre la banque ?**
A che ora apre la banca? a ké *o*·ra *a*·pré la *bann*·ka

42B **Où y a-t-il un distributeur automatique ?**
Dov'è un Bancomat? do·vè oun *bann*·ko·mat

42C **Où y a-t-il un bureau de change ?**
Dov'è un cambio? do·vè oun *kamm*·byo

Où puis-je ... ? *Dove posso ...?* do·vé *pos*·so …

43A **Je voudrais encaisser un chèque.**
Vorrei riscuotere un assegno. vo·*reille* ri·*skwo*·té·ré ou·nas·sè·nyo

43B **Je voudrais changer un chèque de voyage.**
Vorrei cambiare un vo·*reille* kamm·*bya*·ré ou·n
travellers cheque. *tra*·ve·lers chèk

43C **Je voudrais changer de l'argent.**
Vorrei cambiare denaro vo·*reille* kamm·*bya*·ré dé·*na*·ro

43D **Je voudrais faire un retrait.**
Vorrei fare un prelievo. vo·*reille* fa·ré ounn pré·*lyè*·vo

Le distributeur automatique a avalé ma carte.
Il Bancomat ha il *bann*·ko·mat a
trattenuto la mia trat·té·*nou*·to la *mi*·a
carta di credito. *kar*·ta di *krè*·di·to

J'ai oublié mon code.
Ho dimenticato il o di·mènn·ti·*ka*·to il
mio codice PIN. *mi*·o *ko*·di·tché pinn

Peut-on utiliser une carte de crédit pour faire un retrait ?
Si può usare la carta si pwo ou·*za*·ré la *kar*·ta
di credito per fare di *krè*·di·to pér fa·ré
prelievi? pré·*lyè*·vi

43E **Quel est le taux de change ?**
Quant'è il cambio?   kwan·tè il *kamm*·byo

À combien s'élève la commission ?
Quant'è la commissione?   kwann·tè la kom·mi·*syo*·né

Ça coûte combien ?
Quanto costa?   kwann·to ko·sta

Est-ce que vous pouvez me donner des petites coupures ?
Mi può dare banconote   mi pwo *da*·ré bann·ko·*no*·té
più piccole?   pyou *pik*·ko·lé

Mon argent est-il arrivé ?
È arrivato il mio denaro?   è a·ri·*va*·to il *mi*·o dé·*na*·ro

Il faut combien de temps pour le transfert ?
Quanto tempo ci vorrà   *kwann*·to *tèmm*·po tchi vor·*ra*
per il trasferimento?   pér il tra·sfé·ri·*mènn*·to

Pour en savoir plus, consulter la rubrique **argent**, p. 35.

---

parler local		
il *sou*·o ...	*il Suo ...*	**votre ...**
do·kou·*mènn*·to	*documento*	**pièce**
di·dènn·ti·*ta*	*d'identità*	**d'identité**
pas·sa·*por*·to	*passaporto*	**passeport**
fra ...	*Fra ...*	**Dans ...**
(*kwat*·tro) djor·ni	*(quattro) giorni*	**(4) jours**
la·vo·ra·*ti*·vi	*lavorativi*	**ouvrés**
ou·na sét·ti·*ma*·na	*una settimana*	**une semaine**
pwo ...	*Può ...,*	**Pouvez-vous,**
pér fa·*vo*·ré	*per favore?*	**s'il vous plaît ... ?**
fir·*ma*·ré kwi	*firmare qui*	**signer ici**
skri·vér·lo	*scriverlo*	**l'écrire**
tché ounn pro·*blè*·ma ko·nil *sou*·o konn·to		**Il y a un problème**
C'è un problema con il		**avec votre compte.**
Suo conto.		
nonn pos·*sya*·mo *far*·lo		
Non possiamo farlo.		**Nous ne pouvons pas le faire.**

PRATIQUE

Je voudrais...	*Vorrei...*	vo·*reille*...
un écouteur	*un auricolare*	ounn a·ou·ri·ko·*la*·ré
un catalogue	*un catalogo*	ounn ka·*ta*·lo·go
un guide (-interprète)	*una guida*	*ou*·na *gwi*·da
un guide	*una guida*	*ou*·na *gwi*·da
en français	*in francese*	inn frann·*tchè*·zé

Avez-vous des	*Avete delle*	a·*vè*·té *dèl*·lé
informations	*informazioni*	inn·for·ma·*tsyo*·ni
sur des endroits… ?	*su posti...?*	sou *po*·sti...
culturels	*culturali*	koul·tou·*ra*·li
du coin	*locali*	lo·*ka*·li
religieux	*religiosi*	ré·li·*djo*·zi
particuliers	*particolari*	par·ti·ko·*la*·ri

44A Je voudrais un plan du quartier.
Vorrei una cartina della zona. vor·*reille* ou·na kar·*ti*·na *dè*·la *dzo*·na
44B Je voudrais voir...
Vorrei vedere... vor·*reille* vé·dè·ré...
44C C'est quoi ?
Cos'è? ko·zè
Qui l'a fait ?
Chi l'ha fatto? ki la *fat*·to
Ça a combien d'années ?
Quanti anni ha? *kwann*·ti *an*·ni a
Pourriez-vous me prendre en photo ?
Può farmi una foto? pwo *far*·mi *ou*·na *fo*·to

44D **Puis-je prendre une photo ?**
Posso fare una foto?   po·so fa·ré ou·na fo·to

Je vous enverrai la photo.
Le spedirò la foto.   lé spé·di·ro la fo·to

panneaux

Entrata	ènn·tra·ta	**Entrée**
Gabinetti	ga·bi·nè·ti	**Toilettes**
Informazioni	inn·for·ma·tsyo·ni	**Renseignements**
Ingresso	inn·grè·so	**Entrée**
gratuito	gra·tou·i·to	**gratuite**
Messa in corso	mè·sa inn kor·so	**Mise en service**
Non Calpestare	nonn kal·pé·sta·ré	**Ne pas marcher**
l'erba	lèr·ba	**sur la pelouse**
Non entrare	no·nènn·tra·ré	**Entrée interdite**
Proibito	pro·i·bi·to	**Interdit**
Servizi	sér·vi·tsi	**Toilettes**
pubblici	pou·bli·tchi	**publiques**
Uscita	ou·chi·ta	**Sortie**
Uscita di	ou·chi·ta di	**Sortie de**
sicurezza	si·kou·rè·tsa	**secours**
Vietato	vyé·ta·to	**Interdit**
Vietato	vyé·ta·to	**Interdiction**
consumare	konn·sou·ma·ré	**de boire**
cibi o bevande	tchi·bi o bé·vann·dé	**ou de manger**
Vietato entrare	vyé·ta·to ènn·tra·ré	**Entrée interdite**
Vietato	vyé·ta·to	**Photos**
fotografare	fo·to·gra·fa·ré	**interdites**
Vietato	vyé·ta·to	**Interdiction**
fumare	fou·ma·ré	**de fumer**
Vietato	vyé·ta·to	**Entrée**
l'ingresso	linn·grè·so	**interdite**
Vietato toccare	vyé·ta·to to·ka·ré	**Interdiction de toucher**
Vietato usare	vyé·ta·to ou·za·ré	**Flashes interdits**
flash	flèsh	

PRATIQUE

accéder à un site touristique

45A À quelle heure ça ouvre ?
A che ora apre?   a ké *o*·ra *a*·pré

45B À quelle heure ça ferme ?
A che ora chiude?   a ké *o*·ra *kyou*·dé

45C Combien coûte l'entrée ?
Quant'è il prezzo d'ingresso?   kwann·tè il *prè*·tso dinn·*grè*·so

Ça coûte (7 euros).
Costa (sette euro).   *ko*·sta (sè·té é·ou·ro)

45D Y a-t-il une réduction pour les enfants?
C'è uno sconto   tchè *ou*·no *skonn*·to
per bambini?   pér bamm·*bi*·ni

45E Y a-t-il une réduction pour les étudiants?
C'è uno sconto   tchè *ou*·no *skonn*·to
per studenti?   pér stou·*dènn*·ti

circuits

Pouvez-vous me	*Può consigliarmi*	pwo konn·si·*lya*·rmi
conseiller... ?	*una...?*	*ou*·na...
un tour en bateau	*gita in barca*	*dji*·ta inn *bar*·ka
une visite	*gita turistica*	*dji*·ta tou·*ri*·sti·ka
touristique		

46B À quelle heure part la prochaine excursion ?
A che ora parte la prossima   a ké *o*·ra *par*·té la *pros*·si·ma
escursione?   é·skour·*syo*·né

46A À quelle heure part la prochaine excursion à la journée ?
A che ora parte la prossima   a ké *o*·ra *par*·té la *pros*·si·ma
escursione in giornata?   é·skour·*syo*·né inn djor·*na*·ta

46C Le couvert est-il compris ?
È incluso il vitto?   è inn·*klou*·zo il *vit*·to

46D Le transport est-il compris ?
È incluso il trasporto?   è inn·*klou*·zo il tras·*por*·to

| **Dois-je** | *Devo portare* | dè·vo por·*ta*·ré. |
| **emporter... ?** | *... con me?* | .. konn mé |

Le guide paiera.
La guida pagherà.   la *gwi*·da pa·ghé·*ra*

Le guide a payé.
La guida ha pagato.   la *gwi*·da a pa·*ga*·to

46E Combien de temps dure la visite ?
Quanto dura la gita?   kwann·to *dou*·ra la *dji*·ta

46F À quelle heure serons-nous de retour ?
A che ora dovremmo   a ké *o*·ra do·*vrèm*·mo
ritornare?   ri·tor·*na*·ré

Revenez ici à (7h).
Torni qui alle (sette).   *tor*·ni kwi *a*·lé (sèt·té)

Je suis avec eux.
Sono con loro.   *so*·no konn *lo*·ro

J'ai perdu mon groupe.
Ho perso il mio gruppo.   o *pèr*·so il *mi*·o group·po

---

pour approfondir

C'est comment (Rome) ?
    Com'è (Roma)?   ko·*mè* (*ro*·ma)

Il (n') y a (pas)...	*(Non) C'è...*	(nonn) tchè...
beaucoup d'offres	*molta*	*mol*·ta
culturelles	*cultura*	koul·*tou*·ra
beaucoup de	*molto da*	*mol*·to da
choses à voir	*vedere*	vé·*dè*·ré
beaucoup	*una vita*	*ou*·na *vi*·ta
d'animation	*notturna*	not·*tour*·na
le soir	*favolosa*	fa·vo·*lo*·za
un bon	*un buon*	ounn bwonn
restaurant/	*ristorante/*	ri·sto·*rann*·té/
hôtel	*albergo*	al·*bèr*·go
Il (n') y a (pas)...	*(Non) Ci sono...*	(nonn) tchi *so*·no...
des (d') escrocs	*imbroglioni*	imm·bro·*lyo*·ni
trop de touristes	*troppi*	*trop*·pi
	turisti	tou·*ri*·sti

Si la connaissance de l'italien vous aidera dans vos voyages dans l'Italie contemporaine, celle du latin vous permettra de mieux comprendre l'Italie du passé. Voilà une série d'abréviations et d'acronymes qui vous aideront à déchiffrer quelques inscriptions au cours de vos visites :

AED	*aedilis*	magistrat
ANN	*annos/anni*	années
COL	*colonia*	colonie
COS	*consul*	consul
COSS	*consules*	consuls
C R	*cives Romani*	citoyens romains
CVR	*curavit*	prit soin de
D	*dat/dedit*	donne/donna
DEC	*decreto*	par décret
DED	*dedit*	donna
D M	*deis manibus*	aux mânes des dieux
EX S C	*ex senatus consulto*	par décret du Sénat
F	*feci/faciundum/ filius/filia*	fis/en faisant/ fils/fille
FID	*fidelis*	fidèles
IMP	*imperator*	empereur
I O M	*Iuppiter Optimus Maximus*	Jupiter le Très Grand
P C	*Patres conscripti*	sénateurs
P(ONT) M(AX)	*Pontifex Maximus*	grand pontife
P R	*Populus Romanus*	le Peuple de Rome
R	*Romanus*	Romain
REST	*restituit*	rendit
R P	*res publica*	chose publique
S C	*senatus consulto*	par décret du Sénat
S P Q R	*Senatus Populusque Romanus*	le Sénat et le Peuple de Rome

quelques noms :

AVG	*Augustus*	SP	*Spurius*
L	*Lucius*	CN	*Gnaeus*
Q	*Quintus*	MAM	*Mamius*
A	*Aulus*	T	*Titus*
M	*Marcus*	D	*Decimus*
S	*Servius*	P	*Publius*
C	*Gaius*	TI	*Tiberius*
M'	*Manius*		

quelques nombres :

I	1	VI	6	L	50
II	2	VII	7	C	100
III	3	VIII	8	D	500
IV ou IIII	4	IX	9	M	1 000
V	5	X	10		

Voici quelques règles qui vous permettront de déchiffrer des nombres plus compliqués. En général, il suffit de soustraire le chiffre de gauche à celui de droite, si ce dernier est plus élevé (par exemple, IX = 9 et XL = 40), ou de l'ajouter, si le chiffre de gauche est plus élevé (par exemple, XI = 11 et LX = 60) :

MDCCCCLXXXV	1985
DCCCCXXV ou **CMXXV**	925
MMIV	2004

Je suis handicapé(e).
Sono disabile. so·no di·za·bi·lé

J'ai besoin d'aide.
Ho bisogno di assistenza. o bi·zo·nyo di as·si·se·tènn·tsa

Disposez-vous de services d'aide pour les handicapés ?
Di quali servizi di *kwa*·li sér·vi·tsi
disponete per i di·spo·*nè*·té pér i
disabili? di·za·bi·li

Y a-t-il un accès pour les fauteuils roulants ?
C'è un'entrata per tché ou·nènn·*tra*·ta pér
sedie a rotelle? sè·dyé a ro·*tèl*·lé

J'ai un appareil auditif.
Ho un apparecchio o ou·nap·pa·rè·kyo
acustico. a·*kou*·sti·ko

Je suis sourd(e).
Sono sordo/a. m/f so·no sor·do/a

Les chiens d'aveugle sont-ils admis ?
Sono ammessi i cani so·no am·*mè*·si i *ka*·ni
guida? *gwi*·da

Pouvez-vous m'aider à traverser la route ?
Può aiutarmi pwo a·you·*tar*·mi
ad attraversare la strada? a·dat·tra·vér·*sa*·ré la *stra*·da

signalisation

Riservato	ri·zér·*va*·to	**Réservé**
ai disabili	aille di·za·bi·li	**aux personnes**
		handicapées

Combien mesure l'entrée en largeur ?
Quant'è larga l'entrata?   kwann·*tè lar*·ga lènn·*tra*·ta

Y a-t-il un ascenseur ?
C'è un ascensore?   tchè ou·na·chènn·*so*·ré

Combien y a-t-il d'escaliers ?
Quanti gradini ci sono?   *kwann*·ti gra·*di*·ni tchi *so*·no

Y a-t-il un endroit où s'asseoir ?
C'è un posto dove sedersi?   tchè ounn *po*·sto *do*·vé sé·*dèr*·si

Pouvez-vous m'appeler un taxi pour handicapés ?
Può chiamarmi un tassì   pwo kya·*mar*·mi ounn tas·*si*
per i disabili?   pér i di·*za*·bi·li

accès pour personnes handicapées	*accesso* m *per i disabili*	a·*tchè*·so pér i di·*za*·bi·li
bibliothèque en braille	*biblioteca* f *braille*	bi·bli·o·*tè*·ka braille
personne handicapée	*disabile* m et f	di·*za*·bi·lé
chien d'aveugle	*cane* m *guida*	ka·né *gwi*·da
rampe d'accès	*rampa* f	*ramm*·pa
espace (pour se déplacer)	*spazio* m	*spa*·tsyo
fauteuil roulant	*sedia* f *a rotelle*	*sè*·dya a ro·*tèl*·lé

Y a-t-il ... ?	C'è ...?	tchè ...
une pièce pour	*un bagno con*	ounn *ba*·nyo konn
changer les enfants	*fasciatoio*	fa·cha·*to*·yo
un service de	*un servizio*	ounn sér·*vi*·tsyo
babysitter	*di babysitter*	di bé·bi·*si*·teur
un menu	*un menù*	ounn mé·*nou* pér
pour enfants	*bambini*	bamm·*bi*·ni
une crèche	*un asilo nido*	ou·na·zi·lo *ni*·do
une babysitter	*un/una*	ounn/*ou*·na
(qui parle français)	*babysitter (che*	bé·bi·*sit*·teur (ké
	parla francese) m/f	*par*·la frann·*tchè*·zé)
un tarif	*uno sconto per*	*ou*·no skonn·to pér
famille nombreuse	*famiglia*	fa·*mi*·lya
une chaise haute	*un seggiolone*	ounn sé·djo·*lo*·né
	per bambini	pér bamm·*bi*·ni
un parc	*un parco*	ounn *par*·ko
un terrain de jeux	*un parco giochi*	ounn *par*·ko *djo*·ki
par ici	*da queste parti*	da *kwè*·sté *par*·ti
un parc à thème	*un parco a tema*	ounn *par*·ko a *tè*·ma
un magasin	*un negozio di*	ounn né·*go*·tsyo di
de jouets	*giocattoli*	djo·*kat*·to·li
J'ai besoin ...	*Ho bisogno di ...*	o bi·*zo*·nyo di ...
d'un siège enfant	*un seggiolino*	ounn sé·djo·*li*·no
	per bambini	pér bamm·*bi*·ni
d'un siège enfant	*un seggiolino di*	ounn sé·djo·*li*·no
	di sicurezza	di si·kou·*rè*·tsa
d'un pot	*un vasino*	ounn va·*zi*·no
d'une poussette	*un passeggino*	ounn pa·sé·*dji*·no

Ça vous ennuie si j'allaite mon enfant ici ?

Le dispiace se allatto   lé dis·*pya*·tché sé a·*la*·to
il/la bimbo/a qui? m/f   il/la *bimm*·bo/a kwi

Les enfants peuvent entrer ?
I bambini sono ammessi?
i bamm·*bi*·ni *so*·no am·*mè*·si

Est-ce adapté aux enfants de (2) ans ?
Questo è adatto per bambini di (due) anni?
kwè·sto è a·*dat*·to pér bamm·*bi*·ni di (dou·é) *a*·ni

mots d'enfants

C'est quand ton anniversaire ?
Quand'è il tuo compleanno?
kwann·*dè* il *tou*·o komm·plé·*a*·no

Tu vas à l'école primaire ou à la maternelle ?
Vai a scuola o all'asilo?
vaille a *skwo*·la o a·la·*zi*·lo

Tu es en quelle classe ?
Quale classe fai?
kwa·lé *klas*·sé faille

Tu aimes aller à l'école ?
Ti piace la scuola?
ti *pya*·tché la *skwo*·la

Tu aimes faire du sport ?
Ti piace lo sport?
ti *pya*·tché lo sport

Qu'est-ce que tu fais après l'école ?
Cosa fai dopo la scuola?
ko·za faille *do*·po la *skwo*·la

Tu es en train d'apprendre le français/l'anglais ?
Stai imparando il francese/l'inglese?
staille imm·pa·*rann*·do il frann tché sé/linn·*glè*·zé

Est-ce que tu as un animal à la maison ?
Hai un animale domestico a casa?
aille ounn a·ni·*ma*·lé do·*mè*·sti·ko a *ka*·za

Tu veux jouer ?
Vuoi giocare?
vwoïl djo·*ka*·ré

Montre-moi comment on joue.
Fammi vedere come si gioca.
fam·mi vé·*dè*·ré ko·mé si djo·ka

Tu es bon(ne) à ce jeu !
Sei bravo/a in questo gioco! m/f
seille *bra*·vo/a inn kwè·sto djo·ko

formules de base

l'essenziale

2A Oui.	*Sì.*	si
2B Non.	*No.*	no
2C S'il te/vous plaît.	*Per favore.*	pér fa·*vo*·ré
2D Merci.	*Grazie*	*gra*·tsyé
(beaucoup)	*(mille).*	(*mil*·lé)
2E De rien.	*Prego.*	*prè*·go
2F Désolé.	*Mi dispiace.*	mi di·*spya*·tché

2G Excuse-moi/Excusez-moi.
(pour attirer l'attention ou s'excuser).
  Mi scusi/ Scusami. pol/ fam   mi *skou*·zi/ *skou*·za·mi

Pardon (en dérangeant quelqu'un).
  Permesso.   pér·*mès*·so

saluer

salutare

Si les Italiens ont l'habitude de se saluer en disant *ciao*, il vaut mieux ne pas employer ce mot lorsque vous vous adressez à des inconnus. Notez également qu'en Italie, on dit *buonasera* (bonsoir) dès le début de l'après-midi.

47A Bonjour.	*Buongiorno/Salve.* pol	bwonn·*djor*·no/*sal*·vé
Salut.	*Ciao.* fam	*tcha*·o
Bonsoir.	*Buonasera.*	bwo·na *sè*·ra
Bonne journée.	*Buona giornata.*	bwo·na djor·*na*·ta
Bonne soirée.	*Buona serata.*	bwo·na·sé·*ra*·ta
Bonne nuit.	*Buonanotte.*	bwo·na·*not*·té
À bientôt.	*Ci vediamo.*	tchi vé·*dya*·mo
47B À tout à l'heure.	*A più tardi.*	a pyou *tar*·di
47C Au revoir.	*Arrivederci.* pol	ar·ri·vé·*dèr*·tchi
Salut.	*Ciao.* fam	*tcha*·o
Adieu.	*Addio.*	ad·*di*·o

47D Comment allez-vous/vas-tu ?

Come sta? pol	ko·mé sta
Come stai? fam	ko·mé staille
Come state? pl pol et fam	ko·mé sta·té

47E Bien, merci.

Bene, grazie.   bè·né *gra*·tsyé

Et vous/toi ?

E Lei/tu? pol/fam   é leille/tou

Comment vous appelez-vous/t'appelles-tu ?

48A *Come si chiama?* pol	ko·mé si *kya*·ma
48B *Come ti chiami?* fam	ko·mé ti *kya*·mi

48C Je m'appelle ...

Mi chiamo ...   mi *kya*·mo ...

Je vous/te présente ...

Le/Ti presento ... pol/fam   lé/ti pré·*zènn*·to ...

48D Enchanté(e).

Piacere.   pya·*tchè*·ré

---

tutoiement et vouvoiement

Avec la famille, les amis, les enfants ou les animaux, l'italien utilise le pronom personnel *tu*. Lorsque vous vous adressez à des inconnus, des personnes âgées ou à des gens que vous venez de rencontrer, utilisez le *Lei* de politesse. Lorsque vos nouveaux amis jugeront qu'il est temps d'oublier les formalités, ils diront :

Tutoyons-nous.

Diamoci del tu.   dya·mo·tchi dél tou

Voir aussi la rubrique **pronoms** dans **grammaire de A à Z**.

s'adresser à quelqu'un

Les Italiens apprécieront beaucoup les efforts que vous ferez pour parler leur langue, et vous serez d'autant plus appréciés que vous utiliserez les bonnes formules. Ainsi à Rome et ailleurs ...

49A	**M./Monsieur**	*Signore*	si·*nyo*·ré
49B	**Mme/Madame**	*Signora*	si·*nyo*·ra
49C	**Mlle/Mademoiselle**	*Signorina*	si·nyo·*ri*·na

Diplômé(e) de l'enseignement supérieur
Dottore/Dottoressa m/f   do·*to*·ré/do·to·*rè*·sa

Professeur(e) (au lycée ou à l'université)
Professore/Professoressa m/f   pro·fé·*so*·ré/pro·fé·so·*rè*·sa

Directeur/Directrice (d'une société ou d'une organisation)
Direttore/Direttrice m/f   di·ré·*to*·ré/di·ré·*tri*·tché

engager la conversation

Beau temps, n'est-ce pas ?
Fa bel tempo, no?   fa bél *tèmm*·po no

Qu'est-ce qu'il/elle a fait (la Juventus) ?
Cos'ha fatto (la Juve)?   ko·za *fat*·to (la *you*·vé)

Vous êtes d'ici/tu es d'ici ?
Lei è di qui? pol   leille è di kwi
Tu sei di qui? fam   tou seille di kwi

Où allez-vous/vas-tu ?
Dove va/vai? pol/fam   do·vé va/vaille

Que faites-vous/fais-tu ?
Che fa/fai? pol/fam   ké fa/faille

Vous attendez/tu attends (le bus) ?
Aspetta/Aspetti   a·*spèt*·ta/a·*spèt*·ti
(un autobus)? pol/fam   (ou·*na*·ou·to·bous)

Comment ça s'appelle ?
Come si chiama questo?   ko·mé si *kya*·ma *kwè*·sto

C'est (beau), non ?
È (bello/a), no? m/f   è (*bèl*·lo/a) no

50A **Je vous/te présente mon fils.**
Le/Ti presento mio figlio pol/fam   lé/ti pré·*zènn*·to *mio fi*·lio

50B **Je vous/te présente ma fille.**
Le/Ti presento mia figlia pol/fam   lé/ti pré·*zènn*·to *mia fi*·lia

50C **Je vous/te présente mon ami(e).**
Le/Ti presento il mio/a   é/ti pré·*zènn*·to il *mi*·o/a
amico/a pol/fam   a·*mi*·ko/a

50D **Je vous/te présente mon mari.**
Le/Ti presento mio marito. pol/fam   lé/ti pré·*zènn*·to *mi*·o ma·*ri*·to

50E **Je vous/te présente ma femme.**
Le/Ti presento mia moglie. pol/fam   lé/ti pré·*zènn*·to *mi*·a mo·lyé

Êtes-vous/es-tu en vacances ?
È/Sei qui in vacanza? pol/fam   è/seille kwi inn va·*kann*·tsa

Vous restez/tu restes ici pendant combien de temps ?
Quanto tempo si fermerà? pol   *kwann*·to *tèmm*·po si fér·mé·*ra*
Quanto tempo ti fermerai? fam   *kwann*·to *tèmm*·po ti fér·mé·*rai*

---

parler local

Hé !	*Uei!*	Ou·eille
Quoi de neuf ?	*Cosa mi racconta/ racconti?* pol/fam	ko·za mi rak·*konn*·ta/ rak·*konn*·ti
Qu'y a-t-il ?	*Cosa c'è?*	ko·za tchè
Tout va bien ?	*Tutto a posto?*	*tout*·ta *po*·sto
Ça va.	*Va/Sto bene.*	va/sto bè·né
Super !	*Fantastico!*	fan·*ta*·sti·ko
Aucun problème.	*Non c'è problema.*	nonn tchè pro·*blè*·ma
Bien sûr.	*Certo.*	*tchèr*·to
Peut-être.	*Forse.*	*for*·sé
Absolument pas !	*Assolutamente no!*	as·so·lou·ta·*mènn*·té no

Je suis ici ...	Sono qui ...	*so*·no kwi ...
en vacances	*in vacanza*	inn va·*kann*·tsa
pour affaires	*per affari*	pér a·*fa*·ri
pour mes études	*per motivi di*	pér mo·*ti*·vi di
	studio	*stou*·dyo
avec ma	*con la mia*	konn la *mi*·a
famille	*famiglia*	fa·*mi*·lya
avec mon ami(e)	*con il mio*	konn il *mi*·o
	compagno m	komm·*pa*·nyo
	con la mia	konn la *mi*·a
	compagna f	komm·*pa*·nya

ne parlez pas de choses qui fâchent

Les Italiens aiment beaucoup parler, vous ne devriez donc pas avoir de mal à lier conversation. Mais si vous parlez de la mafia, de Mussolini ou du Vatican, celle-ci risque de tourner court. Essayez plutôt des sujets comme le football ou la cuisine, les films ou l'architecture italienne.

nationalités

le nazionalità

51A **D'où venez-vous/viens-tu ?**
Da dove viene/vieni? pol/fam   da *do*·vé vyè·né/*vyè*·ni

51B **Je viens de Singapour.**
Vengo da Singapore.   *vènn*·go da sine-ga-*pou*-ré

Je viens ...	Vengo ...	*vènn*·go ...
d'Angleterre	*dall'Inghilterra*	da·linn·guil·*tè*·ra
de Belgique	*dal Belgio*	dal *bel*·dgio
de France	*dalla Francia*	*dal*·la *frann*·tchia
de Suisse	*dalla Svizzera*	*da*·la *svi*·tsé·ra
des États-Unis	*dagli Stati*	*da*·lyi *sta*·ti
	Uniti	ou·*ni*·ti

Pour en savoir plus, reportez-vous au **dictionnaire**.

âge

età

51C **Quel âge avez-vous/as-tu ?**
Quanti anni ha/hai? pol/fam   *kwann*·ti *an*·ni a/aille

Quel âge ... ?	*Quanti anni ...?*	*kwann*·ti *an*·ni ...
a votre/ton fils	*ha Suo/tuo figlio* pol/fam	a *sou*·o/*tou*·o *fi*·lyo
a votre/ta fille	*ha Sua/tua figlia* pol/fam	a *sou*·a/*tou*·a *fi*·lya

51D **J'ai (25) ans.**
Ho (venticinque) anni.   o (vèn·ti·*tchin*·kwé) *an*·ni

Pour dire votre âge, reportez-vous au chapitre **nombres et quantités**, p. 29.

travail et études

il lavoro e gli studi

Quel est votre/ton métier ?
Che lavoro fa/fai? pol/fam   ké la·*vo*·ro fa/faille

Je suis ...	*Sono ...*	*so*·no ...
manœuvre	*manovale* m et f	ma·no·*va*·lé
employé(e)	*impiegato/a* m/f	imm·pyé·*ga*·to/a
ouvrier(ère)	*operaio/a* m/f	o·pé·*ra*·yo/a

Je travaille dans ...	*Lavoro nel campo ...*	la·*vo*·ro nél *kamm*·po ...
l'administration	*dell'amministrazione*	dél·lam·mi·ni·stra·*tsyo*·né
les relations publiques	*delle relazioni pubbliche*	dèl·lé ré·la·*tsyo*·ni *poub*·bli·ké
la vente au détail	*della vendità al minuto*	dél·la *vènn*·di·ta al mi·*nou*·to

Je suis ...	*Sono ...*	*so*·no ...
à la retraite	*pensionato/a* m/f	pènn·syo·*na*·to/a
au chômage	*disoccupato/a* m/f	di·zok·kou·*pa*·to/a

Che vuoi?
ké vwoïl
Qu'est-ce que tu veux ?

Chi se ne frega?
ki sé né *frè*·ga
On s'en fout !

Va' al diavolo!
va al *dya*·vo·lo
Va au diable !

Disgraziato!
di·sgra·*tsya*·to
Malheureux !

È delizioso!
è dé·li·*tsyo*·zo
C'est délicieux !

Che rottura di palle!
kér ro·*tou*·ra di *pal*·lé
Ça me casse les pieds !

Je travaille à mon compte.
   Lavoro in proprio.   la·*vo*·ro inn *pro*·pri·o

Quelles études faites-vous/fais-tu ?
   Cosa studia/studi? pol/fam   *ko*·za stou·dya/*stou*·di

Je fais des études ...	*Sto studiando ...*	sto stou·*dyann*·do ...
de lettres	*lettere*	*lèt*·té·ré
de commerce	*commercio*	kom·*mèr*·tcho
d'ingénieur	*ingegneria*	inn·djé·nyé·*ri*·a

Pour en savoir plus, consultez le **dictionnaire**.

famille

la famiglia

Avez-vous/as-tu (des enfants) ?
   Ha/Hai (bambini)? pol/fam   a/aille (bamm·*bi*·ni)

J'ai (un/une ami/amie).
   Ho (un/una compagno/a). m/f   o (ounn/*ou*·na komm·*pa*·nyo/a)

Je vous/te présente (ma mère).
   Le/Ti presento   lé/ti pré·*zènn*·to
   (mia madre). pol/fam   (*mi*·a *ma*·dré)

---

dans la gueule du loup

Un Italien vous souhaitera bonne chance en disant généralement *In bocca al lupo!*, ce qui signifie "Dans la gueule du loup !". Répondez par *Crepi!* ("Qu'il crève !") pour éloigner le mauvais sort.

Bonne chance !
   In bocca al lupo!   inn *bok*·kal·*lou*·po
Réponse :
   Crepi!   *krè*·pi

Vous vivez/tu vis (avec votre/ta famille) ?

Abita con (la Sua *famiglia)?* **pol**	a·bi·ta konn (la *sou*·a fa·*mi*·lya)
Abiti con (la tua *famiglia)?* **fam**	a·bi·ti konn (la *tou*·a fa·*mi*·lya)

Je vis avec (mes parents).

Abito con *(i miei genitori).*	a·bi·to konn (i myeille djé·ni·*to*·ri)

Êtes-vous/es-tu marié(e) ?

52A	*È sposato?* **m pol**	è spo·*za*·to/a
52B	*È sposata?* **f pol**	è spo·*za*·to/a
52C	*Sei sposato?* **m fam**	seille spo·*za*·to/a
52D	*Sei sposata?* **f fam**	seille spo·*za*·to/a

Je vis avec quelqu'un.

Convivo.	konn·*vi*·vo

Pour davantage d'expressions, consultez le **dictionnaire**.

---

le langage du corps

Les Italiens sont très démonstratifs, alors attendez-vous à voir les gens s'embrasser sur les joues, à des accolades entre les hommes qui se connaissent bien et à des poignées de main insistantes. Les hommes, comme les femmes, marchent souvent bras dessus, bras dessous. Bousculer quelqu'un dans un lieu bondé n'est pas considéré comme incorrect, alors ne soyez pas étonné si ça vous arrive. Dans la mêlée, essayez juste de garder votre équilibre.

Si vous ne voulez choquer personne, suivez quelques règles lorsque vous entrez dans une église. Les femmes devront de préférence couvrir leur tête et éviter d'exposer leur peau nue – porter des shorts ou des tee-shirts sans manche est mal venu.

52E	Je suis marié.	*Sono sposato* **m**	*so*·no spo·*za*·to
52F	Je suis mariée.	*Sono sposata* **f**	*so*·no spo·*za*·ta
52G	Je suis célibataire.	*Sono single*	*so*·no *sine*·gol

au revoir

Demain, c'est mon dernier jour ici.
Domani è il mio   do·*ma*·ni è il *mi*·o
ultimo giorno qui.   oul·ti·mo djor·no kwi

53A Quelle est ton adresse ?
Qual'è il tuo indirizzo?   kwa·*lè* il *tou*·o inn·di·*ri*·tso

53B Quelle est ton adresse e-mail ?
Qual'è il tuo indirizzo?   kwa·*lè* il *tou*·o inn·di·*ri*·tso
di email?   di è·mél

53C Voici mon adresse.
Ecco il mio indirizzo.   èk·ko il *mi*·o inn·di·*ri*·tso

53D Voici mon adresse e-mail.
Ecco il mio indirizzo   èk·ko il *mi*·o inn·di·*ri*·tso
di email.   di è·mél

Quel(le) est ton ... ?	*Qual'è il tuo ...?*	kwa·*lè* il *tou*·o ...
numéro de fax	*numero di fax*	nou·*mé*·ro di faks
numéro de portable		
	numero di	nou·*mé*·ro di
	cellulare	tchél·lou·*la*·ré
numéro de téléphone au travail		
	numero di	nou·*mé*·ro di
	lavoro	la·*vo*·ro

Si tu viens en	*Caso mai venissi*	ka·zo maille vé·*nis*·si
(France) ...	*in (Francia) ...*	inn (*frann*·tcha) ...
viens nous voir	*vieni a trovarci*	vyè·ni a tro·*var*·tchi
tu peux dormir	*puoi stare da me*	pwoïl sta·ré da mé
chez moi		

Ça m'a fait plaisir de faire ta connaissance.
È stato veramente un   è sta·to vé·ra·*mènn*·té ounn
piacere conoscerti.   pya·*tchè*·ré ko·*no*·chèr·ti

On reste en contact !
Teniamoci in contatto!   té·*nya*·mo·tchi inn konn·*tat*·to

centres d'intérêt

interessi comuni

Que fais-tu de tes loisirs ?
Cosa fai nel tuo   *ko*·za faille nél *tou*·o
tempo libero?   *tèmm*·po *li*·bé·ro

54A	**Tu aimes... ?**	*Ti piace...?* sg	ti *pya*·tché
54B	**Tu aimes... ?**	*Ti piacciono...?* pl	ti *pya*·tcho·no...
54C	**J'aime...**	*Mi piace* sg	mi *pya*·tché
54D	**J'aime...**	*Mi piacciono...* pl	mi *pya*·tcho·no...
54E	**Je n'aime pas...**	*Non mi piace* sg	nonn mi *pya*·tché
54F	**Je n'aime pas...**	*Non mi piacciono* pl	nonn mi *pya*·tcho·no
	les jeux de carte	*i giochi* pl *di carte*	i *djo*·ki di *kar*·té
	cuisiner	*cucinare*	kou·tchi·*na*·ré
	dessiner	*disegnare*	di·zé·*nya*·ré
	les films	*i film* pl	i film
	être en groupe	*socializzare*	so·tcha·li·*dza*·ré

Pour en savoir plus, reportez-vous à la rubrique **sports** (p. 127) et au **dictionnaire**.

En italien, pour dire que quelque chose vous plaît, vous emploierez l'expression *mi piace* (litt : me plaît). Si l'objet est au pluriel, utilisez *mi piacciono* (litt : me plaisent) :

J'aime ce groupe.

Mi piace questo gruppo.	mi *pya*·tché *kwè*·sto *group*·po

J'aime les séries télévisées.

Mi piacciono le telenovelle.	mi *pya*·tcho·no lé té·lé·no·*vèl*·lé

musique

Tu aimes... ?	*Ti piace...?*	ti *pya*·tché...
danser	*ballare*	bal·*la*·ré
les concerts	*andare ai concerti*	ann·*da*·ré aille konn·*tchèr*·ti
écouter de la musique	*ascoltare la musica*	a·skol·*ta*·ré la *mou*·zi·ka
jouer d'un instrument	*suonare uno strumento*	swo·*na*·ré ou·no strou·*mènn*·to
chanter	*cantare*	kann·*ta*·ré

Tu écoutes quels groupes ?

Quali gruppi ti piacciono?	*kwa*·li *group*·pi ti *pya*·tcho·no

Quel genre de musique aimes-tu ?

Quale tipo di musica ti piace?	*kwa*·lé *ti*·po di *mou*·zi·ka ti *pya*·tché

| musique classique | *musica* f *classica* | la *mou*·zi·ka *kla*·ssi·ka |

musique	musica f	la *mou*·zi·ka
électronique	elettronica	é·*lét*·tro·ni·ka
jazz	musica f jazz	*mou*·zi·ka djaz
heavy metal	musica f heavy metal	*mou*·zi·ka è·vi mè·tal
pop	musica f pop	*mou*·zi·ka pop
punk	musica f punk	*mou*·zi·ka pounk
rock	musica f rock	*mou*·zi·ka rok
rhythm 'n' blues	rhythm and blues m	ridem annd blouz
musique	musica f	*mou*·zi·ka
traditionnelle	tradizionale	tra·di·tsyo·*na*·lé
musique	musica f	*mou*·zi·ka
ethnique	etnica	*èt*·ni·ka

Vous pensez vous rendre à un concert ? Consulter la rubrique **billets**, p. 38 et **sortir**, p. 109.

cinéma et théâtre

il cinema e il teatro

J'ai envie	Ho voglia	o *vo*·lya
d'aller voir...	d'andare a/al...	dann·*da*·ré a/al...
un ballet	un balletto	ounn bal·*lè*·to
une comédie	una commedia	*ou*·na kom·*mè*·dya
un film	vedere un film	vé·*dè*·ré ounn film
une pièce de théâtre	teatro	té·*a*·tro

Qu'est-ce qu'ils passent au cinéma/théâtre ce soir ?
Cosa danno al cinema/ *ko*·za *dan*·no al *tchi*·né·ma/
teatro stasera? té·*a*·tro sta·*sè*·ra

C'est en anglais/italien ?
È in inglese/italiano? è inn inn·*glè*·zé/i·ta·*lya*·no

C'est sous-titré ?
Ci sono i sottotitoli? tchi *so*·no i sot·to·*ti*·to·li

Est-ce que tu as vu... ?
Hai visto...? aille *vi*·sto...

loisirs

103

Qui sont les acteurs principaux ?
Chi sono i protagonisti? ki *so*-no i pro-ta-go-*ni*-sti

L'acteur/actrice principal(e) est...
Il/La protagonista il/la pro-ta-go-*ni*-sta
principale è... m/f prinn-tchi-*pa*-lé è...

Tu as aimé (le film) ?
Ti è piaciuto (il film)? ti è pya-*tchou*-to il film

Je l'ai trouvé...	*L'ho trovato/a...* m/f	lo tro-*va*-to/a...
excellent	*ottimo/a* m/f	*ot*-ti-mo/a
long	*lungo/a* m/f	*lounn*-go/a
pas mal	*passabile*	pas-*sa*-bi-lé

J(e n)'aime (pas)...	*(Non) Mi piacciono...*	(nonn) mi *pya*-tcho-no...
les films d'action	*i film d'azione*	i film da-*tsyo*-né
les films d'animation	*i film animati*	i film a-ni-*ma*-ti
les comédies dramatiques	*i film tragicomici*	i- film tra-dji-*ko*-mi-tchi
les comédies	*le commedie*	lé kom-*mè*-dyé
les documentaires	*i documentari*	i do-kou-mènn-*ta*-ri
les films dramatiques	*i film drammatici*	i film dram-*ma*-ti-tchi
les films noirs	*i film noir*	i film nwar
les films d'horreur	*film d'orrore*	i film dor-*ro*-ré
les films d'époque	*drammi d'ambiente*	i *dram*-mi damm-*byènn*-té
les films de science-fiction	*i film di fantascienza*	i film di fann-ta-*chènn*-tsa
les courts-métrages	*i film corti*	i film *kor*-ti
les films policiers	*i gialli*	i *djal*-li
les films de guerre	*i film di guerra*	i film di *gwèr*-ra

sentiments et sensations

i sentimenti e le sensazioni

Les sentiments sont décrits par des noms ou des adjectifs : le nom s'emploie avec "avoir" en italien (par exemple : "j'ai faim") et l'adjectif avec "être" (comme en français).

55A	Avez-vous froid ?	Ha freddo? pol	a frèd·do
55B	As-tu froid ?	Hai freddo? fam	aille frèd·do
55C	J'ai froid.	Ho freddo.	o frèd·do
55D	Je n'ai pas froid.	Non ho freddo.	nonn o frèd·do
56A	Avez-vous chaud ?	Ha caldo? pol	a kal·do
56B	As-tu chaud ?	Hai caldo? fam	aille kal·do
56C	J'ai chaud.	Ho caldo.	o kal·do
56D	Je n'ai pas chaud.	Non ho caldo.	nonn o kal·do
57A	Avez-vous faim ?	Ha fame? pol	a fa·mé
57B	As-tu faim ?	Hai fame? fam	aille fa·mé
57C	J'ai faim.	Ho fame.	o fa·mé
57D	Je n'ai pas faim.	Non ho fame.	nonn o fa·mé
58A	Avez-vous soif ?	Ha sete? pol	a sè·té
58B	As-tu soif ?	Hai sete? fam	aille sè·té
58C	J'ai soif.	Ho sete.	o sè·té
58D	Je n'ai pas soif.	Non ho sete.	nonn o sè·té
59A	Avez-vous sommeil ?	Ha sonno? pol	a son·no
59B	As-tu sommeil ?	Hai sonno? fam	aille son·no
59C	J'ai sommeil.	Ho sonno.	o son·no
59D	Je n'ai pas sommeil.	Non ho sonno.	nonn o son·no
60A	Ça va?	Va tutto bene?	va tut·to be·ne
60B	Ça ne va pas.	Non va tutto bene.	non va tut·to be·ne
60C	Ça va.	Va tutto bene.	va tut·to be·ne

opinions

le opinioni

Est-ce que tu as aimé ?
   Ti è piaciuto/a? m/f   ti è pya·tchou·to/a

Qu'en penses-tu ?
   Che cosa ne pensi?   ké ko·za né pènn·si

Je pensais que c'était...	*Pensavo che fosse...*	pènn·*sa*·vo ké *fo*·sé...
C'est...	*È...*	è...
bizarre	*bizzarro/a* m/f	bi·*dza*·ro/a
ennuyeux	*noioso/a* m/f	no·*yo*·zo/a
très bien	*ottimo/a* m/f	*ot*·ti·mo/a
intéressant	*interessante*	inn·té·rés·*sann*·té
pas mal	*passabile*	pas·*sa*·bi·lé
étrange	*strano/a* m/f	*stra*·no/a

émotions en vrac

un peu	*un po'*	ounn po
Je suis un peu triste.		
Sono un po' triste.		*so*·no ounn po *tri*·sté
très	*molto*	*mol*·to
Je suis très content(e).		
Sono molto contento/a. m/f		*so*·no *mol*·to konn·*tènn*·to/a
vraiment/très	*-issimo/a* m/f	·*is*·si·mo/a
Je suis vraiment chanceux(se).		
Mi sento		mi *sènn*·to
fortunatissimo/a. m/f		for·tou·na·*tis*·si·mo/a

politique et société

le questioni politiche e sociali

Les Italiens n'éludent pas les débats sur la politique ou les questions de société, et votre opinion sur des sujets divers les intéressera toujours. Même *il Campionato*, "le championnat de foot", est pris très au sérieux.

Pour qui votez-vous/votes-tu ?

Per chi vota Lei? pol	pér ki *vo*·ta leille
Per chi voti? fam	pér ki *vo*·ti

Je suis pour	*Sono per*	*so*·no pér
le parti...	*il partito...*	il par·*ti*·to...

Je suis inscrit(e)	*Sono iscritto/a*	so·no i·*skrit*·to/a
au parti...	*al partito...* m/f	al par·*ti*·to...
communiste	*comunista*	ko·mou·*ni*·sta
conservateur	*conservatore*	konn·sér·va·*to*·ré
vert	*verde*	*vèr*·dé
libéral	*liberale*	li·bé·*ra*·lé
centriste	*centrista*	tchènn·*tri*·sta
socialiste	*socialista*	so·tcha·*li*·sta

Êtes-vous/Es-tu d'accord avec ?
È/Sei d'accordo con...? pol/fam — è/seille dak·*kor*·do konn...

Je (ne) suis pas d'accord avec...
(Non) Sono d'accordo con... — (nonn) so·no dak·*kor*·do konn...

Êtes-vous/Es-tu contre... ?
È/Sei contro...? pol/fam — è/seille *konn*·tro...

Êtes-vous/Es-tu pour... ?
È/Sei a favore di...? pol/fam — è/seille a fa·*vo*·ré di...

Que pensent les gens de... ?
Cosa pensa la gente di...? — ko·za *pènn*·sa la *djènn*·té di...

avortement	*aborto* m	a·*bor*·to
droits des animaux	*diritti* m pl	dir·*ri*·ti
	animali	a·ni·*ma*·li
criminalité	*criminalità* f	kri·mi·na·li·*ta*
discrimination	*discriminazione* f	di·skri·mi na·*tsyo*·né
drogues	*droghe* f pl	*dro*·gué
économie	*economia* f	é·ko·no·*mi*·a
éducation	*istruzione* f	i·strou·*tsyo*·né
environnement	*ambiente* m	amm·*byènn*·té
égalité des droits	*pari opportunità* f	*pa*·ri op·por·tou·ni·*ta*
euthanasie	*eutanasia* f	é·ou·ta·na·*zi*·a
mondialisation	*globalizzazione* f	glo·ba·li·dza·*tsyo*·né
droits de l'homme	*diritti* m pl *umani*	di·*rit*·ti ou·*ma*·ni
immigration	*immigrazione* f	im·mi·gra·*tsyo*·né
inégalités	*ineguaglianza* f	i·né·gwa·*lyann*·tsa
politique de parti	*politica* f	po·*li*·ti·ka
	di partito	di par·*ti*·to
privatisation	*privatizzazione* f	pri·va·ti·dza·*tsyo*·né
racisme	*razzismo* m	ra·*tsiz*·mo
réfugiés	*profughi* m pl	*pro*·fou·gui
sexisme	*sessismo* m	sés·*siz*·mo
aides sociales	*assistenza* f *sociale*	as·si·*stènn*·tsa so·*tcha*·lé

| **terrorisme** | *terrorismo* m | tér·ro·*riz*·mo |
| **chômage** | *disoccupazione* f | di·zok·kou·pa·*tsyo*·né |

environnement

Y a-t-il un problème d'(environnement) ici ?

| *C'è un problema* | tché ounn pro·*blè*·ma |
| *(ambientale) qui?* | (amm·byènn·*ta*·lé) kwi |

biodégradable	*biodegradabile*	bi·o·dé·gra·*da*·bi·lé
conservation	*conservazione* f	konn·sér·va·*tsyo*·né
déforestation	*disboscamento* m	di·sbo·ska·*mènn*·to
sécheresse	*siccità* f	si·tchi·*ta*
énergie	*energia* f	é·nér·*dji*·a
hydroélectrique	*idroelettrica*	i·dro·é·*lèt*·tri·ka
irrigation	*irrigazione* f	ir·ri·ga·*tsyo*·né
couche d'ozone	*strato* m *d'ozono*	*stra*·to do·*dzo*·no
pesticides	*pesticidi* m pl	pé·sti·*tchi*·di
pollution	*inquinamento* m	inn·kwi·na·*mènn*·to
programme	*programma* m	pro·*gram*·ma
de recyclage	*di riciclaggio*	di ri·tchi·*kla*·djo
déchets toxiques	*rifiuti* m pl	ri·*fyou*·ti
	tossici	*tos*·si·tchi
C'est un(e)...	*È... protetto/a*	è... pro·*tèt*·to/a
protégé(e) ?	*questo/a?* m/f	*kwè*·sto/a
forêt	*una foresta* f	ou·na fo·*rè*·sta
parc	*un parco* m	ounn *par*·ko
espèce	*una specie* f	ou·na *spè*·tché

---

parler local

Pas du tout !	*Per niente!*	pér *nyènn*·té
Tais-toi !	*Taci!*	*ta*·tchi
C'est/ce n'est pas vrai !	*(Non) È vero!*	(nonn) è *vè*·ro
Incroyable !	*Incredibile!*	inn·kré·*di*·bi·lé
Bien sûr que non !	*Figuriamoci!*	fi·gou·*rya*·mo·tchi
Tu plaisantes !	*Scherzi!*	*skèr*·tsi
Si seulement !	*Magari!*	ma·*ga*·ree

où sortir

dove andare

Qu'est-ce qu'il y a à faire le soir ?
Cosa si fa di sera?   ko·za si fa di sè·ra

Qu'y a-t-il	*Che c'è in*	ké tché inn
de programmé ... ?	*programma ...?*	pro·*gram*·ma ...
aujourd'hui	*oggi*	o·dji
ce soir	*stasera*	sta·*sè*·ra
dans le quartier	*in zona*	inn *dzo*·na
ce week-end	*questo*	*kwè*·sto
	finesettimana	fi·né·sét·ti·*ma*·na

61A Où y a-t-il ... ?	*Dov'è ...?*	*do*·vé ...
des bars	*dei locali*	deille lo·*ka*·li
des cafés	*dei bar*	deille bar
des clubs	*dei clubs*	deille kloubs
des endroits	*posti in cui*	*po*·sti *inn* kou·i
où manger	*mangiare*	mann·*dja*·ré

61B Où y a-t-il une boîte gay ?
Dov'è un locale gay?   *do*·vé oun lo·*ka*·lé gué

61C Où y a-t-il un pub ?   *Dov'è un pub?*   *do*·vé oun pab

Y a-t-il un guide ...	*C'è una guida ...*	tché *ou*·na *gwi*·da ...
dans cette ville ?	*in questa città?*	inn *kwè*·sta tchit·*ta*
des spectacles	*agli spettacoli*	*a*·lyi spét·*ta*·ko·li
des films	*ai film*	aille film

C'est combien l'entrée ?
   Quant'è l'ingresso?   kwann·tè linn·grè·so

C'est gratuit.
   È gratuito.   è gra·tou·i·to

où boire un verre et à quelle heure ?

Vous cherchez un endroit où passer vos soirées ? Vous pourrez prendre une bière *Nastro Azzurro* dans une *birreria* ou vous trémoussez sur la piste d'une *discoteca*, mais vous aurez du mal à trouver un *bar* italien ouvert après minuit :

bar m – les bars sont des lieux conviviaux où l'on consomme du café, du thé, des boissons avec ou sans alcool, en mangeant des *cornetti*, des *tramezzini* ou des *panini*. Les bars ouvrent tôt le matin et ferment entre 22 h et minuit, en fonction de leur emplacement. Ils sont surtout fréquentés par des gens pressés qui boivent un café au comptoir – moins cher qu'à une table. Les employés de bureau ont l'habitude de quitter leur bureau quelques instants pour prendre un café au *bar*, ou de se le faire porter par le serveur.

osteria f – restaurant où l'on mange de la cuisine familiale accompagnée de vin.

pub m – récemment introduit sur la scène nocturne italienne, les pubs s'inspirent du modèle anglais et irlandais. Ils sont généralement ouverts jusqu'à 3h du matin.

birreria f – présente la même atmosphère que les pubs, mais spécialisée dans la bière.

nite m – club de nuit élégant.

nightclub m – si le terme anglais est largement employé, *il nite* reste d'usage commun.

locale notturno m – c'est le terme général pour indiquer tout type d'établissement nocturne.

discoteca f – l'endroit le plus couru des jeunes gens âgés de moins de trente ans.

62A **J'ai envie d'aller à un concert.**
Ho voglia di andare   o vo·lya di ann·da·ré
a un concerto.   a ounn konn·tchèr·to
62B **J'ai envie d'aller au cinéma.**
Ho voglia di andare   o vo·lya di ann·da·ré
al cinema.   al tchi·né·ma
62C **J'ai envie d'aller à une fête.**
Ho voglia di andare   o vo·lya di ann·da·ré
a una festa.   a ou·na fè·sta
62D **J'ai envie d'aller au théâtre.**
Ho voglia di andare   o vo·lya di ann·da·ré
al teatro.   al té·a·tro

J'ai envie d'aller...	*Ho voglia di andare...*	o vo·lya di ann·da·ré
dans un bar	*a un locale*	a ounn lo·ka·lé
dans un café	*a un bar*	a ounn bar
prendre un café	*a un caffè*	a ounn kaf·fè
dans un night-club	*in un locale*	inn ounn lo·ka·lé
	notturno	not·tour·no

invitations

Que fais-tu/	*Cosa fai/*	ko·za faille/
faites-vous ... ?	*fate ...?* sing/pl	fa·té ...
maintenant	*proprio adesso*	pro·pri·o a·dès·so
ce soir	*stasera*	sta·sè·ra
ce week-end	*questo fine*	kwè·sto finé
	settimana	sét·ti·ma·na
Tu as/vous avez envie	*Vuoi/Volete*	vwoï/vo·lè·té
d'aller au ... ?	*andare a ...?* sing/pl	ann·da·ré a ...
J'ai envie	*Ho voglia*	o vo·lya
d'aller...	*d'andare a ...*	dann·da·ré a ...
prendre un café	*prendere*	prènn·dé·ré
	un caffè	ounn kaf·fè
danser	*ballare*	bal·la·ré
boire quelque chose	*bere qualcosa*	bè·ré kwal·ko·za
manger	*mangiare*	mann·dja·ré
quelque chose	*qualcosa*	kwal·ko·za
me promener	*spasso*	spas·so

C'est ma tournée.

Offro io. — *of*·fro *i*·o

Connais-tu/Connaissez-vous un bon restaurant ?

Conosci/Conoscete un buon ristorante? sing/pl — ko·*no*·chi/ko·*no*·ché·té ounn bwon ri·sto·*rann*·té

Tu veux/Vous voulez venir à un concert (de jazz) avec moi ?

Vuoi/Volete venire a un concerto (di musica jazz)? sing/pl — vwoïl/vo·*lè*·té vé·*ni*·ré a ounn konn·*tchèr*·to (di *mou*·zi·ka djazz)

Nous faisons une fête.

Facciamo una festa. — fa·*tchya*·mo *ou*·na *fè*·sta

Tu devrais/Vous devriez venir.

Dovresti/Dovreste venire. sing/pl — do·*vrè*·sti/do·*vrè*·sté vé·*ni*·ré

répondre à une invitation

come rispondere agli inviti

Bien sûr !

Certo! — *tchèr*·to

Oui, j'aimerais bien.

Sì, mi piacerebbe. — si mi pya·tché·*rèb*·bé

Où allons-nous ?

Dove andiamo? — *do*·vé ann·*dya*·mo

Non, je crains que non.

No, temo di no. — no *tè*·mo di no

Pourquoi pas demain ?

Domani che ne dici/dite? sing/pl — do·*ma*·ni ké né *di*·tchi/*di*·té

Désolé(e), je ne sais pas chanter/danser.

Scusi/Scusa. pol/fam *Non so cantare/ballare.* — *skou*·zi/*skou*·za. nonn so kann·*ta*·ré/bal·*la*·ré

fixer un rendez-vous

On se voit à quelle heure ?
A che ora ci vediamo? a ké *o*·ra tchi vé·*dya*·mo

On se voit où ?
Dove ci vediamo? *do*·vé tchi vé·*dya*·mo

Je viens te/vous prendre.
Ti/Vi vengo a prendere. sing/pl ti/vi *vènn*·go a *prènn*·dé·ré

Je viendrai plus tard. Tu seras/vous serez où ?
Verrò più tardi. vé·*ro* pyou *tar*·di.
Dove ti troverai? sing *do*·vé ti tro·vé·*raille*
Dove vi troverete? pl *do*·vé vi tro·vé·*rè*·té

Si je ne suis pas là à (9h), ne m'attends pas.
Se non ci sono entro sé nonn tchi *so*·no *ènn*·tro
(le nove), non aspettarmi. (lé *no*·vé) nonn a·spét·*tar*·mi

Rendez-vous …	*Incontriamoci …*	inn·konn·tri·*a*·mo·tchi …
à (8h)	*alle (otto)*	*a*·lé (*ot*·to)
à l'entrée	*all'entrata*	al·lènn·*tra*·ta

D'accord !
D'accordo!   dak·*kor*·do

On se verra à ce moment-là.
Ci vediamo allora.   tchi vé·*dya*·mo al·*lo*·ra

À plus tard.
A più tardi.   a pyou *tar*·di

À demain.
A domani.   a do·*ma*·ni

J'ai hâte.
Non vedo l'ora.   nonn *vè*·do *lo*·ra

Désolé(e). Je suis en retard.
Scusa. Sono in ritardo.   *skou*·za. *so*·no inn ri·*tar*·do

Cela n'a pas d'importance.
Non importa.   nonn imm·*por*·ta

drogues

Je ne me drogue pas.
Non mi drogo.   nonn mi *dro*·go

Je prends ... de temps en temps.
Prendo ... ogni tanto.   *prènn*·do ... *o*·nyi *tann*·to

Tu veux un joint ?
Lo vuoi uno spinello?   lo vwoï *ou*·no spi·*nèl*·lo

Je plane.
Sono stonato/a. m/f   *so*·no sto·*na*·to/a

Lonely Planet déconseille à ses lecteurs l'usage de drogues, même les plus "douces", qui modifient le comportement.

rendez-vous

appuntamenti

Tu as envie de faire quelque chose (ce soir) ?
Vuoi fare qualcosa (stasera)?
vwoïl *fa·*ré kwal·*ko·*za (sta·*sè·*ra)

Oui, j'aimerais beaucoup.
Sì, mi piacerebbe molto.
si mi pya·tché·*rèb·*bé *mol·*to

Non, j'ai bien peur que non.
No, temo di no.
no tè·mo di no

Jamais de la vie !
Neanche se tu fossi l'ultima persona sulla terra!
né·*ann·*ké sé tou *fo·*si *loul·*ti·ma pér·*so·*na *soul·*la tèr·ra

T'as repéré ce type/cette fille ?
Hai adocchiato quello/a?
aille a·do·*kya·*to kwèl·lo/a

Elle est jolie comme un cœur.
È molto carina.
è *mol·*to ca *ri* na.

C'est ...	È ...	è ...
un beau mec/	*un bel figo* m	ounn bél *fi*·go
un crétin	*un bastardo*	ounn ba·*star·*do
une belle nana	*una bella figa* f	ou·na *bèl·*la *fi·*ga
une pute	*una cagna*	ou·na *ka·*nya
un connard	*uno stronzo* m	ou·no *stronn·*tso

séduction

Tu veux quelque chose à boire ?
Prendi qualcosa da bere? — prènn·di kwal·ko·za da bè·ré

Tu as du feu ?
Hai d'accendere? — aille da·tchènn·dé·ré

Tu danses très bien.
Balli benissimo. — ba·li bé·nis·si·mo

On va prendre l'air ?
*Andiamo a prendere
un po' d'aria fresca?* — ann·dya·mo a prènn·dé·ré
ounn po da·rya frè·ska

Je t'emmène faire un tour (de moto) ?
*Ti posso portare a fare
un giro (in moto)?* — ti pos·so por·ta·ré a fa·ré
ounn dji·ro (inn mo·to)

Tu as ...	Hai ...	aille ...
un beau physique	*un bel fisico*	ounn bél fi·zi·ko
de beaux yeux	*gli occhi belli*	lyi o·ki bèl·li
de belles mains	*le mani belle*	lé ma·ni bèl·lé
un beau rire	*un bel riso*	ounn bél ri·zo
un beau caractère	*una bella personalità*	ou·na bèl·la pér·so·na·li·ta
un beau sourire	*un bel sorriso*	ounn bél sor·ri·zo

Est-ce que je peux ... ?	Posso ...?	pos·so ...
danser avec toi	*ballare con te*	bal·la·ré konn té
m'asseoir ici	*sedermi qui*	sé·dèr·mi kwi
t'accompagner chez toi	*accompagnarti a casa*	ak·komm·pa·nyar·ti a ka·za

refus

Je suis ici avec mon petit-ami.
Sono qui con il mio   so·no kwi konn il *mi*·o
ragazzo.   ra·*ga*·tso

Je suis ici avec ma petite-amie.
Sono qui con la mia   so·no kwi konn la *mi*·a
ragazza.   ra·*ga*·tsa

Excuse-moi, il faut que j'y aille.
Scusa. Adesso devo   skou·za. a·*dès*·so dè·vo
andare.   ann·*da*·ré

Désolé(e), mais je n'ai pas envie.
Mi dispiace ma non   mi di·*spya*·tché ma nonn
ne ho voglia.   né o *vo*·lya

Ton égo est sans limite.
Il tuo ego è fuori   il *tou*·o è·go é *fwo*·ri
controllo.   konn·*trol*·lo

Je ne suis pas intéressé(e).
Non mi interessa.   nonn mi inn·té·*rès*·sa

Laisse-moi tranquille !
Lasciami in pace!   *la*·cha·mi inn *pa*·tché

Ne me touche pas !
Non mi toccare!   nonn mi tok·*ka*·ré

Laisse-moi passer !
Lasciami passare!   *la*·cha·mi pas·*sa*·ré

Tire-toi !
Levati dai piedi!   *lè*·va·ti daille *pyè*·di

Va te faire foutre !
Vaffanculo!   vaf·fann·*kou*·lo

---

mario ou maria ?

Dans ce guide, nous avons utilisé les lettres **m** et **f** pour
indiquer si un mot est masculin ou féminin.
Voir aussi la rubrique **genre** dans **grammaire de A à Z**.

tentatives d'approche

Tu es très sympathique.
Sei molto simpatico/a. m/f   seille *mol*·to simm·*pa*·ti·ko/a

Tu es génial(e).
Sei fantastico/a. m/f   seille fann·*ta*·sti·ko/a

Est-ce que je peux t'embrasser ?
Ti posso baciare?   ti *pos*·so ba·*tcha*·ré

Tu me ramènes à la maison ?
Mi porti a casa?   mi *por*·ti a *ka*·za

Tu veux entrer un moment ?
Vuoi entrare per un po'?   vwoïl ènn·*tra*·ré pér ounn po

sexe

J'ai envie de faire l'amour avec toi.
Voglio fare l'amore con te.   vo·lyo *fa*·ré la·*mo*·ré konn té

As-tu un préservatif ?
Hai un preservativo?   aille ounn pré·sér·va·*ti*·vo

Je ne le ferai pas sans protection.
Non lo farò senza   nonn lo fa·*ro* sènn·tsa
protezione.   pro·té·*tsyo*·né

Je pense que nous devrions en rester là.
Penso che dovremmo   *pènn*·so ké do·*vrèm*·mo
fermarci adesso.   fér·*mar*·tchi a·*dès*·so

Couchons ensemble !
Andiamo a letto!   ann·*dya*·mo a *lèt*·to

variations sur le thème

Souvenez-vous du mot *finocchio*, qui signifie "fenouil"
et "homosexuel". Dans la même lignée, *uccello* signifie
"oiseau" et "verge".

Embrasse-moi.	*Baciami.*	*ba·*tcha·mi
J'ai envie de toi.	*Ti desidero.*	ti dé·*si·*dé·ro
Tu aimes ça ?	*Ti piace questo?*	ti *pya·*tché kwè·sto
J(e n)' aime (pas) ça.	*(Non) Mi piace quello.*	(nonn) mi *pya·*tché kwèl·lo
Touche-moi ici.	*Toccami qui.*	*tok·*ka·mi kwi
Oh oui !	*Ah sì!*	a si
Oh mon dieu !	*Oh dio mio!*	o *di·*o *mi·*o
Du calme !	*Calma!*	kal·ma
Allez !	*Dai!*	daille
Plus fort	*più forte*	pyou *for·*té
Plus vite	*più veloce*	pyou vé·*lo·*tché
Plus doucement	*più dolcemente*	pyou dol·tché·*mènn·*té
Plus lentement	*più lentamente*	pyou lènn·ta·*mènn·*té

Je n'y arrive pas. Désolé.
Non mi si raddrizza. — nonn mi si rad·*dri·*tsa.
Mi dispiace. — mi di·*spya·*tché

C'était génial.
È stato stupendo. — è *sta·*to stou·*pènn·*do

Est-ce que je peux passer la nuit ici ?
Posso restare la notte? — po·so ré·*sta·*ré la *not·*té

Quand pouvons-nous nous revoir ?
Quando possiamo rivederci? — kwann·do pos·*sya·*mo ri·vé·*dèr·*tchi

des mots doux

mon amour	*amore mio*	a·*mo·*ré *mi·*o
mon canari	*ciccino/a*	tchi·*tchi·*no/a
	mio/a m/f	*mi·*o/a
mon petit bout de sucre	*delizia*	dé·*li·*tsya
mon sucre d'orge	*dolcezza*	dol·*tchè·*tsa
mon bonheur	*gioia mia*	*jo·*ya *mi·*a
mon/ma chéri(e)	*caro/a mio/a* m/f	*ka·*ro/a *mi·*o/a
mon poussin	*pollastrello/a*	pol·la·*strè·*lo/a
	mio/a m/f	*mi·*o/a
mon trésor	*tesoro mio*	té·*zo·*ro *mi·*o

amour

l'amore

Je suis amoureux(euse) de toi.
Sono innamorato/a di te. m/f   *so*·no in·na·mo·*ra*·to/a di té

Je t'aime.
Ti amo.   ti *a*·mo

Est-ce que tu m'aimes ?
Mi ami?   mi *a*·mi

Je pense que nous allons bien ensemble.
Penso che stiamo   *pènn*·so ké *stya*·mo
bene insieme.   bè·né inn·*syè*·mé

Je veux que nous restions en contact.
Voglio che ci teniamo   *vo*·lyo ké tchi té·*nya*·mo
in contatto.   inn konn·*tat*·to

reproches

i rimproveri

Tu sors avec quelqu'un d'autre ?
Frequenti   fré·*kwènn*·ti
qualcun'altro/a? m/f   kwal·kou·*nal*·tro/a

C'est juste un ami.
È solo un amico.   è *so*·lo ou·na·*mi*·ko

C'est juste une amie.
È solo un'amica.   è *so*·lo ou·na·*mi*·ka

Je crois que ça ne marche pas entre nous.
Non credo che stia   nonn *krè*·do ké *sti*·a
funzionando fra noi due.   founn·tsyo·*nann*·do fra noïl *dou*·é

Nous trouverons une solution.
Troveremo una soluzione.   tro·vé·*rè*·mo ou·na so·lou·*tsyo*·né

Je ne veux plus jamais te revoir.
Non voglio vederti mai più.   nonn *vo*·lyo vé·*dèr*·ti maille pyou

Je veux que nous restions amis.
Voglio che restiamo amici.   *vo*·lyo ké ré·*stya*·mo a·*mi*·tchi

Les passionnés d'art trouveront leur bonheur en Italie. Si tel est votre cas, vous rencontrerez une quantité d'Italiens heureux de partager vos impressions sur les nombreux trésors que recèle leur pays.

La galerie ouvre à quelle heure ?
Quando è aperta la galleria? — kwann·do è a·*pèr*·ta la gal·*lé*·ri·a

Le musée ouvre à quelle heure ?
Quando è aperto il museo? — kwann·do è a·*pèr*·to il mou·*zè*·o

Vous êtes/tu es intéressé(e) par quel courant artistique ?
Che tipo di arte Le/ti interessa? pol/fam — ké *ti*·po di *ar*·té lé/ti inn·té·*rès*·sa

Que pensez-vous/penses-tu de ... ?
Cosa ne pensa/ pensi di ...? pol/fam — ko·za né *pènn*·sa/ *pènn*·si di ...

C'est une exposition d'(art futuriste).
È una mostra di (arte futurista). — è ou·na *mo*·stra di (*ar*·té fou·tou·*ri*·sta)

Je m'intéresse à l'art/aux arts...	*Mi interessa l'arte/gli arti*	mi inn·té·*rès*·sa lar·té/lyi *ar*·ti
baroque	*barocca*	ba·*rok*·ka
impressionniste	*impressionista*	imm·prés·syo·*ni*·sta
graphiques	*grafiche*	*gra*·fi·ké
moderne	*modernista*	mo·dér·*ni*·sta
performance	*d'esibizione*	dé·zi·bi·*tsyo*·né
roman	*romanica*	ro·*ma*·ni·ka

à l'architecture ...	*l'architettura ...*	lar·ki·tét·*tou*·ra ...
byzantin(e)	*bizantina*	bi·dzann·*ti*·na
gothique	*gotica*	*go*·ti·ka
de la Renaissance	*rinascimentale*	ri·na·chi·mènn·*ta*·lé

lexique d'architecture

affresco m	af·*frè*·sko	fresque
arcata f	ar·*ka*·ta	arcade
architrave f	ar·ki·*tra*·vé	architrave
arco m	*ar*·ko	arc
badia f	ba·*di*·a	abbaye
baldacchino m	bal·dak·*ki*·no	baldaquin • ouvrage soutenu par des colonnes au-dessus d'un autel
basilica f	ba·*zi*·li·ka	basilique • dans la Rome antique, bâtiment administratif, devenu par la suite une église chrétienne
battistero m	bat·ti·*stè*·ro	baptistère
bottega f	bot·*tè*·ga	atelier
contrafforte m	konn·traf·*for*·té	contrefort
campanile m	kamm·pa·*ni*·lé	clocher
cappella f	kap·*pèl*·la	chapelle • contenant un autel secondaire dans une église
cattedrale f	kat·té·*dra*·lé	cathédrale
cenacolo m	tché·*na*·ko·lo	réfectoire
chiesa f	*kyè*·za	église
chiostro m	*kyo*·stro	cloître
circo m	*tchir*·ko	cirque • arène ovale/circulaire
cofano m	*ko*·fa·no	coffre • panneau encastré au plafond ou sur une voute
colonna f	ko·*lon*·na	colonne
colonnato m	ko·lon·*na*·to	colonnade
cortile m	kor·*ti*·lé	cour
cupola f	*kou*·po·la	coupole
cupolone m	kou·po·*lo*·né	grosse coupole
curia f	*kou*·rya	galerie de colonnes dans un palais vénitien de style byzantin
duomo m	*dwo*·mo	dôme • cathédrale
fascia f	*fa*·cha	frise
fontana f	fonn·*ta*·na	fontaine

foro m	*fo·ro*	forum
facciata f	fa·*tcha*·ta	façade
gargolla m	gar·*gol*·la	gargouille (créature sculptée, servant de dégorgeoir)
guglia f	*gou*·lya	flèche
intarsio m	inn·*tar*·syo	ouvrage de marqueterie
intonaco m	inn·*to*·na·ko	enduit
liagò m	lya·*go*	terrasse ou balcon couvert
loggia f	*lo*·dja	loggia • galerie dont un mur est ouvert sur l'extérieur
maestà f	ma·é·*sta*	Vierge à l'enfant
navata f	na·*va*·ta	nef centrale
centrale	tchènn·*tra*·lé	
pala f	*pa*·la	retable
d'altare	dal·*ta*·ré	
palazzo m	pa·*la*·tso	palais
persiane f pl	pér·*sya*·né	volets
piazza f	*pya*·tsa	place
piazzale m	pya·*tsa*·lé	grande place
pietà f	pyé·*ta*	pietà
ponte m	*ponn*·té	pont
portico m	*por*·ti·ko	porche
putti m pl	*pou*·ti	angelots
rilievo m	ri·*lyè*·vo	relief
rocca f	*rok*·ka	forteresse
sala f	*sa*·la	salle
sassi m pl	*sas*·si	maisons troglodytiques
scale f pl	*ska*·lé	escalier
scalinata f	ska·li·*na*·ta	escalier
scavi m pl	*ska*·vi	fouilles
terrazzo m	tér·*ra*·tso	terrasse • balcon
tondo m	*tonn*·do	tableau de forme ronde
torre m	*to*·ré	tour
trittico m	*trit*·ti·ko	triptique
vetrata f	vé·*tra*·ta	vitrail

œuvre d'art	*opera* f *d'arte*	o·pé·ra *dar*·té
conservateur(trice)	*conservatore/*	konn·sér·va·*to*·ré/
	conservatrice m/f	konn·sér·va·*tri*·tché
dessin	*disegno* m	di·*zè*·nyo
gravure	*incisione* f	inn·tchi·*zyo*·né
eau-forte	*acquaforte* f	a·kwa·*for*·té
salon d'exposition	*salone* m	sa·*lo*·né
	d'esposizione	dé·spo·zi·*tsyo*·né
installation	*installazione* f	inn·stal·la·*tsyo*·né
ouverture	*apertura* f	a·pér·*tou*·ra
peintre	*pittore/pittrice* m/f	pit·*to*·ré/pit·*tri*·tché
peinture	*pittura* f	pit·*tou*·ra
tableau	*quadro* m	*kwa*·dro
période	*periodo* m	pé·*ri*·o·do
collection	*collezione* f	kol·lé·*tsyo*·né
permanente	*permanente*	pér·ma·*nènn*·té
reproduction	*riproduzione* f	ri·pro·dou·*tsyo*·né
sculpteur	*scultore/*	skoul·*to*·ré/
	scultrice m/f	skoul·*tri*·tché
sculpture	*scultura* f	skoul·*tou*·ra
statue	*statua* f	*sta*·tou·a
atelier	*studio* m	*stou*·dyo
style	*stile* m	*sti*·lé
tapisserie	*tappezzeria* f	tap·pé·tsé·*ri*·a
technique	*tecnica* f	*tèk*·ni·ka

religion

la religione

Quelle est votre/ta religion ?
Di che religione è Lei? pol — di ké ré·li·*djo*·né è leille
Di che religione sei tu? fam — di ké ré·li·*djo*·né seille tou

Je (ne) crois (pas) en Dieu.
(Non) Credo in Dio. — (nonn) *krè*·do inn *di*·o

Je (ne) suis (pas)... *(Non) Sono ...* — (nonn) *so*·no ...

agnostique	*agnostico/a* m/f	a·*nyo*·sti·ko/a
athée	*ateo/a* m/f	*a*·té·o/a
bouddhiste	*buddista*	boud·*di*·sta
catholique	*cattolico/a* m/f	kat·*to*·li·ko/a
chrétien(ne)	*cristiano/a* m/f	kri·*stya*·no/a
hindouiste	*induisto(a)*	inn·dou·*i*·sto/a
juif(ive)	*ebreo/a* m/f	é·*brè*·o/a
musulman(e)	*musulmano/a* m/f	mou·soul·*ma*·no/a
pratiquant(e)	*praticante*	pra·ti·*kann*·té
croyant(e)	*religioso/a* m/f	ré·li·*djo*·zo/a

Je voudrais aller ...	*Vorrei andare ...*	vor·*reille* ann·*da*·ré ...
à l'église	*alla chiesa*	*al*·la kyè·za
à la mosquée	*alla moschea*	*al*·la mo·skè·a
à la synagogue	*alla sinagoga*	*al*·la si·na·*go*·ga
au temple	*al tempio*	al *tèmm*·pyo

Est-ce que je peux ... ici ? *Posso ... qui?* — *po*·so ... kwi

Où puis-je ...?	*Dove posso ...?*	do·vé *pos*·so ...
aller à la messe	*andare a messa*	ann·*da*·ré a *mès*·sa
aller à l'église	*andare in chiesa*	ann·*da*·ré inn *kyè*·za
me confesser	*confessarmi*	konn·fés·*sar*·mi
(en français)	*(in francese)*	(inn frann·*tchè*·zé)
prier	*pregare*	pré·*ga*·ré
recevoir la	*ricevere la*	ri·*tchè*·vé·ré la
communion	*comunione*	ko·mou·*nyo*·né

différences culturelles

le differenze culturali

C'est une tradition locale ou nationale ?
È una tradizione è *ou*·na tra·di·*tsyo*·né
locale o nazionale? lo·*ka*·lé o na·tsyo·*na*·lé

Ça ne me dérange pas de regarder, mais je préfère ne pas participer.
Non mi dispiace non mi di·*spya*·tché
guardare ma preferisco gwar·*da*·ré ma pré·fé·*ri*·sko
non partecipare. non par·té·tchi·*pa*·ré

J'essaierai.
Lo proverò. lo pro·vé·*ro*

Je suis désolé(e), je ne voulais pas commettre une maladresse.
Mi dispiace, non mi di·*spya*·tché nonn
volevo dire/fare vo·*lè*·vo *di*·ré/*fa*·ré
qualcosa di sbagliato. kwal·*ko*·za di sba·*lya*·to

Je suis désolé(e),	*Mi dispiace,*	mi di·*spya*·tché
c'est contraire à ma ...	*non è permesso*	nonn è pér·*mès*·so
	dalla mia ...	*dal*·la *mi*·a ...
foi	*fede*	*fè*·dé
culture	*cultura*	koul·*tou*·ra
religion	*religione*	ré·li·*djo*·né

en parler

parlare dello sport

Aimes-tu (le sport) ?
Ti piace (lo sport)? ti *pya*·tché (lo sport)

Oui, beaucoup.
Sì, moltissimo. si mol·*tis*·si·mo

Pas beaucoup.
Non molto. nonn *mol*·to

J'aime regarder.
Mi piace assistere. mi *pya*·tché as·*si*·sté·ré

Quel sport fais-tu ?
Quale sport pratichi? kwa·lé sport *pra*·ti·ki

Je fais (du football).
Pratico (il calcio). *pra*·ti·ko (il *kal*·tcho)

Je suis (la Formule 1).
Seguo (l'automobilismo). sè·gwo (laou·to·mo·bi·*liz*·mo)

Pour plus d'expressions relatives au sport, consulter le
dictionnaire.

Quel est ton sportif préféré ?
Chi è il tuo sportivo ki è il *tou*·o spor·*ti*·vo
preferito? m pré·fé·*ri*·to

Quelle est ta sportive préférée ?
Chi è la tua sportiva ki è la *tou*·a spor·*ti*·va
preferita? f pré·fé·*ri*·ta

Quelle est ton équipe préférée ?
Qual'è la tua squadra kwa·*lè* la *tou*·a *skwa*·dra
preferita? pré·fé·*ri*·ta

assister à un match

Tu aimerais aller voir un match ?
Ti piacerebbe andare   ti pya·tché·*rèb*·bé ann·*da*·ré
ad una partita?   a·*dou*·na par·*ti*·ta

Tu préfères quelle équipe ?
Per chi fai il tifo?   pér ki faille il *ti*·fo

Qui joue ?
Chi gioca?   ki *djo*·ka

Qui gagne ?
Chi vince?   ki vinn·tché

Il manque combien de temps ?
Quanto tempo manca?   *kwann*·to tèmm·po *mann*·ka

Quel est le score ?
Qual'è il punteggio?   kwa·*lè* il pounn·*tè*·djo

Ils viennent d'égaliser.
Hanno pareggiato.   *an*·no pa·ré·*dja*·to

L'arbitre ne l'a pas autorisé.
L'arbitro non l'ha   *lar*·bi·tro nonn la
permesso.   pér·*mès*·so

La partie a été... !	*Che partita...!*	ké par·*ti*·ta...
nulle	*brutta*	*brout*·ta
assommante	*noiosa*	no·*yo*·za
fantastique	*fantastica*	fann·*ta*·sti·ka

parlons sport

Quel(le)... !	*Che...!*	ké...
but	*gol*	gol
coup	*colpo*	*kol*·po
tir	*calcio*	*kal*·tcho
passe	*passaggio*	pas·*sa*·djo
action	*esecuzione*	é·zé·kou·*tsyo*·né

pratiquer un sport

Tu veux jouer ?
Vuoi giocare?   vwoïl djo·*ka*·ré

Est-ce que je peux jouer ?
Posso giocare anch'io?   *pos*·so djo·*ka*·ré ann·*ki*·o

Oui, ça serait chouette.
Sì, sarebbe bello.   si sa·*rèb*·bé *bèl*·lo

Désolé(e), je ne peux pas.
Mi dispiace, non posso.   mi di·*spya*·tché nonn *pos*·so

Je me suis blessé(e).
Sono infortunato/a. m/f   *so*·no inn·for·tou·*na*·to/a

Quel est l'endroit le plus agréable pour faire du footing par ici ?
Qual'è il miglior posto   kwa·*lè* il *mi*·lyor *po*·sto
per fare il footing   pér *fa*·ré il *fou*·tinng
qui intorno?   kwi inn·*tor*·no

Où est... ?	*Dov'è...*	do·*vè*...
le/la plus proche ?	*più vicino/a?*	pyou vi·*tchi*·no/a
la salle de gym	*la palestra*	la pa·*lè*·stra
la piscine	*la piscina*	la pi·*chi*·na
le terrain	*il campo da*	il *kamm*·po da
de tennis	*tennis*	*tèn*·nis

Quel est le prix	*Qual'è il prezzo*	kwa·*lè* il *prè*·tso
pour... ?	*richiesto...?*	ri·*kyè*·sto...
une journée	*per la giornata*	pér la djor·*na*·ta
un match	*per una partita*	pér *ou*·na par·*ti*·ta
une heure	*all'ora*	al·*lo*·ra
une visite	*a visita*	a *vi*·zi·ta

Puis-je louer... ?	*Posso noleggiare...?*	*pos*·so no·lé·*dja*·ré...
des balles	*delle palle*	*del*·lé *pal*·lé
un court	*un campo*	ounn *kamm*·po
une raquette	*una racchetta*	*ou*·na rak·*kèt*·ta

Il faut obligatoirement être membre ?
È necessario essere soci? è né·tchés·*sa*·ryo ès·sé·ré *so*·tchi

Y a-t-il des cours juste pour les femmes ?
Ci sono i corsi per tchi *so*·no i *kor*·si pér
sole donne? so·lé *don*·né

Où se trouvent les vestiaires ?
Dove sono gli spogliatoi? *do*·vé *so*·no lyi spo·lya·*to*·i

vélo

il ciclismo

Où se termine la course ?
Dove finisce la gara? *do*·vé fi·*ni*·ché la *ga*·ra

Où passe-t-elle ?
Dove passa? *do*·vé *pas*·sa

Qui gagne ?
Chi vince? ki *vinn*·tché

(L'étape) d'aujourd'hui a combien de kilomètres ?
(La tappa) di oggi è di (la *tap*·pa) di *o*·dji è di
quanti chilometri? *kwann*·ti ki·*lo*·mé·tri

Mon coureur préféré est...
Il mio ciclista il *mi*·o tchi·*kli*·sta
preferito è... pré·fé·*ri*·to è...

cycliste	*ciclista* m/f	tchi·*kli*·sta
le maillot (jaune)	*la maglia* f *(gialla)*	ma·lya *(dja*·la)
étape de montagne	*tappa* f *in salita*	*tap*·pa inn sa·*li*·ta
course	*gara*	*ga*·ra
le Tour d'Italie	*il Giro d'Italia*	il *dji*·ro di·*ta*·lya
contre la montre	*prova* f	*pro*·va
	a cronometro	a kro·*no*·mé·tro
vainqueur	*vincitore/*	vinn·tchi·*to*·ré/
(d'étape)	*vincitrice*	vinn·tchi·*tri*·tché
	(di tappa) m/f	(di *tap*·pa)

Pour les promenades à bicyclette, voir le chapitre **transports**, p. 48.

plongée

immersioni

Je voudrais...	*Vorrei...*	vor·*reille*...
explorer	*esplorare relitti*	é·splo·*ra*·ré ré·*lit*·ti
des épaves		
faire de la plongée	*fare immersioni*	*fa*·ré im·mér·*syo*·ni
sous-marine	*subacquee*	sou·*ba*·kwé·é
faire de la plongée	*fare immersioni*	*fa*·ré im·mér·*syo*·ni
en apnée	*in apnea*	i·nap·*nè*·a
participer à	*partecipare*	par·té·tchi·*pa*·ré
une journée	*ad una gita*	a·*dou*·na *dji*·ta
de plongée	*d'immersione*	di·mér·*syo*·né
louer un équipement	*noleggiare*	no·lé·*dja*·ré
de plongée	*l'attrezzatura per*	la·tré·tsa·*tou*·ra pér
	immersioni	i·mér·*syo*·ni
	subacquee	sou·*ba*·kwé·é
louer l'équipement	*noleggiare*	no·lé·*dja*·ré
pour faire	*l'attrezzatura*	la·tré·tsa·*tou*·ra pér
de la plongée	*per immersioni*	im·mér·*syo*·ni
en apnée	*in apnea*	i·nap·*nè*·a
apprendre à faire	*imparare a fare*	imm·pa·*ra*·ré a *fa*·ré
de la plongée	*immersioni*	im·mér·*syo*·ni
sous-marine	*subacquee*	sou·*ba*·kwé·é

Où y a-t-il de bons endroits pour faire de la plongée ?
Dove sono dei buoni   do·vé so·no deille bwo·ni
posti per fare immersioni?   po·sti pér fa·ré im·mér·syo·ni

Il y a des méduses ?
Ci sono meduse?   tchi so·no mé·dou·zé

Où puis-je louer (des palmes) ?
Dove posso noleggiare (pinne)?   do·vé pos·so no·lé·dja·ré (pi·né)

sports extrêmes

Tu es sûr que c'est sans risque ?
Sei sicuro che questo   seille si·kou·ro ké kwè·sto
sia sicuro?   si·a si·kou·ro

L'équipement est-il sûr ?
È sicura l'attrezzatura?   è si·kou·ra lat·tré·tsa·tou·ra

C'est de la folie.
Questa è roba da matti.   kwè·sta è ro·ba da mat·ti

descente	*discesa* f *a corda*	di·chè·za a kor·da
en rappel	*doppia*	do·pya
saut à l'élastique	*bungee jumping* m	bounn·dji djoumm·pinng
spéléologie	*esplorazione* f	é·splo·ra·tsyo·né
	di caverne	di ka·vèr·né
canoë-kayak	*canottaggio* m	ka·not·ta·djo
canyoning	*torrentismo* m	tor·rènn·tiz·mo
pêche dans	*pesca* f *ai pesci*	pè·ska aille pè·chi
les torrents	*selvatici*	sél·va·ti·tchi
mountain-bike	*mountain biking* m	maounn·tènn baille·kinng
parapente	*parapendio* m	pa·ra·pènn·di·o
parachutisme	*parasailing* m	pa·ra·sè·linng
ascensionnel		
escalade	*andare su roccia* f	an·da·ré sou ro·tcha

parachutisme	paracadutismo m	pa·ra·ka·dou·*tiz*·mo
sportif	*acrobatico*	a·kro·*ba*·ti·ko
surf des neiges	*surf* m *da neve*	sourf da *nè*·vé
randonnée pédestre	*escursionismo* m	é·skour·syo·*niz*·mo
	a piedi	a *pyè*·di
rafting	*rafting* m	*raf*·tinng

Consultez également le chapitre **activités de plein air**, p. 137, et la rubrique **camping**, p. 58.

football

il calcio

Qui joue pour (la Sampdoria) ?
Chi gioca per ki *djo*·ka pér
(la Sampdoria)? (la sammp·*do*·rya)

C'est un bon (joueur).
È un bravo (giocatore). è ounn *bra*·vo (djo·ka·*to*·ré)

Il a fait un super match contre (l'Angleterre).
Ha fatto un'ottima a *fat*·to ou·*not*·ti·ma
partita contro par·*ti*·ta *konn*·tro
(l'Inghilterra). (linn·guil·*tè*·ra)

Quelle équipe est à la tête du championnat ?
Quale squadra è in kwa·lé *skwa*·dra è inn
testa alla classifica? tè·sta *a*·la klas·*si*·fi·ka

Cette équipe est mauvaise !
Che squadra schifosa! ké *skwa*·dra ski·*fo*·za

ballon	*pallone* m	pal·*lo*·né
entraîneur(euse)	*allenatore/*	al·lé·na·*to*·ré/
	allenatrice m/f	al·lé·na·*tri*·tché
corner	*angolo* m/	*ann*·go·lo/
	calcio m *d'angolo*	*kal*·tcho *dann*·go·lo
défenseur(euse)	*giocatore/*	djo·ka·*to*·ré/
	giocatrice m/f	djo·ka·*tri*·tché
	difensivo/a	dé·fènn·*si*·vo/a
expulsion	*espulsione* f	é·spoul·*syo*·né
supporters	*tifosi* m pl	ti·*fo*·zi
faute	*fallo* m	*fal*·lo
coup franc	*calcio* m	*kal*·tcho
	di punizione	di pou·ni·*tsyo*·né
but	*gol* m	gol

cage	*porta* f	*por*·ta
gardien(ne)	*portiere* m et f	por·*tyè*·ré
buteur	*cannoniere* m	kan·no·*nyè*·ré
coup d'envoi	*calcio* m *d'inizio*	*kal*·tcho di·*ni*·tsyo
ligue	*serie* f	*sè*·ryé
manager	*manager* m et f	*ma*·na·djér
avant-centre	*centrocampista*	tchènn·tro·
	m et f	kamm·*pi*·sta
hors-jeu	*fuorigioco* m	fwo·ri·*djo*·ko
penalty	*rigore* m	ri·*go*·ré
surface de réparation	*area* f *di rigore*	*a*·ré·a di ri·*go*·ré
joueur(euse)	*giocatore/*	djo·ka·*to*·ré/
	giocatrice m/f	djo·ka·*tri*·tché
carton rouge	*cartellino* m *rosso*	kar·tél·*li*·no *ro*·so
marquer	*segnare*	sé·*nya*·ré
footballeur(euse)	*calciatore/*	kal·tcha·*to*·ré/
	calciatrice m/f	kal·tcha·*tri*·tché
attaquant/avant	*attaccante/avanti* m	at·ta·*kann*·té/a·*vann*·ti
supporters	*tifosi* m pl	ti·*fo*·zi
remise latérale	*rimessa* f *laterale*	ri·*mès*·sa la·té·*ra*·lé
avertissement	*ammonizione* f	am·mo·ni·*tsyo*·né
carton jaune	*cartellino* m *giallo*	kar·tél·*li*·no djal·lo

a·*lé*	*Alé!*	**Allez !**
for·tsa a·*dzour*·ri	*Forza Azzurri!*	**Allez les Bleus !**
		(équipe d'Italie)
for·tsa ra·*ga*·tsi	*Forza ragazzi!*	**Allez les gars !**

Vous allez voir un match ? Consultez la rubrique **assister à un match**, p. 128.

ski

Je voudrais louer...	*Vorrei noleggiare...*	vor·*reille* no·lé·*dja*·ré...
des chaussures	*gli scarponi*	lyi skar·*po*·ni
(de ski)	*(da sci)*	(da chi)
des lunettes	*gli occhiali di*	lyi ok·*kya*·li di
de soleil	*protezione*	pro·té·*tsyo*·né
des bâtons	*i bastoncini*	i ba·stonn·*tchi*·ni
des skis	*gli sci*	lyi chi
une tenue de ski	*una tuta da sci*	*ou*·na *tou*·ta da chi

C'est possible de... ici/là-bas ?	*Si può... qui/là?*	si pwo... kwi/la
faire du ski alpin	*fare lo sci alpino*	fa·ré lo chi al·*pi*·no
faire du ski de fond	*fare lo sci di fondo*	fa·ré lo chi di *fonn*·do
faire du surf	*fare il surf*	fa·ré il sourf
des neiges	*da neve*	da *nè*·vé
faire de la luge	*andare in slitta*	ann·*da*·ré inn *slit*·ta

Combien coûte le forfait ?
Quant'è una tessera?   kwann·*tè* ou·na *tès*·sé·ra

Est-ce que je peux prendre des leçons ?
Posso prendere lezioni?   *pos*·so *prènn*·dé·ré lé·*tsyo*·ni

Quel est le niveau de cette piste ?
Qual'è il livello di   kwa·*lè* il li·*vèl*·lo di
quella pista?   *kwè*·la *pi*·sta

Quelles sont les pistes pour... ?	*Quali sono le piste per...?*	*kwa·li so·no lé pi·sté pér...*
débutants	*principianti*	prinn·tchi·*pyann*·ti
moyens	*intermedi*	inn·tér·*mè*·di
confirmés	*avanzati*	a·vann·*tsa*·ti

Quelles sont les conditions de ski... ?	*In quali condizioni sono le piste...?*	inn *kwa·*li konn·di·*tsyo*·ni *so·*no lé *pi*·sté...
à (Cortina d'Ampezzo)	*a (Cortina d'Ampezzo)*	a (kor·*ti*·na damm·*pè*·tso)
en haut	*più in alto*	pyou i·*nal*·to
sur cette piste	*su quella pista*	sou kwèl·la *pi*·sta

téléphérique	*funivia* f	fou·ni·*vi*·a
télésiège	*seggiovia* f	sé·djo·*vi*·a
professeur(e) de ski	*maestro/a* m/f *di sci*	ma·è·stro/a di chi
station de sports d'hiver	*località* f	lo·ka·li·*ta*
	sciistica	chi·*i*·sti·ka
remonte-pente	*sciovia* f	chyo·*vi*·a
luge	*slittino* m	slit·*ti*·no
(semaine de) sports d'hiver	*settimana* f	sét·ti·*ma*·na
	bianca	byann·ka

exclamations

Mon dieu !	*Dio!*	*di*·o
Jésus !	*Gesù!*	djé·*zou*
Jésus Marie !	*Madonna!*	ma·*don*·na
Merde !	*Merda!*	*mèr*·da
Malédiction !	*Maledizione!*	ma·lé·di·*tsyo*·né
Putain !	*Cazzo!*	*ka*·tso

randonnée

escursionisme a piedi

Où puis-je... ?	*Dove posso...?*	*do·vé pos·so...*
acheter	*comprare delle*	komm·*pra*·ré *dè*·lé
des provisions	*provviste*	prov·*vi*·sté
me renseigner	*informarmi*	inn·for·*mar*·mi
sur les sentiers	*sulle piste per*	soul·lé *pi*·sté pér
pédestres	*l'escursionismo*	lé·skour·syo·*niz*·mo
	a piedi	a *pyè*·di
trouver quelqu'un	*trovare qualcuno*	tro·*va*·ré kwal·*kou*·no
qui connaisse	*che conosca la*	ké ko·*no*·ska la
cette région	*zona*	*dzo*·na
trouver une carte	*trovare una carta*	tro·*va*·ré ou·na *kar*·ta
louer l'équipement	*noleggiare*	no·lé·*dja*·ré
pour une	*l'attrezzatura per*	lat·tré·*tsa·tou*·ra pér
randonnée	*l'escursionismo*	lé·skour·syo·*niz*·mo
pédestre	*a piedi*	a *pyè*·di

Nous devons	*Dobbiamo*	dob·*bya*·mo
amener... ?	*portare...?*	por·*ta*·ré...
quelque chose	*qualcosa*	kwal·*ko*·za
pour dormir	*per dormire*	pér dor·*mi*·ré
de la nourriture	*del cibo*	dél *tchi*·bo
de l'eau	*dell'acqua*	dé·*la*·kwa
Combien de km fait... ?	*Quant'è...?*	kwann·*tè*...
la montée	*alta la salita*	*al*·ta la sa·*li*·ta
la randonnée	*lunga*	*lounn*·ga
	l'escursione	lé·skour·syo·né
le sentier	*lungo il*	*lounn*·go il
	sentiero	*sènn·tyè*·ro

Le sentier est-il... ?	*La pista è...?*	la *pi*·sta è...
(bien) signalé	*(ben) segnata*	(bènn) sé·*nya*·ta
dégagé	*aperta*	a·*pèr*·ta
panoramique	*panoramica*	pa·no·*ra*·mi·ka
Quel est le…	*Qual'è il*	kwa·*lè* il
parcours ?	*percorso...?*	pér·*kor*·so...
plus facile	*più facile*	pyou *fa*·tchi·lé
plus court	*più corto*	pyou *kor*·to
Où y a-t-il/se trouve... ?	*Dov'è...?*	do·*vè*...
un camping	*un campeggio*	ounn kamm·*pè*·djo
le village	*il villaggio*	il vil·*la*·djo
le plus proche	*più vicino*	pyou vi·*tchi*·no
Où sont... ?	*Dove sono...?*	*do*·vé *so*·no...
les douches	*le docce*	lé *do*·tché
les sanitaires	*i servizi*	i sér·*vi*·tsi
	igienici	i·*djè*·ni·tchi

Est-ce qu'un guide est nécessaire ?
Occorre una guida?   ok·*ko*·ré ou·na *gwi*·da

Y a-t-il des randonnées accompagnées ?
Ci sono delle   tchi *so*·no dè·lé
escursioni guidate?   é·skour·*syo*·ni gwi·*da*·té

C'est sûr ?
È sicuro?   è si·*kou*·ro

Y a-t-il un refuge là-bas ?
C'è un rifugio là?   tchè ounn ri·*fou*·djo la

Quand est-ce que la nuit tombe ?
Quando fa buio?   *kwann*·do fa *bou*·yo

D'où êtes-vous/es-tu venu(e) ?
Da dove è venuto/a? m/f pol   da *do*·vé è vé·*nou*·to/a
Da dove sei venuto/a? m/f fam   da *do*·vé seille vé·*nou*·to/a

Vous avez mis combien de temps ?
Quanto ci è voluto? kwann·to tchi è vo·lou·to

Ce sentier va-t-il vers (Ginostra) ?
Questo sentiero va verso kwè·sto sènn·tyè·ro va vèr·so
(Ginostra)? (dji·no·stra)

Pouvons-nous passer par là ?
Possiamo passare da qui? pos·sya·mo pas·sa·ré da kwi

L'eau est-elle potable ?
Si può bere l'acqua? si pwo bè·ré la·kwa

Je me suis perdu(e).
Mi sono perso/a. m/f mi so·no pèr·so/a

plage

Où est la plage… ?	*Dov'è la spiaggia…?*	do·vè la spya·dja…
la plus belle	*migliore*	mi·lyo·ré
la plus proche	*più vicina*	pyou vi·tchi·na
pour nudistes	*nudista*	nou·di·sta
publique	*pubblica*	poub·bli·ka
Peut-on… sans danger ?	*Si può… senza pericolo?*	si pwo… sènn·tsa pé·ri·ko·lo
faire des plongeons	*fare i tuffi*	fa·ré i touf·fi
faire de la plongée	*fare le immersioni*	fa·ré lé im·mér·syo·ni
nager	*nuotare*	nwo·ta·ré

signalisation

| *Vietato nuotare* | **Interdiction de nager** |

À quelle heure est la marée... ?	A che ora è... marea?	a ké o·ra è... ma·rè·a
haute	l'alta	lal·ta
basse	la bassa	la bas·sa

Combien coûte... ?	Quanto costa...?	kwann·to ko·sta...
une chaise longue	una sedia a sdraio	ou·na sè·dya a sdra·yo
un cabanon	una capanna	ou·na ka·pa·na
un parasol	un ombrello	ou·nomm·brèl·lo

météo

il tempo

9A Quel temps fait-il ?
Che tempo fa? ké tèmm·po fa

(Aujourd'hui) il fait...	(Oggi) È...	(o·dji) è...
Est-ce qu'il y aura... demain ?	Domani sarà...?	do·ma·ni sa·ra...
des nuages	nuvoloso	nou·vo·lo·zo
du beau temps	sereno	sé·rè·no
du soleil	soleggiato	so·lé·dja·to

(Aujourd'hui) il fait...	*(Oggi) Fa...*	(o·dji) fa...
Est-ce qu'il fera... demain ?	*Domani farà...?*	do·ma·ni fa·ra...
9B Il fait froid	*Fa freddo*	fa frèd·do
9C Il fait chaud	*Fa caldo*	fa kal·do
9D Il pleut	*Piove.*	pyo·vé
Il fait beau temps	*Fa bel tempo*	fa bél tèmm·po
On gèle	*Si gela.*	si djè·la
Il y a du vent	*Tira vento.*	ti·ra vènn·to
Est-ce qu'il... demain ?	*Domani...?*	do·ma·ni...
pleuvra	*pioverà*	pyo·vé·ra
neigera	*nevicherà*	né·vi·ké·ra
y aura du vent	*ci sarà vento*	tchi sa·ra vènn·to

faune et flore

Quel(le) (type de)... est-ce ?	*Che (tipo di)... è quello?*	ké (ti·po di)... è kwèl·lo
animal	*animale*	a·ni·ma·lé
fleur	*fiore*	fyo·ré
plante	*pianta*	pyann·ta
arbre	*albero*	al·bé·ro
Est-il/elle... ?	*È...?*	è...
commune(e)	*comune*	ko·mou·né
dangereux(euse)	*pericoloso/a* m/f	pé·ri·ko·lo·zo/a
en voie d'extinction	*in pericolo d'estinzione*	inn pé·ri·ko·lo dé·stinn·tsyo·né
vénéneux(euse)	*velenoso/a* m/f	vé·lé·no·zo/a
protégé(e)	*protetto/a* m/f	pro·tèt·to/a

141

À quoi ça sert ?
A che cosa serve? · a ké *ko*·za *sèr*·vé

On peut le manger ?
Si può mangiarlo? · si pwo mann·*djar*·lo

mario ou maria ?

Tout au long de ce guide, nous avons utilisé la lettre m ou f pour indiquer si un mot est masculin ou féminin. Lorsqu'il existe deux formes et que seule la terminaison change, nous avons séparé le masculin du féminin par une barre oblique. Par exemple, les adjectifs "beau" et "belle" sont présentés sous la forme *bello/a* m/f.

Voir aussi **genre** dans **grammaire de A à Z**.

vocabulaire de base

vocabolario essenziale

63A	petit déjeuner	*prima colazione* f	*pri·*ma ko·la·*tsyo·*né
63B	déjeuner	*pranzo* m	*prann·*dzo
63C	dîner	*cena* f	*tchè·*na
63D	en-cas	*spuntino* m	spounn·*ti·*no
63E	manger	*mangiare*	mann·*dja·*ré
63F	boire	*bere*	*bè·*ré
	goûter	*merenda* f	mé·*rènn·*da

établissements bon marché

La cuisine italienne, fine et délicieuse, est souvent onéreuse.
Si votre budget est limité, choisissez d'explorer quelques-uns
de ces endroits…

bar/caffè   bar/kaf·*fè*
sert des boissons mais aussi des sandwichs et des
en-cas pour les petits creux

osteria/trattoria   o·sté·*ri·*a/trat·to·*ri·*a
choix de plats simples et de spécialités locales

paninoteca   pa·ni·no·*tè·*ka
on y mange de délicieux sandwichs au fromage, aux
tomates, à la charcuterie, etc.

tavola calda   ta·vo·la *kal·*da
offre des spécialités locales, des pizzas, de la viande rôtie
et des salades

pizzeria   pi·tsé·*ri·*a
spécialisée dans la vente de *pizze* et de *calzoni* (une
pizza repliée), habituellement préparés au feu de bois

ristorante   ri·sto·*rann·*té
un établissement plus sophistiqué – avec un service de qualité
supérieure, un menu plus cher et une bonne carte des vins

se restaurer

où se restaurer

Pourriez-vous me conseiller un...	*Potrebbe consigliarmi un...*	po·trè·bé konn·si·*lya*·rmi ounn...
café	*bar*	bar
restaurant	*ristorante*	ri·sto·*rann*·té
Où iriez-vous pour... ?	*Dove andrebbe per...*	*do*·vé ann·*drè*·bé pér...
un dîner d'affaires	*un pranzo d'affari*	ounn *prann*·dzo daf·*fa*·ri
un repas bon marché	*un pasto economico*	ounn *pa*·sto é·ko·*no*·mi·ko
une fête	*una celebrazione*	*ou*·na tché·lé·bra·*tsyo*·né
manger des spécialités locales	*le specialità locali*	lé spé·tcha·li·*ta* lo·*ka*·li

À TABLE

144

panneaux

Caldo	*kal·*do	**Chaud**
Donne	*don·*né	**Femmes**
Freddo	*frèd·*do	**Froid**
Gabinetti	ga·bi·*nèt·*ti	**Toilettes**
Prenotato	pré·no·*ta·*to	**Réservé**
Riservato	ri·sér·*va·*to	**Privé**
Uomini	*wo·*mi·ni	**Hommes**

Je voudrais réserver	*Vorrei prenotare*	vor·*reille* pré·no·*ta·*ré
une table pour...	*un tavolo per...*	ounn *ta·*vo·lo pér...
(2) personnes	*(due) persone*	(*dou·*é) pér·*so·*né
(8h)	*le (otto)*	lé (*ot·*to)

Je voudrais...,	*Vorrei...,*	vor·*reille...*
s'il vous plaît.	*per favore.*	pér fa·*vo·*ré
une table	*un tavolo*	ounn *ta·*vo·lo
pour (4)	*per (quattro)*	pér (*kwat·*tro)
la carte	*il menù*	il mé·*nou*
la carte	*la lista delle*	la *li·*sta *dèl·*lé
des boissons	*bevande*	bé·*vann·*dé
(non-)fumeurs	*(non) fumatori*	(nonn) fou·ma·*to·*ri

Avez-vous... ?	*Avete...?*	a·*vè·*té...
un repas	*pasti*	*pa·*sti
pour enfants	*per bambini*	pér bamm·*bi·*ni
un menu	*un menù*	ounn mé·*nou*
en français	*in francese*	inn frann·*tchè·*zé

Vous servez encore à manger ?
Servite ancora da mangiare? sér·vi·té ann·*ko·*ra da mann·*dja·*ré

Il faut attendre combien de temps ?
Quanto si deve aspettare? kwann·to si *dè·*vé as·pét·*ta·*ré

au restaurant

65C Je voudrais le menu, s'il vous plaît.
Vorrei il menù, per favore. vo·*reille* il mé·*nou* pér fa·*vo*·ré

C'est un self-service ?
È self-service? è sélf·*sèr*·vi·se

Nous prenons juste à boire.
Prendiamo solo da bere. prènn·*dya*·mo so·lo da bè·ré

66A Que conseillez-vous ?
Cosa mi consiglia? ko·za mi konn·*si*·lya

Je voudrais ce qu'ils sont en train de manger.
Vorrei quello che stanno vo·*reille* kwèl·lo ké stan·no
mangiando loro. mann·*djann*·do lo·ro

Je voudrais une spécialité de la région.
Vorrei una specialità vor·*reille* ou·na spé·tcha·li·*ta*
di questa regione. di kwè·sta ré·*djo*·né

Qu'y a-t-il dans ce plat ?
Quali ingredienti ci kwa·li inn·gré·*dyènn*·ti tchi
sono in questo piatto? so·no inn kwè·sto *pyat*·to

Il est long à préparer ?
Ci vuole molto per tchi *vwo*·lé *mol*·to pér
prepararlo? pré·pa·*rar*·lo

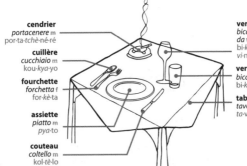

cendrier
portacenere m
por·ta·*tchè*·né·ré

cuillère
cucchiaio m
kou·*kya*·yo

fourchette
forchetta f
for·*kè*·ta

assiette
piatto m
pya·to

couteau
coltello m
kol·*tè*·lo

verre à vin
bicchiere m
da vino
bi·*kyè*·ré da
vi·no

verre
bicchiere m
bi·*kyè*·ré

table
tavolo m
ta·vo·lo

au menu

antipasti	ann·ti·*pa*·sti	hors-d'œuvre
zuppe	*tsou*·pé	soupes
primi (piatti)	*pri*·mi (*pyat*·ti)	entrées
insalate	inn·sa·*la*·té	salades
contorni	konn·*tor*·ni	garniture
pasti leggeri	*pa*·sti lé·*djè*·ri	repas légers
secondi (piatti)	sé·*konn*·di (*pyat*·ti)	plats principaux
dolci	*dol*·tchi	desserts
bevande	bé·*vann*·dé	boissons
aperitivi	a·pé·ri·*ti*·vi	apéritifs
bibite	*bi*·bi·té	sodas
liquori	li·*kwo*·ri	liqueurs
birre	*bir*·ré	bières
vini della casa	*vi*·ni *dèl*·la *ka*·za	vins en pichet
vini locali	*vi*·ni lo·*ka*·li	vins de pays
vini frizzanti	*vi*·ni fri·*tsann*·ti	vins pétillants
vini bianchi	*vi*·ni *byann*·ki	vins blancs
vini rossi	*vi*·ni *ros*·si	vins rouges
vini rosati	*vi*·ni ro·*za*·ti	rosés
vini da dessert	*vi*·ni da dés·*sèr*	vins à dessert
digestivi	di·djé·*sti*·vi	digestifs

Consultez également le **lexique culinaire**, p. 161.

Le. .. est compris	*Il ... è compreso*	il ... è komm·*prè*·zo
dans le prix ?	*nel conto?*	nél *konn*·to
couvert	*coperto*	ko·*pèr*·to
service	*servizio*	sér·*vi*·tsyo

65D **Vous pouvez m'apporter l'addition, s'il vous plaît ?**
Vorrei il conto, per favore? vo·*rèille por*·ta il *konn*·to pér fa·*vo*·ré

Vous pouvez m'apporter ...,	*Mi porta ...,*	mi *por*·ta ...
s'il vous plaît ?	*per favore?*	pér fa·*vo*·ré
un torchon	*uno strofinaccio*	*ou*·no stro·fi·*na*·tcho
un verre	*un bicchiere*	ounn bik·*kyè*·ré

Y a-t-il (du parmesan) ?
C'è (del parmigiano)? tchè (dél par·mi·*dja*·no)

Les Italiens déclinent les pâtes à l'infini, des *spaghetti* – un grand classique – aux *gnocchi*, faits à base de pommes de terre, en passant par les *farfalle*, en forme de papillon. Il y a même plusieurs variétés de sauce et chaque région a sa propre spécialité. Voici quelques-unes des recettes que vous pourriez savourer. Notez que *alla* et *all'* signifient ''à la mode de''.

aglio e olio   *a*·lyo é *o*·lyo
huile, ail et parfois piment

al ragù   al ra·*gou*
viande hachée (veau ou porc), légumes, zeste de citron et noix de muscade

all'amatriciana   al·la·ma·tri·*tcha*·na
joue de porc, lard, vin blanc, tomates, piment et fromage

alla carbonara   *al*·la kar·bo·*na*·ra
lardons, beurre, œufs et fromage

alla partenopea   *al*·la par·té·no·*pè*·a
mozzarella, tomates, croûtons, câpres, olives, anchois, basilic, huile, piment et sel

alla pescatora   *al*·la pé·ska·*to*·ra
poisson, tomates et fines herbes

alla pommarola   *al*·la pom·ma·*ro*·la
tomates

alla puttanesca   *al*·la pou·ta·*nè*·ska
ail, anchois, olives noires, câpres, tomates, huile et piment

cacio e pepe   *ka*·tcho é *pè*·pé
poivre noir et fromage

con il tonno   konn il *ton*·no
avec du thon

con le vongole   konn lé *vonn*·go·lé
avec des palourdes

con tartufo di Norcia   konn tar·*tou*·fo di *nor*·tcha
avec des truffes de Norcia

parler gastronomie

C'était délicieux !
Era squisito! è·ra skwi·*zi*·to

Compliments au chef !
Complimenti al cuoco! komm·pli·*mènn*·ti al *kwo*·ko

Je suis rassasié(e).
Sono sazio/a. m/f *so*·no *sa*·tsyo/a

J'adore...	*Vado matto/a per...* m/f	*va*·do *mat*·to/a pér...
ce plat	*questo piatto*	*kwè*·sto *pyat*·to
la cuisine	*la cucina*	la kou·*tchi*·na
locale	*locale*	lo·*ka*·lé

C'est...	*Questo/a è...* m/f	*kwè*·sto/a è...
bon	*buono*	*bouo*·no
délicieux	*delizioso/a* m/f	dé·li·*tsyo*·zo/a
piquant	*piccante*	pik·*kann*·té
(trop) froid	*(troppo) freddo/a* m/f	(*trop*·po) *frè*·do/a
(trop) chaud	*(troppo) caldo/a* m/f	(*trop*·po) *kal*·do/a

petit déjeuner

Vous prenez quoi habituellement au petit-déjeuner ?
Qual'è la prima kwa·*lè* la *pri*·ma
colazione tipica? ko·la·*tsyo*·né *ti*·pi·ka

bacon	*pancetta* f	pann·*tchè*·ta
pain	*pane* m	*pa*·né
beurre	*burro* m	*bour*·ro
céréales	*cereali* m pl	tché·ré·*a*·li
croissant	*cornetto* m	kor·*nèt*·to
œufs	*uova* f pl	*wo*·va
omelette	*frittata* f	frit·*ta*·ta
lait	*latte* m	*lat*·té
muesli	*muesli* m	*mou*·sli
gâteau	*pasta* f	*pa*·sta
toast	*pane* m *tostato*	*pa*·né to·*sta*·to

cuissons et préparations

Je le/la voudrais...	*Lo/La vorrei...* m/f	lo/la vor·reille...
Je ne le/la	*Non lo/la*	nonn lo/la
veux pas...	*voglio...* m/f	*vo*·lyo...
bouilli(e)	*bollito/a* m/f	bol·*li*·to/a
grillé(e)	*cotto/a* m/f	*kot*·to/a
	a fuoco vivo	a *fwo*·ko *vi*·vo
frit(e) dans	*fritto/a* m/f in	*frit*·to/a inn
beaucoup d'huile	*abbondante olio*	ab·bonn·*dann*·té *o*·lyo
frit(e)	*fritto/a* m/f	*frit*·to/a
cuit(e) au gril	*(cotto/a)* m/f *ai ferri*	*(kot*·to/a) aille fè·ri
pas trop cuit(e)	*non troppo*	nonn *trop*·po
	cotto/a m/f	*kot*·to/a
saignant(e)	*al sangue*	al *sann*·gwé
réchauffé(e)	*riscaldato/a* m/f	ri·skal·*da*·to/a
à la vapeur	*cotto/a* m/f	*kot*·to/a a va·*po*·ré
	a vapore	
bien cuit(e)	*ben cotto/a* m/f	bènn *kot*·to/a
avec la	*con il*	konn il
sauce	*condimento*	konn·di·*mènn*·to
à part	*a parte*	a *par*·té
sans...	*senza...*	*sènn*·tsa...

au bar

Excusez-moi !
Scusi!   *skou*·zi

Je vais prendre (un verre de vin rouge).
Prendo (un bicchiere di   *prènn*·do (ounn bik·*kyè*·ré di
vino rosso).   *vi*·no *ros*·so)

Un autre, s'il vous plaît.
Un altro, per favore.   ounn *al*·tro pér fa·*vo*·ré

Sans glace, merci.
Senza ghiaccio, grazie.   *sènn*·tsa *guya*·tcho *gra*·tsyé

Sec, s'il vous plaît.
Liscio, per favore. *li·*cho pér fa·*vo·*ré

66B Je t'offre à boire.
Ti offro da bere. ti *of·*fro da bè·ré

66C Tu prends quoi ?
Cosa prendi? *ko·*za *prènn·*di

C'est ma tournée.
Offro io. *of·*fro *i·*o

La prochaine, c'est la tienne.
La prossima la paghi tu. la *pros·*si·ma la *pa·*gui tou

Vous servez à manger ici ?
Servite da mangiare qui? sér·*vi·*té da mann·*dja·*ré kwi

boissons non alcoolisées

le bevande analcoliche

sirop d'orgeat	*orzata* f	or·*dza·*ta
soda italien	*chinotto* m	ki·*not·*to
jus de fruit	*succo* m *di frutta*	*souk·*ko di *frout·*ta
(en bouteille)		
jus de fruit (frais)	*spremuta* f	spré·*mou·*ta
jus de pamplemousse	*succo* m *di*	*souk·*ko di
	pompelmo	pomm·*pèl·*mo
limonade	*limonata* f	li·mo·*na·*ta
68A soda	*bibita* f	*bi·*bi·ta
68B jus d'orange	*succo* m	*souk·*ko
(en bouteille)	*d'arancia*	da·*rann·*tcha
jus d'orange (frais)	*spremuta* f	spré·*mou·*ta
	d'arancia	da·*rann·*tcha
orangeade	*aranciata* f	a·rann·*tcha·*ta
Je voudrais	*vorrei*	vo·*rèille*
67A (un) thé	*(un) tè* m	(ounn) tè
67B (un) café	*(un) caffè* m	(ounn) kaf·*fè*
67C ... avec du lait	*... con latte*	... konn *lat·*té
67D ... sans/avec	*... senza/con*	... *sènn·*tsa/konn
(du sucre)	*(zucchero)*	(*tsouk·*ké·ro)

68C eau bouillie	*acqua bollita*	*a*·kwa bol·*li*·ta
68D eau minérale	*acqua minerale*	*a*·kwa mi·né·*ra*·lé
eau pétillante	*acqua frizzante*	*a*·kwa fri·*tsann*·té
eau naturelle	*acqua naturale*	*a*·kwa na·tou·*ra*·lé

à l'heure du café

Les Italiens boivent souvent leur café debout, d'autant que les bars appliquent un supplément si on consomme à une table. Si vous demandez un simple *caffè*, on vous donnera un *espresso*, et ne commandez pas de *latte* à moins de vouloir boire un verre de lait. Si vous voulez les deux, demandez un *caffellatte*, le matin de préférence.

caffè alla valdostana   kaf·*fè a*·la val·do·*sta*·na
avec de la *grappa*, un zeste de citron et des épices

caffè americano   kaf·*fè* a·mé·ri·*ka*·no
noir, allongé

caffè corretto   kaf·*fè* kor·*rè*·to
avec un peu de liqueur

caffè doppio   kaf·*fè dop*·pyo
noir, fort et allongé

caffè macchiato   kaf·*fè* mak·*kya*·to
avec un peu de lait

caffè ristretto   kaf·*fè* ri·*strèt*·to
café noir très fort

caffellatte   kaf·fé·*lat*·té
café au lait – habituellement consommé au petit-déjeuner

cappuccino   kap·pou·*tchi*·no
café au lait, servi avec beaucoup de mousse et saupoudré de cacao – servi le matin

espresso   é·*sprès*·so
café noir, serré

ristretto   ri·*strèt*·to
café noir, très serré

latte   *lat*·té
lait

boissons alcoolisées

Vous n'aurez pas beaucoup de difficultés pour commander ce que vous avez envie de boire. Certains termes italiens sont passés dans la langue française (par exemple : *sambuca* et *grappa*), d'autres sont directement empruntés à l'anglais, comme le *gin*, le *rum* et le *whiskey*.

amer	*amaro* m	a·*ma*·ro
eau-de-vie	*grappa* f	*grap*·pa
bière pression	*birra* f *a la spina*	*bir*·ra a la *spi*·na
cognac	*cognac* m	*ko*·nyak
champagne	*champagne* m	shamm·*pa*·nyé
cocktail	*cocktail* m	*kok*·tél
vin	*vino* m	*vi*·no

69A une gorgée de whisky

un sorso di whiskey		ounn *sor*·so di *wis*·ki
une bouteille de vin...	*una bottiglia*	*ou*·na bot·*ti*·lya
	di vino...	di *vi*·no...
un verre de vin...	*un bicchiere*	ounn bik·*kyè*·ré
	di vino...	di *vi*·no...
à dessert	*da dessert*	da dés·*sèr*
rouge	*rosso*	*ros*·so
rosé	*rosato*	ro·*za*·to
mousseux	*spumante*	spou·*mann*·té
blanc	*bianco*	*byann*·ko
pétillant	*frizzante*	fri·*dzann*·té
... de bière	*... di birra*	... di *bir*·ra
un verre	*un bicchiere*	ounn bik·*kyè*·ré
une pinte	*una pinta*	*ou*·na *pinn*·ta
une bouteille	*una bottiglia*	*ou*·na bot·*ti*·lya

un verre de trop ?

66D **Santé !**
Salute! — sa·*lou*·té

Merci, mais je n'ai pas envie.
Grazie, ma non mi va. — *gra*·tsyé ma nonn mi va

Je ne bois pas (d'alcool).
Non bevo. — nonn *bè*·vo

Je suis fatigué(e), il vaut mieux que je rentre.
Sono stanco/a, è meglio — *so*·no *stann*·ko/a è *mè*·lyo
che vada a casa. m/f — ké *va*·da a *ka*·za

Où sont les toilettes ?
Dov'è il gabinetto? — do·vè il ga·bi·*nèt*·to

Il ne manquait plus que ça !
Ci voleva proprio! — tchi vo·*lè*·va *pro*·pri·o

Je me sens pompette.
Mi sento un po' — mi *sènn*·to ounn po
ubriaco/a. m/f — ou·bri·*a*·ko/a

J'ai combien de doigts ?
Quante sono? — *kwann*·té *so*·no

Je t'aime vraiment beaucoup.
Ti amo molto molto. — ti *a*·mo *mol*·to *mol*·to

Je crois que j'ai trop bu.
Penso d'aver bevuto — *pènn*·so da·*vèr* bé·*vou*·to
troppo. — *trop*·po

Tu peux m'appeler un taxi ?
Mi puoi chiamare un — mi pwoï kya·*ma*·ré ounn
tassì? — tas·*si*

Il vaut mieux que tu ne conduises pas.
È meglio che non guidi. — è *mè*·lyo ké nonn *gwi*·di

Je suis bourré(e).
Ho la ciucca. — o la *tchouk*·ka

Je ne me sens pas bien.
Mi sento male. — mi *sènn*·to *ma*·lé

vocabulaire de base

il vocabolario essenziale

cuit(e)	*cotto/a* m/f	*kot·to/a*
sec/sèche	*secco/a* m/f	*sèk·ko/a*
frais/fraîche	*fresco/a* m/f	*frè·sko/a*
congelé(e)	*congelato/a* m/f	konn·djé·*la*·to/a
cru(e)	*crudo/a* m/f	*krou*·do/a

magasins d'alimentation

alimentari	a·li·mènn·*ta*·ri	épicerie
caseificio	ka·zé·i·*fi*·tcho	fromagerie
enoteca	é·no·*tè*·ka	cave
negozio	né·*go*·tsio	fromagerie (vend aussi
di formaggi	di for·*ma*·dji	d'autres produits
		laitiers)
macelleria	ma·tchél·lé·*ri*·a	boucherie
mercato	mér·*ka*·to	marché
pasticceria	pa·sti·tché·*ri*·a	pâtisserie
pastificio	pa·sti·*fi*·tcho	magasin de pâtes
		alimentaires
pescheria	pé·ské·*ri*·a	poissonnerie
polleria	pol·lé·*ri*·a	rôtisserie
salumeria	sa·lou·mé·*ri*·a	charcuterie
tabacchi	ta·*bak*·ki	tabac
torrefazione	tor·ré·fa·*tsyo*·né	maison du café

faire les courses

Combien ?
Quanto/a? m/f   kwann·to/a

Combien coûte (un kilo de fromage) ?
Quanto costa (un chilo   kwann·to ko·sta (ounn ki·lo
di formaggio)?   di for·ma·djo)

70A Quelle est la spécialité de la région ?
Qual'è la specialità   kwa·lè la spé·tcha·li·ta
di questa regione?   di kwè·sta ré·djo·né

70B C'est quoi ?   *Cos'è?*   ko·zè

Je peux goûter ?
Lo/La posso assaggiare? m/f   lo/la pos·so as·sa·dja·ré

Est-ce que vous pouvez me donner un sachet, s'il vous plaît ?
Posso avere un sacchetto,   pos·so a·vè·ré ounn sak·kè·to
per favore?   pér fa·vo·ré

71A Je voudrais...	*Vorrei...*	vo·reille...
100 grammes	*un etto*	ou·nè·to
un kilo	*un chilo*	ounn ki·lo
une bouteille	*una bottiglia*	ou·na bot·ti·lya
une douzaine	*una dozzina*	ou·na do·dzi·na
un pot	*un barattolo*	ounn ba·rat·to·lo
un sac(het)	*un sacchetto*	ounn sak·kèt·to
un morceau	*un pezzo*	ounn pè·tso
une boîte	*una scatola*	ou·na ska·to·la
des...	*alcuni/e...* m/f	al·kou·ni/é..
celui-là/celle-là	*quello/a* m/f	kwèl·lo/a
celui-ci/celle-ci	*questo/a* m/f	kwè·sto/a

71B Je voudrais (200) grammes.
Vorrei (due) etti   vo·reille (dou·é) è·ti

71C Je voudrais (2) kilos.
Vorrei (due) chili   vo·reille (dou·é) ki·li

71D Je voudrais (3) morceaux.
Vorrei (tre) pezzi   vo·reille (tré) pè·tsi

une tranche   *una fetta*   ou·na fèt·ta

71E Je voudrais (6) tranches.
Vorrei (sei) fette   vo·reille (seille) fèt·té

Ça suffit, merci.	*Basta, grazie.*	*ba·sta gra·tsyé*
Un peu plus.	*Un po' di più.*	*ounn po di pyou*
Moins.	*(Di) Meno.*	*(di) mè·no*
Avez-vous	*Avete…?*	*a·vè·té…*
quelque chose… ?	*qualcosa di*	*kwal·ko·za di*
de moins cher	*meno costoso*	*mè·no ko·sto·zo*
d'autre	*altri tipi*	*al·tri ti·pi*

Où puis-je trouver	*Dove posso trovare*	do·vé pos·so tro·va·ré
le rayon... ?	*il reparto...?*	il ré·*par*·to...
des laitages	*dei latticini*	deille lat·ti·*tchi*·ni
des surgelés	*dei surgelati*	deille sour·djé·*la*·ti
des fruits et	*della frutta e*	dè·la *frout*·ta é
légumes	*verdura*	vér·*dou*·ra
de la viande	*della carne*	dèl·la kar·né
des volailles	*del pollame*	dél pol·*la*·mé

ustensiles de cuisine

Puis-je emprunter (un tire-bouchon), s'il vous plaît ?
Posso prendere in   pos·so *prènn*·dé·ré inn
prestito (un cavatappi),   prè·sti·to (ounn ka·va·*tap*·pi)
per favore?   pér fa·*vo*·ré

Où y a-t-il (une casserole) ?
Dov'è (un tegame)?   do·vè (ounn té·*ga*·mé)

Pour un vocabulaire plus précis, consulter le **dictionnaire**.

commander

ordinare da mangiare

72A Y a-t-il un restaurant végétarien près d'ici ?
C'è un ristorante — tchè ounn ri·sto·*rann*·té
vegetariano qui vicino? — vé·djé·ta·*rya*·no kwi vi·*tchi*·no

Y a-t-il un restaurant... *C'è un ristorante...* — tchè ounn ri·sto·*rann*·té…
près d'ici ? *qui vicino?* — kwi vi·*tchi*·no
  halal *halal* — a·*lal*
  kasher *kasher* — ka·shér

Avez-vous des plats (végétariens) ?
Avete piatti (vegetariani)? — a·vè·té pya·ti (vé·djé·ta·*rya*·ni)
Je suis végétalien(ne).
Sono vegetaliano/a. m/f — so·no vé·djé·ta·*lya*·no/a
Je ne mange pas de (poisson).
Non mangio (pesce). — nonn *mann*·djo (pè·ché)
Est-ce cuit avec de (l'huile) ?
È cotto con (olio)? — è *ko*·to konn (o·lyo)

C'est... ? *È...?* — è…
  décaféiné(e) *decaffeinato/a* m/f — dé·ka·fé·i·*na*·to/a
  sans cholestérol *senza* — *sènn*·tsa
    colesterolo — ko·lé·sté·*ro*·lo
  sans produits *senza prodotti* — *sènn*·tsa pro·*do*·ti
   d'origine animale *animali* — a·ni·*ma*·li
  fermier *ruspante* — rou·*spann*·té
  génétiquement *geneticamente* — djé·né·ti·ka·*mènn*·té
   modifié(e) *modificato/a* m/f — mo·di·fi·*ka*·to/a
  sans gluten *senza glutine* — *sènn*·tsa *glou*·ti·né
  à basse teneur *a basso* — a *ba*·so
   en *contenuto* — konn·té·*nou*·to
   graisses/sucre *lipidico/glucosio* — li·*pi*·di·ko/glou·*ko*·zyo
  biologique *biologico/a* m/f — byo·*lo*·dji·ko/a
  sans sel *senza sale* — *sènn*·tsa sa·lé

Pouvez-vous préparer	Potreste preparare	po·trè·sté pré·pa·ra·ré
un repas sans... ?	un pasto senza...?	ounn pa·sto sènn·tsa ...
beurre	burro	bour·ro
72B œufs	uova	wo·va
72C bouillon de	brodo di	bro·do
viande/poisson	carne/pesce	di kar·né/pè·ché
porc	carne di maiale	kar·né di ma·ya·lé
volaille	pollame	pol·la·mé
viande rouge	carne rossa	kar·né ros·sa

parler local

konn·trol·lo konn il kwo·ko
Controllo con il cuoco. **Je vérifie auprès du chef.**

pwo mann·dja·ré ...
Può mangiare...? **Vous pouvez manger... ?**

tout·to konn·tyè·né (la kar·né)
Tutto contiene (la carne). **Tous les plats contiennent (de la viande).**

allergies et régimes spéciaux

allergie e diete speciali

Je suis un régime spécial.
Seguo una dieta speciale. sè·gwo ou·na dyè·ta spé·tcha·lé

Je suis allergique...	*Sono allergico/a...* m/f	so·no al·lèr·dji·ko/a...
aux produits laitiers	ai latticini	aille lat·ti·tchi·ni
aux œufs	alle uova	al·lé wo·va
au poisson	al pesce	al pè·ché
à la gélatine	alla gelatina	al·la djé·la·ti·na
au gluten	al glutine	al glou·ti·né
au miel	al miele	al myè·lé
au glutamate	al glutammato	al glou·tam·ma·to
de sodium	monosodico	mo·no·so·di·ko
aux noix	alle noci	al·lé no·tchi
aux cacahouètes	alle arachidi	al·lé a·ra·ki·di
aux fruits de mer	ai frutti di mare	aille frout·ti di ma·ré
aux crustacés	ai crostacei	aille kro·sta·tché·i

Plusieurs plats énumérés ci-dessous sont des spécialités régionales. La cuisine italienne possède de nombreuses variantes locales. Les ingrédients et les recettes de ce lexique sont classés par ordre alphabétique. Pour rechercher une recette, rendez-vous au premier mot (par exemple : **tacchino con sugo di melagrana** *dinde au jus de grenade* sera classée à "tacchino").

A

abbacchio m ab-*ba*-kyo *agneau de lait*
— **alla cacciatora** *al*-la ka-tcha-*to*-ra *agneau à la cocotte, avec des épices, du vin blanc et des anchois*
— **a scottadito** a-skot-ta-*di*-to *côtelettes d'agneau cuites à la poêle*

acciughe f pl a-*tchou*-gué *anchois (souvent saumurés)*

aceto m a-*tché*-to *vinaigre*

acquacotta f a-kwa-*kot*-ta *soupe préparée avec des tomates, du poivron, du céleri, des œufs, des artichauts ou des champignons*

acquapazza f a-kwa-*pa*-tsa *"eau folle" – soupe de poisson*

aglio m *a*-lyo *ail*
— **e olio** é o-lyo *sauce à l'ail et à l'huile d'olive*

agnello m a-*nyèl*-lo *agneau*
— **ai funghi** aille founn-gui *avec des champignons*
— **al forno** al *for*-no *cuit au four, avec de l'ail et parfois des pommes de terre*
— **da latte** da *lat*-té *agneau de lait*

agnolini m pl a-nyo-*li*-ni *raviolis ronds farcis de viande, d'œufs, de fromage et d'autres ingrédients*

agnolotti m pl **ripieni** a-nyo-*lot*-ti ri-*pyè*-ni *raviolis farcis de viande, de fines herbes, d'œufs et de parmesan*

agro, all' *a*-gro, all *assaisonné à l'huile d'olive et au citron*

albicocca f al-bi-*kok*-ka *abricot*

alborella f al-bo-*rèl*-la *ablette (poisson d'eau douce)*

alici f pl a-*li*-tchi *anchois*
— **a crudo** a *krou*-do *crus, marinés à l'huile d'olive et aux épices*

al dente al *dènn*-té *"à la dent" – se dit des pâtes et du riz quand ils sont encore fermes après la cuisson*

all'/alla... all/*al*-la... *à la mode...*

alloro m al-*lo*-ro *laurier*

al sangue al sann-*gwé* *saignant(e)*

amaretti m pl a-ma-*rèt*-ti *biscuits aux amandes (macarons)*

amatriciana a-ma-tri-*tcha*-na, al *sauce tomate épicée avec du lard, des poivrons et du fromage*

ananas m *a*-na-na-se *ananas*

anatra f *a*-na-tra *canard*
— **al sale** al *sa*-lé *rôti de canard cuit en croûte de sel*

angiulottus m pl ann-djou-*lot*-tous *raviolis servis avec une sauce tomate simple ou une sauce bolognaise*

anguilla f ann-*gwi*-la *anguille*

anice m *a*-ni-tché *anis*

annoglia f an-*no*-lya *saucisse de porc séchée au piment*

anolini m pl a-no-*li*-ni *sorte de raviolis farcis de bœuf braisé, de fromage, de parmesan, d'œufs et de chapelure*

aragosta f a-ra-*go*-sta *langouste • homard*

arancia f a-*rann*-tcha *orange*

arancia, all' a-*rann*-tcha, al *arrosé(e) ou cuit(e) au four dans du jus d'orange*

arancini m pl a-rann-*tchi*-ni *boulettes de riz farcies de viande*

aranzada f a-rann-*tsa*-da *nougat aux amandes*

arborio m ar-*bo*-ryo *riz à grains courts utilisé pour le risotto*

aringa f a-*rinn*-ga *hareng*

arista f a-*ri*-sta *carré de porc*
— **alla fiorentina** al-la fyo-rènn-*ti*-na *cuit au four avec des épices*

aromi m pl a-*ro*-mi *aromates*

arrabbiata, all' ar-rab-*bya*-ta, al *"en colère" – avec une sauce épicée*

arrosticini m ar-ro-sti-*tchi*-ni *viande rôtie et brochettes – d'agneau souvent*

arrosto/a m/f ar-ro-sto/a *rôti(e)*
— **alla griglia** a-la *gri*-lya *au gril*

artigianale ar-ti-dja-*na*-lé *artisanal(e)*

asiago m a-*zya*-go *fromage à pâte dure*

asparagi m pl a-*spa*-ra-dji *asperges*

aspro/a m/f a-spro/a *âpre*

B

babà m ba-*ba* baba (au rhum) avec des raisins secs

baccalà m bak-ka-*la* morue séchée
— **alla pizzaiola** al-la pi-tsa-yo-la avec une sauce tomate
— **mantecato** mann-té-*ka*-to servi avec une purée

baci m pl ba-tchi "baisers" – chocolats • type de pâtisserie ou de biscuit

bagnetto m **verde** ba-*nyèt*-to vèr-dé sauce persillée à l'ail

barbabietola f bar-ba-byè-to-la betterave

basilico m ba-zi-li-ko basilic

batsoà m ba-tso-a pieds de porc désossés, bouillis puis frits

battuto m bat-*tou*-to assaisonnement de soupe ou de viande, au lard et aux légumes

bavetta f ba-vè-ta pâtes longues et larges

bel paese m bél pa-è-zé fromage crémeux à pâte molle

besciamella f bé-cha-*mèl*-la sauce béchamel

bescó'cc m bé-*skotch* biscuits aux amandes trempés dans de la grappa

bianchetti m pl byann-*kèt*-ti petits poissons frits

bianco m **d'uovo** byann-ko dwo-vo blanc d'œufs

bigné m bi-*nyè* chou (petit gâteau)

bigoli m pl bi-go-li spaghettis épais, à la farine complète

bisció'la f bi-cho-la gâteau aux noisettes, aux figues et aux raisins secs

biscotti m pl bi-skot-ti biscuits

biscó'cc m bi-skoch voir **bescó'cc**

bisi m pl bi-zi pois

bistecca f bi-stèk-ka steak
— **alla fiorentina** al-la fyo-rènn-*ti*-na côte de bœuf épaisse et savoureuse

bitto m bit-to fromage au lait de vache

blanc manger m blannk mann-djé dessert en gelée au lait, au sucre et à la vanille

bocconcini m pl bok-konn-*tchi*-ni bouchées de mozzarella • se réfère à tout autre produit de petite taille

boghe f pl **in scabescio** bo-gué inn ska-bè-cho poisson mariné, saupoudré de farine et doré à l'huile

bollito m bol-*li*-to bouilli

bollito (búÿ) m bol-*li*-to (bou-*ï*) bouilli de viande mixte, servi avec des sauces variées

bomba f **di riso** bomm-ba di ri-zo riz, pigeon braisé, œufs, champignons, truffes et saucisse cuits au four

bombas m bomm-ba-se boulettes de veau en ragoût

bonèt m bo-nète dessert aux macarons, avec du cacao, du café, du marsala et du rhum

bostrengo m bo-strènn-go gâteau de riz préparé avec du chocolat, du sucre, des épices et des pignes

boudin m bou-dinn boudin noir

bra m bra fromage doux

braciola f bra-tcho-la côtelette

bracolone m **napoletano** bra-tcho-lo-né na-po-lé-ta-no bœuf roulé, farci de jambon, de provolone et d'aromates

branzi m pl brann-dzi fromage à pâte molle

branzino m brann-dzi-no bar • loup

brasato m bra-za-to *bœuf mariné au vin rouge et aux épices, puis braisé*

brasare bra-za-ré *braiser*

brioche m bri-oche *viennoiserie*

brochat m bro-chat *crème épaisse et sucrée, à base de lait et de vin, que l'on mange sur du pain de seigle*

brodetto m **di pesce** bro-dèt-to di pè-ché *soupe de poisson*

brodo m bro-do *bouillon*

brôs m brou-se *pâté préparé avec du fromage fermenté, des fines herbes, des épices et de la* **grappa**

bruschetta f brou-skèt-ta *tranche de pain grillée, frottée d'ail et assaisonnée avec du sel, du poivre et de l'huile d'olive*

bruscitt m brou-chi-te *morceaux de bœuf au vin rouge, servis avec de la polenta ou une purée de pommes de terre*

brutti ma buoni m pl brout-ti ma bwo-ni *"laids mais bons" – macarons aux noisettes*

bucatini m pl bou-ka-ti-ni *pâtes alimentaires en forme de longs tubes creux*

buccellato m **di Lucca** bou-tché-lat-to di lou-ka *gâteau traditionnel en forme d'anneau*

budino m bou-di-no *flan*

bugie f pl bou-dji-é *"mensonges" – l'équivalent des bugnes*

burro m bou-ro *beurre*

burtléina f bour-té-lé-i-na *petite omelette préparée avec de l'eau, de la farine, du lard et des oignons, servie avec du saucisson*

busecca f bou-zè-ka *tripes*

bussolà m **vicentina** bous-so-la vi-tchènn-ti-na *dessert à base de biscuit de Savoie*

C

caciotta f ka-tchot-ta *fromage doux à pâte demi-molle*

cacciucco m **(alla livornese)** ka-tchouk-ko (al-la li-vor-nè-zé) *soupe de poisson faite avec au moins cinq poissons différents*

cacio m ka-tcho *nom donné aux fromages, en général • fromage crémeux*

caciocavallo m ka-tcho-ka-val-lo *fromage de vache à pâte pressée du sud de l'Italie*

cacioricotta f ka-tcho-ri-kot-ta *petit fromage rond fabriqué avec du lait caillé de vache/brebis/chèvre*

caciuni m pl ka-tchou-ni *gros raviolis ou feuilletés farcis de jaune d'œufs, de fromages, de sucre et de zeste de citron*

caffè m kaf-fè *café (voir aussi p. 152)*

calamari m pl ka-la-ma-ri *calamars*

calhiettes m **tradizionali** ka-lyète tra-di-tsyo-na-li *mélange de pommes de terre crues, râpées, de pain dur, de lardons, d'oignons, de farine, d'œufs battus et d'œufs mollets, habituellement utilisé pour préparer des boulettes et des omelettes*

calzone m kal-tso-né *pâte à pizza pliée en deux, fourrée de toutes sortes d'ingrédients et cuite au feu de bois*

canederli m pl ka-nè-dèr-li *grosses boulettes de vieux pain, de* **speck** *et d'autres ingrédients comme du foie, du fromage, des épinards ou des pruneaux*

cannaroni m pl kan-na-ro-ni *pâtes alimentaires en forme de gros tubes*

cannella f ka-nè-la *cannelle*

cannelloni m pl kan-nél-lo-ni *pâtes en forme de cigare farcies d'épinards, de viande hachée, de jambon, d'œufs, de parmesan et d'épices*

cannoli m pl **(ripieni)** kan-no-li (ri-pyè-ni) *pâtisserie en forme de rouleau, fourrée de fruits confits, de ricotta et d'autres ingrédients*

cantarelli m pl kann-ta-rèl-li *chanterelles (champignons)*

cantucci m pl kann-tou-tchi *biscuits croquants, à l'anis et aux amandes*

capasante f pl ka-pa-sann-té *coquilles Saint-Jacques*

capocollo m ka-po-kol-lo *saucisse de porc séchée, mouillée de vin rouge*

caponata f ka-po-na-ta *hors-d'œuvre de légumes cuits à l'huile et au vinaigre – servi avec des olives, des anchois et des câpres*

capelli m pl **d'angelo** ka-*pèl*-li dann-djé-lo *"cheveux d'ange"* – pâtes alimentaires très longues et fines

cappellacci m pl **di zucca** kap-pé-*la*-tchi di *tsou*-ka petites pâtes farcies de courge et de parmesan

cappelletti m pl kap-pé-*lèt*-ti *semblables* aux tortellinis, en plus grand

cappello m **da prete** kap-*pèl*-lo da *prè*-té partie la plus basse du pied de porc, braisée, servie avec une **salsa verde** ou de la moutarde

capperi m pl *kap*-pé-ri câpres

cappon m **magro** kap-*ponn* ma-*gro* salade de légumes, poisson et crustacés, assaisonnée d'une sauce verte

capra f *ka*-pra chèvre • fromage de chèvre

caprese m ka-*prè*-zé salade de tomates, basilic et mozzarella

capretto m ka-*prè*-to chevreau

caprino m ka-*pri*-no fromage de chèvre à pâte molle

carbonada f kar-bo-*na*-da bœuf salé, coupé en dés et cuit au vin rouge

carbonara f kar-bo-*na*-ra, *a* la sauce pour pâtes avec des œufs, du fromage et de la **pancetta**

carciofi m pl kar-*tcho*-fi artichauts

cardoncelli m pl kar-donn-*tchèl*-li champignons qui ressemblent à des champignons chinois

carnaroli m pl kar-na-*ro*-li riz à grains courts utilisé pour le risotto

carne f *kar*-né viande
— **equina** è-*kwi*-na viande de cheval
— **suina** sou-*i*-na viande de porc
— **trita/tritata** *tri*-ta/tri-*ta*-ta viande hachée

carota f ka-*ro*-ta carotte

carpa f *kar*-pa carpe

carpaccio m kar-*pa*-tcho tranches très minces de viande crue

carpione m kar-*pyo*-né poisson frit, mariné dans de l'huile et des épices

carta f **da musica** *kar*-ta *mou*-zi-ka sorte de pain très croustillant et très mince

cartoccio m kar-*to*-tcho méthode de cuisson où le poisson, le poulet ou le gibier, est cuit dans du papier alu

cascà f **di carloforte** ka-*ska* di kar-lo-*for*-té couscous aux légumes, à la viande hachée et aux épices

càsonséi m pl ka-zonn-*seille* rectangles de pâte farcis de parmesan, de légumes et de saucisse

cassata f ka-*sa*-ta crème glacée ou biscuit de Savoie farci de ricotta, vanille, chocolat, pistache, fruits confits et liqueur

cassola f kas-so-la soupe de poisson à la sauce tomate et aux fines herbes

casoncelli m pl ka-zonn-*tchèl*-li pâtes alimentaires farcies de viande et, selon les régions, d'épinards, d'œufs, de raisins, de biscuits aux amandes, de fromage ou de chapelure

castagnaccio m ka-sta-*nya*-tcho gâteau à base de farine de châtaigne, saupoudré de pignes et de romarin

castagne f pl ka-*sta*-nyé châtaignes

castelmagno m ka-stél-*ma*-nyo fromage bleu persillé

casunzei m pl ka-zounn-*seille* sorte de raviolis farcis de potiron ou d'épinards, de jambon et de cannelle – servis avec de la ricotta fumée

caulada f ka-ou-*la*-da soupe aux choux avec de la viande, de la menthe et de l'ail

cavallucci m pl ka-val-*lou*-tchi bonbons faits avec de l'orange confite, des noisettes et des épices

cavatelli m pl ka-va-*tèl*-li petites pâtes de forme ronde, faites maison, – souvent servies avec de la sauce tomate, de l'huile d'olive et de la roquette

cavolo m *ka*-vo-lo chou (légume)

cavolfiore m ka-vol-*fyo*-ré chou-fleur

cazzimperio m ka-tsimm-*pè*-ryo légumes frais et croquants trempés dans une sauce savoureuse

cazzmar m *kats*-mar saucisse épicée à base d'abats de volaille et d'agneau, et de foie

cecenielli m pl tché-tché-*nyèl*-li très petits poissons qu'on mange en friture ou sur une pizza

ceci m pl *tchè*-tchi pois chiches

cefalo m *tché*-fa-lo mulet

cervello m tchèr-*vèl*-lo cerveau

cervo m *tchér*-vo cerf

cevapcici m pl tché-*vap*-tchi-tchi *saucisses fraîches et pimentées de porc, bœuf ou agneau*

chenella m ké-nèl-la *boulettes de viande (parfois de poisson)*

chinulille f pl ki-nou-*lil*-lé *raviolis farcis de sucre, ricotta, jaunes d'œufs, zeste de citron et d'orange*

chiodino m kyo-*di*-no *armillaire de miel – champignon à cuire*

ciabatta f tcha-*bat*-ta *pain croustillant, plat et rond*

cialzons m pl tchal-*tsonns* *raviolis farcis de ricotta, d'épinards, de raisins secs, de chocolat et parfois de poulet et de fines herbes*

ciambelle f pl **al mosto** tchamm-*bèl*-lé al *mo*-sto *gâteaux ronds au moût de raisin*

ciammotta f tcham-*mot*-ta *friture de légumes variés*

cianfotta f tchann-*fot*-ta *purée de légumes à l'ail et au basilic*

ciaudedda f tchaou-*dèd*-da *sorte de purée à base d'artichauts, d'oignons et de pommes de terre*

ciavarro m tcha-*var*-ro *soupe printanière aux céréales et aux légumes*

cibuddau m tchi-boud-*da*-ou *plat à base d'oignons*

cicala f tchi-*ka*-la *cigale de mer*

ciccioli m pl *tchi*-tcho-li *petits morceaux de porc cuits dans leur graisse*

ciceri m pl **e tria** f *tchi*-tché-ri é *tri*-a *plat de pois chiches bouillis et de pâtes, servi avec des oignons*

cicirata f tchi-tchi-*ra*-ta *boulettes frites recouvertes de miel*

ciliegia f tchi-*lyè*-dja *cerise*

cima f *tchi*-ma *poitrine de veau*

cime f pl **di rapa** *tchi*-mé di *ra*-pa *pousses de navet*

cioccolato m tchok-ko-*la*-to *chocolat*
— **fondente** fonn-*dènn*-té *chocolat noir*

cipollata f tchi-pol-*la*-ta *plat à base de maigre de porc, de pain dur et de beaucoup d'oignons blancs*

cipolle f pl tchi-*pol*-lé *oignons*
— **ripiene** ri-*pyè*-né *oignons farcis*
— **selvatiche** sél-*va*-ti-ké *oignons sauvages*

coccois m kok-*ko*-is *pain plat fait avec du fromage salé et de la couenne rissolée*

cocomero m ko-ko-mé-ro *pastèque*

coda f *ko*-da *queue • lotte (de mer)*

cognà m ko-*nya* *sauce à base de pomme, poire, figue et raisin*

coietas m pl ko-yè-tase *rouleaux de bœuf au chou frisé de Milan et à la sauce bolognaise*

colombo/a m/f ko-*lomm*-bo/a *pigeon • colombe • nom d'un gâteau*

conchiglie f pl konn-*ki*-lyé *pâtes alimentaires en forme de coquillages*

condimento m konn-di-*mènn*-to *assaisonnement*

confetti m pl konn-*fè*-ti *dragées*

coniglio m ko-*ni*-lyo *lapin*

conserva f konn-*sèr*-va *conserve*
— **di pomodoro** di po-mo-*do*-ro *sauce tomate traditionnelle*

cornetto m kor-*nè*-to *croissant*

coscia f *ko*-sha *cuisse*

costata f ko-*sta*-ta *côte*
— **alla napoletana** *al*-la na-po-lé-*ta*-na *avec de l'huile, de la sauce tomate, de l'origan, de l'ail et du vin blanc*
— **di manzo alla pizzaiola** di *mann*-dzo *a*-la pi-tsa-yo-la *avec de l'ail, de l'huile, des tomates et de l'origan*

costine f pl ko-*sti*-né *côtelettes*
— **di maiale** di ma-*ya*-lé *côtes de porc cuites au gril*

costoletta f ko-sto-*lè*-ta *escalope de veau*

cotechinata f ko-té-ki-*na*-ta *rouleaux de couenne farcis d'ail, de persil et de lardons, cuits avec de la sauce tomate*

cotechino m ko-té-*ki*-no *saucisse de porc bouillie*
— **in galera** inn ga-*lè*-ra *"en prison" – pain de viande farci de cotechino cuit à l'eau*

cotoletta f ko-to-*lèt*-ta *escalope (de veau) panée*
— **alla bolognese** *al*-la bo-lo-*nyè*-zé *escalope de veau panée, sautée au beurre et passée au four avec du jambon sec et du parmesan frais*

— **alla milanese** *al*-la mi-la-*nè*-zé *escalope de veau panée, cuite au beurre, à la poêle*

cotto/a m/f kot-*to*/ta *cuit(e)*
> **ben —** ben *bien cuit(e)*
> **non troppo —** non *trop*-po *pas trop cuit(e)*
> **poco —** *po*-ko *saignant(e)*

cozze f pl *ko*-tsé *moules*

crema f inglese *krè*-ma inn-*glè*-zé *crème anglaise*

cren m krènn *raifort*

crescenza f kré-*chènn*-tsa *fromage frais à pâte molle, voir* **stracchino**

crespella f kré-*spèl*-la *crêpe*

crespelle f pl bagnate kré-*spèl*-lé ba-*nya*-té *crêpes au fromage servies dans un bouillon de poulet*

crocchette f pl kro-*kèt*-té *croquettes de pommes de terre et d'ingrédients divers*

crostacei m pl kro-*sta*-tché-i *crustacés*

crostata f kro-*sta*-ta *tarte sucrée*

crostini m pl kro-*sti*-ni *tranches de pain grillé garnies de mets salés*

crostoi m pl kro-*stoi petits beignets sucrés ou salés*

crostoli m pl kro-*sto*-li *pâtisserie frite recouverte de sucre glace • petits pains plats*

crucetta f krou-*tchèt*-ta *gâteau aux figues et aux noisettes, en forme de croix*

crudo/a m/f krou-*do*/a *cru(e)*

crumiri m pl krou-*mi*-ri *type de biscuits secs*

crusca f krou-ska *son (céréale)*

culatello m **(di Busseto)** kou-la-*tèl*-lo (di bous-*sè*-to) *jambon élaboré à partir de la culotte de porc salée et pimentée*

culingiones m pl kou-linn-*djo*-nése *sorte de raviolis aux pommes de terre ou aux blettes, avec du fromage de chèvre, de l'ail et de la menthe*

cupeta f kou-*pè*-ta *nougat placé entre deux gaufrettes*

cuscus m *kouse*-kouse *couscous*

cutturiddi m pl kout-tou-*rid*-di *civet d'agneau préparé avec du piment, des tomates, de petits oignons et du céleri*

D

di/d'... di/d... *de...*

datteri m pl *dat*-tè-ri *dattes (fruit)*
> **— di mare** di *ma*-ré *type de moules*

della casa *dèl*-la *ka*-za *"de la maison" – spécialité du chef*

diavola, alla *dya*-vo-la, a-la *plat épicé*

diavolicchio m dya-vo-*lik*-kyo *piment rouge*

ditali(ni) m pl di-*ta*-li/di-ta-*li*-ni *pâtes à potage*

dolce *dol*-tché *dessert • sucré(e) • doux(ce)*

dolcelatte m dol-tché-*lat*-té *fromage bleu à pâte molle*

dolcetti m pl **di pasta di mandorle** dol-*tchèt*-ti di *pa*-sta di *mann*-dor-lé *gâteaux traditionnels à base de pâte d'amandes, de sucre et de blancs d'œufs*

E

erbazzone m ér-ba-*tso*-né *pâte cuite au four farcie d'épinards, de lardons, d'épices, de parmesan, d'œufs et de persil*
> **— dolce** *dol*-tché *pâte brisée cuite au four farcie avec des blettes hachées et bouillies, mélangées à de la ricotta, du sucre et des amandes*

erbe f pl *èr*-bé *fines herbes*

F

fagiano m fa-*dja*-no *faisan*

fagioli m pl fa-*djo*-li *haricots – habituellement secs*

fagiolini m pl fa-djo-*li*-ni *haricots verts*

false salsicce f pl *fal*-sé sal-*si*-tché *"fausses saucisses" – saucisses de lard et de patates, colorées avec de la betterave*

farcito m far-*tchi*-to *plat farci*

farfalle f pl far-*fal*-lé *pâtes en forme de papillon*

farina f fa-*ri*-na *farine*

farinata f fa-ri-*na*-ta *pain plat et mince, à base de farine de pois chiches*

farro m *far*-ro *épeautre*

fasoi m pl **col muset** fa-*zoï* kol mou-*zète* *plat de haricots secs, de saucisse, de couenne et d'épices*

fatto/a m/f fat·to/a fait(e)
— **a mano** a ma·no fait(e) à la main
— **in casa** inn ka·za fait(e) maison • fait(e) sur place
favata f fa·va·ta recette rustique de fèves, lard, porc, saucisses, tomates et fines herbes
fave f pl fa·vé fèves
fegato m fé·ga·to foie
felino m fé·li·no type de salami
ferri, ai fèr·ri, aille cuit(e) au gril
fesa f fè·za veau, en dialecte du Nord
fetta f fèt·ta une tranche de viande, fromage, etc.
fettuccine f pl fét·tou·tchi·né pâtes en forme de longs rubans
— **alla romana** al·la ro·ma·na "à la mode de Rome" – servies avec une sauce bolognaise, des champignons et du fromage de brebis
fiadoni m pl **alla trentina** fya·do·ni al·la trènn·ti·na gâteaux fourrés d'amandes, de miel, de cannelle et de rhum
fiandolein m fyann·do·leille·ne "lait de poule" à base de jaunes d'œufs, de lait, de sucre et d'un zeste de citron
fico m fi·ko figuier • figue
filoncino m fi·lonn·tchi·no baguette
finanziera f fi·nann·tsyè·ra ris de veau d'agneau, champignons et foie de poulet dans une sauce crémeuse
finocchio m fi·nok·kyo fenouil
fior di latte m fyor di lat·té fromage frais à pâte molle • saveur d'un **gelato**
fiori m pl fyo·ri fleurs – on mange en particulier les fleurs de courgette
— **di zucca farciti** di tsou·ka far·tchi·ti fleurs de courges ou de courgettes farcies et frites
focaccia f fo·ka·tcha pain plat souvent rempli de fromage, de jambon, de légumes et d'autres ingrédients
foglia f **d'alloro** fo·lya da·lo·ro feuille de laurier
fondo m fonn·do fond
fondua f fonn·dou·a **fontina** mélangée à du beurre, des œufs, et recouverte de minces tranches de truffe
fontina f fonn·ti·na fromage doux, à pâte demi-molle

formaggio m for·ma·djo fromage
forno, al for·no, al cuit(e) au four
fragole f pl fra·go·lé fraises
freddo/a m/f frèd·do/a froid(e)
fresco/a m/f frè·sko/a frais(fraîche)
fregola f frè·go·la type de couscous
fregnacce f pl fré·nya·tché crêpes roulées farcies de viande
frisceu m fri·chè·ou beignets avec de la laitue, de la petite friture, des courgettes, du foie, de la cervelle, de la merluche, du potiron, etc.
frisedde m fri·zèd·dé sorte de biscuit sec en forme d'anneau, mouillé puis servi avec des tomates, de l'huile, du sel et de l'origan
fritole f pl fri·to·lé beignets avec des raisins secs, des pignes, du citron confit et de la liqueur
frittata f frit·ta·ta omelette, servie froide ou chaude
frittatensuppe f pl frit·ta·tènn·sou·pé omelette coupée en tranches minces et servie avec de la couenne
frittatine f pl **di farina al miele di fichi** frit·ta·ti·né di fa·ri·na al myè·lé di fi·ki sorte de crêpes servies avec du miel de figues
frittelle f pl frit·tèl·lé beignets
frittelloni m pl frit·tél·lo·ni tortellinis aux épinards, cuits à l'eau, sautés dans du beurre, avec des raisins secs et du fromage, puis frits dans de la graisse
fritto/a m/f frit·to/a frit(e)
frito m **misto** fri·to mi·sto mélange d'ingrédients variés, qui changent en fonction de la région et de la période de l'année, frit dans de l'huile d'olive (certaines versions contiennent des abats)
— **abruzzese** a·brou·tsè·zé artichauts en dés et fenouil bouilli, panés et frits
frumento m frou·mènn·to froment
frutta f froul·ta fruits • dessert
— **secca** sè·ka fruit sec
frutti m pl **di mare** froul·ti di ma·ré fruits de mer
fugazza f fou·ga·tsa sorte de fougasse
funghi m pl founn·gui champignons
fusilli m pl fou·zil·li pâtes en forme de tire-bouchon

G

galani m pl ga-*la*-ni *bandes de pâte frites saupoudrées de sucre glace*

gallina f gal-*li*-na *poule*

gambero m *gamm*-bé-ro *écrevisse • homard*

gamberoni m pl gamm-bé-*ro*-ni *crevettes*

gambon m gamm-*bonn* *pied de porc désossé et saumuré*

garagoli m pl ga-*ra*-go-li *fruits de mer ressemblant aux bigorneaux*

garganelli m pl gar-ga-*nèl*-li *pâtes courtes servies avec différentes sauces*

gattò m **di patate e salsiccia** gat-*to* di pa-*ta*-té é sal-*si*-tcha *pain de viande cuit au four avec des patates en purée, des œufs, du jambon et du fromage*

gelato m djé-*la*-to *glace*

genovese, alla djé-no-vè-zé, *al*-la *sauce à base d'huile d'olive, d'ail et de fines herbes*

gerstensuppe m guér-*stènn*-soup-pé *soupe d'orge avec des oignons, du persil, des épices et du* **speck**

gianduiotto m djann-dou-*yot*-to *chocolat aux noisettes*

giardiniera f djar-di-*nyè*-ra *légumes macérés*

girello m dji-*rèl*-lo *morceaux de viande ronds*

gnocchi m pl *nyok*-ki *petites boulettes de pâte – habituellement boulettes de pommes de terre*

gnocchetti m pl nyok-*kèt*-ti *petites pâtes en forme de coquille*

gnocco m **di pane (al prosciutto)** *nyok*-ko di pa-*né* (al pro-*chout*-to) *morceaux de pain frits dans un mélange de beurre, d'œufs, de lait (et de fromage)*

goregone m go-ré-*go*-né *corégone (poisson de lac)*

gorgonzola f gor-gonn-*dzo*-la *fromage de vache persillé, à pâte molle*

grana f **(padana)** *gra*-na (pa-*da*-no) *fromage à pâte dure, qui ressemble au parmesan*

granchio m *grann*-kyo *crabe*

granita f gra-*ni*-ta *glace pilée au sirop*

granseola f grann-sé-o-la *araignée de mer*

grano m *gra*-no *blé*

gran(o)turco m gra-n(o)-*tour*-ko *maïs*

grappa f *grap*-pa *moût de raisin distillé*

grissini m pl gris-*si*-ni *gressins*

guanciale m gwann-*tcha*-lé *joue, de cochon habituellement*

gubana f gou-*ba*-na *pâtisserie*

I

impanada f imm-pa-*na*-da *tourte aux légumes et à la viande ou au poisson*

impepata f **di cozze** imm-pé-*pa*-ta di *ko*-tsé *poisson préparé avec des moules et du citron*

infarinata f inn-fa-ri-*na*-ta *sorte de polenta en soupe, ou frite en tranches, avec différents types de viandes et de légumes*

insalata f inn-sa-*la*-ta *salade*

— **caprese** ka-*prè*-zé *avec de la mozzarella, des tomates et du basilic*

— **di carne cruda** di *kar*-né *krou*-da *avec de fines tranches de viande*

involtini m pl inn-vol-*ti*-ni *rouleaux de viande ou de poisson*

— **di carne** di *kar*-né *petites tranches de viande, farcies, présentées en rouleau, cuites au four ou au gril*

— **siciliani** si-tchi-*lya*-ni *viande panée, farcie d'œuf, de jambon et de fromage*

J

jota f *yo*-ta *soupe de haricots avec du lait et de la polenta • soupe aux haricots, avec des pommes de terre, de la choucroute et de la couenne de porc fumé*

L

laganelle f pl **e fagioli** la-ga-*nèl*-lé é fa-*djo*-li *larges feuilles de pâtes, servies dans une soupe aux haricots*

lamponi m pl lamm-*po*-ni *framboises*

lasagne f pl la-*za*-nyé *feuilles de pâtes aux œufs*

— alla bolognese *al*·la bo·lo·*nyè*·zé *lasagnes cuites au four avec une sauce bolognaise, de la béchamel et du parmesan*

lattuga f lat·*tou*·ga *laitue*

lavarelli m pl la·va·*rèl*·li *lavarets (poisson)*

lecca-lecca f *lèk*·ka *lè*·ka *sucette*

lenticchie f pl lènn·*ti*·kyé *lentilles*

lepre f *lè*·pré *lièvre*

lesso/a m/f *lès*·so/a *bouilli(e)*

liscio/a m/f *li*·cho/a *lisse – caractérise un type de pâtes, à la surface régulière*

lianeddè m pl lya·*nè*·dè *pâtes servies avec une sauce au lapin ou aux pois chiches*

lievito m *lyè*·vi·to *levure*

limone m li·*mo*·né *citron*

lingua f *linn*·gwa *langue*

linguine f pl linn·*gwi*·né *rubans de pâtes longs et minces*

luccio m *lou*·tcho *brochet*

luganega f lou·*ga*·né·ga *saucisse de porc*

luganiga di verze f lou·*ga*·ni·ga di *vèr*·dzé *saucisse au chou préparée avec de la viande hachée, du fromage, des œufs et de la chapelure*

lumache f pl lou·*ma*·ké *escargots*

luppolo m *loup*·po·lo *houblon*

M

maccaruni m pl **di casa con ragù** mak·ka·*rou*·ni di *ka*·za konn ra·*gou* *pâtes en forme de petits tubes, servies avec une sauce bolognaise*

maccheroni m pl mak·ké·*ro*·ni *pâtes en forme de tube*

— alla chitarra *al*·la ki·*ta*·ra *spaghettis carrés, généralement servis avec une sauce bolognaise*

— con la ricotta konn la ri·*kot*·ta *pâtes servies avec de la ricotta, du fromage de brebis et parfois du parmesan*

magro/a m/f *ma*·gro/a *maigre · sans viande*

maiale m ma·*ya*·lé *cochon*

mais m *ma*·ise *maïs*

malfatti m pl mal·*fa*·ti *boulettes aux épinards préparées avec des œufs et du fromage*

malloreddus m pl mal·lo·*rè*·dou·se *boulettes au safran avec une sauce bolognaise*

maltagliati m pl mal·ta·*lya*·ti *pâtes découpées irrégulièrement*

mandorle f pl *mann*·dor·lé *amandes*

manteca f mann·*tè*·ka *boulettes de fromage frais farcies de beurre*

mantecato m mann·té·*ka*·to *glace crémeuse servie dans une coupe · ingrédients réduits en crème*

manzo m *mann*·dzo *bœuf*

maraschino m ma·ra·*ski*·no *marasquin*

marcetto m mar·*tchèt*·to *gâteau au fromage très épicé*

marille f pl ma·*ri*·lé *pâtes à la forme excentrique, censées retenir un maximum de sauce*

marinara, alla ma·ri·*na*·ra, *al*·la *plat au poisson ou aux fruits de mer*

maritozzi m pl ma·ri·*to*·tsi *petits gâteaux avec des pignons, des raisins secs, un zeste d'orange et des fruits*

marrone m mar·*ro*·né *marron (fruit)*

marsala f mar·*sa*·la *marsala*

marubini m pl ma·rou·*bi*·ni *pâtes farcies de pain grillé, de parmesan, de courge et d'œufs*

mascarpone m ma·skar·*po*·né *fromage à pâte molle, très crémeux*

maturo/a m/f ma·*tou*·ro/a *mûr(e)*

mazzafegato f pl ma·tsa·*fè*·ga·to *saucisse de porc sèche, à base de foie haché, de rognons, de tripes et de lobes de poumon*

mela f *mè*·la *pomme*

melagrana f me·la·*gra*·na *grenade*

melanzanata f (di Lecce) mé·lann·dza·*na*·ta (di *lè*·tché) *sauce aux aubergines · aubergines au four, tomates, oignon, basilic et fromage de brebis*

melanzane f pl mé·lann·*dza*·né *aubergines*

— ripiene ri·*pyè*·né *aubergines au four farcies d'œufs, de tomate, de fines herbes, d'épices et recouvertes de chapelure*

— violette vyo·*lèt*·té *aubergines violettes*

meringa f mé·*rinn*·ga *meringue*

merlano m mére·*la*·no *merlan*

merluzzo m mére·*lou*·tso *cabillaud*

lexique culinaire

mesta f e fasoi m pl *mè·*sta é fa·*zoï·*
polenta cuite avec des haricots

miele m *myè·*lé *miel*

migliaccio m **"e cigule** f pl mi·*lya·*tcho
é tchi·*gou·*lé *polenta au four avec des
saucisses de porc, du fromage de brebis
et du poivre*

milanese, alla mi·la·*nè·*zé, *al·*la *sauce à la
mode de Milan – comprend d'habitude
du beurre*

millecosedde f mill·lé·ko·*zèd·*dé *soupe
copieuse avec des légumes verts et des
légumes secs, et de petites pâtes*

minestra f mi·*nè·*stra *terme général indi-
quant la soupe*
   — alla pignata *al·*la pi·*nya·*ta *avec des
haricots, du porc et des légumes verts*
   — con ceci konn *tchè·*tchi *avec des pois
chiches et des pâtes*

minestrone m mi·né·*stro·*né *soupe avec
des légumes verts et parfois des pâtes ou
du riz, des lardons et de la couenne*

misticanza f mi·sti·*kann·*tsa *salade mixte*

misto/a m/f *mi·*sto/a *mixte*

mollusco m mol·*lou·*sko *mollusque*

montasio m monn·*ta·*zyo *fromage à
pâte pressée*

montato/a m/f monn·*ta·*to/a *monté(e)
en neige*

morbido/a m/f *mor·*bi·do *doux/douce*

mortadella f (di Bologna) mor·ta·*dèl·*la
(di bo·lo·*nya) charcuterie à base de porc
haché, de lardons et de poivre noir*

mostaccioli m pl mo·sta·*tcho·*li *petits
biscuits enrobés de chocolat*

mozzetta f mo·*tsèt·*ta *charcuterie à base
de cuissot de chèvre de montagne ou de
chamois, salée et séchée*

mozzarella f mo·tsa·*rèl·*la *fromage de
vache frais, à pâte molle*
   — di bufala di bou·fa·la *fabriqué à
partir du lait de bufflonne*
   — in carrozza inn kar·*ro·*tsa *sur des
tranches de pain, trempé dans de l'œuf
et de la farine, puis frit*

"mpanada f m·pa·*na·*da *voir* **impanada**

"mpepata f di cozze m·pé·*pa·*ta di *ko·*tsé
voir **impepata di cozze**

muggine m *mou·*dji·né *mulet*

N

napoletana, alla na·po·lé·*ta·*na, *al·*la
*à la mode de Naples – généralement
à base de tomates et d'ail*

nasello m na·*zèl·*lo *merlu*

"ndugghia f n·dou·guya *saucisse de porc
séchée aux graines de fenouil*

nero m **di seppia/calamaro** *nè·*ro di
*sèp·*pya/ka·la·*ma·*ro *encre de seiche*

nocciola f no·*tcho·*la *noisette*

noce f *no·*tché *noix*
   — di cocco di *kok·*ko *noix de coco*
   — moscata mo·*ska·*ta *noix de muscade*

norma, alla *nor·*ma, *al·*la *sauce aux
aubergines et aux tomates*

nostrano m no·*stra·*no *fromage à pâte
pressée • produit artisanal ou fait
maison*

O

oca f *o·*ka *oie*

offelle f pl of·*fèl·*lé *biscuits sucrés aux
fruits secs*

olio m *o·*lyo *huile – presque toujours de
l'huile d'olive*

ombrichelli m pl omm·bri·*kèl·*li
gros spaghettis faits maison

opinus m o·*pi·*nou·se *biscuits en forme
de pomme de pin, saupoudrés de sucre
fondu et de blanc d'œuf*

orata f o·*ra·*ta *dorade*

orecchiette f pl o·ré·*kyèt·*té *pâtes artisa-
nales en forme de coquille, servies avec
des légumes et de l'huile d'olive ou une
copieuse sauce bolognaise*

orzo m *or·*dzo *orge*
   — e fagioli é fa·*djo·*li *bouillon épais
d'orge et de haricots*

ossi di morti m pl os·si di *mor·*ti *"os de
morts" – biscuits très croustillants*

ossobuco m os·so·*bou·*ko *osso buco*
   — milanese mi·la·*nè·*zé *coupé en petits
morceaux et cuisiné avec des épices*

ostriche f pl *o·*stri·ké *huîtres*

P

pagnottella f pa·nyot·tèl·la *miche de pain*
palle f pl *pal·lé* boules
— **del nonno** dél *non·no "boules du grand-père" – boulettes de ricotta panées · saucisses de porc*
— **di riso** di *ri·zo croquettes de riz*
palombo m pa·*lomm·bo palombe · pigeon*
— **alla todina** al·la to·*di·na pigeon au gril*
pan m **biscotto condito** pann bi·*skot·to konn·di·to pain grillé avec de l'huile, des tomates et des fines herbes*
panadas f pl pa·na·dase *voir* **pancotto**
pancetta f pann·tchèt·ta *lard*
pancotto m pann·kot·to *soupe de pain bouilli, de fromage, d'œufs et de tomates fraîches*
pane m pa·né *pain*
— **all'olio** al·lo·lyo *pain à l'huile*
— **aromatico** a·ro·ma·ti·ko *pain aux fines herbes ou aux légumes*
— **carasau** ka·ra·za·ou *pain ferme que mangent les bergers*
— **casereccio** ka·zé·rè·tcho *pain ferme et savoureux*
— **col mosto** kol *mo·sto pain aux noix, à l'anis, aux amandes, au raisin, au sucre et au moût*
— **di segale** di sè·ga·lé *pain de seigle*
— **frattau** frat·ta·ou *tranches de pain avec du fromage de brebis, une sauce tomate ou bolognaise, du bouillon et des œufs*
— **fresa** frè·za *pain plat croustillant*
— **integrale** inn·té·gra·lé *pain complet*
— **pugliese** pou·lyè·zé *grosse miche de pain croustillante*
— **salato** sa·la·to *pain salé*
— **toscano** to·ska·no *pain sans sel friable*
— **unto** ounn·to *tranches de pain grillé avec de l'ail, de l'huile d'olive, du sel et du poivre*
panelle f pl pa·nèl·lé *beignets à la farine de pois chiches*

panforte m **(senese)** pann·for·té (sé·nè·zé) *gâteau dur avec des amandes, des fruits et des épices*
panino m pa·ni·no *sandwich*
paniscia f **novarese** pa·ni·cha no·va·rè·zé *riz accompagné d'oignons, de saucisses et de soupe*
panna f pan·na *crème*
— **cotta** kot·ta *dessert crémeux épais*
panpepato m pann·pé·pa·to *gâteau en forme d'anneau*
pan m **speziale** pann spé·tcha·lé *pain au miel, aux noix, au raisin et aux fruits*
panzanella f pan·tsa·nèl·la *pain toscan avec de la sauce tomate, des oignons, de la salade, des anchois, du basilic, de l'huile d'olive, du vinaigre et du sel*
panzerotti m pl pann·tsé·rot·ti *pâtes ou pâtisseries en forme de demi-lune*
paparot m pa·pa·rote *soupe aux épinards et au maïs*
papassinas m pl pa·pa·si·na·se *petits gâteaux en forme de cône*
pappa f pap·pa *bouillie pour enfant*
— **col pomodoro** kol po·mo·do·ro *soupe avec de minces tranches de pain dur, des tomates et des épices*
pappardelle f pl pap·par·dèl·lé *larges rubans de pâtes*
— **alla lepre** al·la lè·pré *avec du lièvre en civet, du vin rouge, et de la sauce tomate*
parmigiana, alla par·mi·dja·na, al·la *toute préparation à base de parmesan*
parmigiana f **di melanzane** par·mi·dja·na di mé·lann·dza·né *aubergines frites recouvertes d'œuf, de basilic, de sauce tomate, d'oignon et de mozzarella*
parmigiano m **(reggiano)** par·mi·dja·no (rè·dja·no) *parmesan, parfois appelé* **grana**
parrozzo m par·ro·tso *pain, parfois enrobé de chocolat*
passatelli m pl pas·sa·tèl·li *petites boulettes faites avec des œufs, du parmesan, de la moelle de bœuf et de la noix de muscade*

pasta f *pa·*sta pâtes • pâte • pâtisserie
— **col bianchetto** kol byann-*kèt*·to spaghettis avec de la petite friture, une sauce tomate épicée et de l'ail
— **cresciuta** krè-chou-ta beignets aux anchois ou aux fleurs de courgette
— **e fagioli** é fa-*djo*-li soupe aux haricots avec des pâtes
— **fresca** frè-ska terme général pour les pâtes fraîchement confectionnées
pastasciutta f pa·sta-chout-ta 'pâtes sèches' • pâtes
pastissada/pastizzada f pa-sti-*ssa*-da/pa-sti-*tsa*-da ragoût de bœuf ou de viande de cheval, aux légumes verts
patate f pl pa-*ta*-té pommes de terre
pecorino m **(romano)** pé-ko-*ri*-no (ro-*ma*-no) fromage de brebis épicé, à pâte dure
penne f pl *pèn*-né pâtes courtes en forme de tube
pepe m *pè*-pé poivre
peperonata f pé-pé-ro-*na*-ta poivrons, oignons et tomates cuits à l'huile d'olive
peperoncini m pl pé-pé-ronn-*tchi*-ni piment
peperoni m pl pé-pé-*ro*-ni poivrons
— **ripieni** ri-*pyè*-ni farcis de différents ingrédients
pere f pl *pè*-ré poires
— **imbottite** imm-bo-*tit*-té poires farcies, cuites au four
persico m *pèr*-si-ko perche (poisson)
pesca f *pè*-ska pêche
pesce m *pè*-ché poisson
pesto m *pè*-sto sauce préparée avec du basilic frais, des pignes, de l'huile d'olive, de l'ail, du fromage et du sel
petto m *pèt*-to poitrine
pettole f pl *pèt*-to-lé rubans de pâtes faits maison, longs et minces
piadina f pya-*di*-na pain rond plat
piccagge f pl pik-*ka*-djé pâtes en longs rubans servies avec du **pesto** ou une sauce aux artichauts et aux champignons
piccata f pik-*ka*-ta veau servi avec une sauce au citron et au marsala

picchi pacchiu m pik·ki *pak*·kyou sauce pour pâtes avec des tomates et du piment
pici m pl *pi*-tchi pâtes fraîches qui ressemblent à d'épais spaghettis
piccione m pi-*tcho*-né pigeon
picula f **ad caval** pi-kou-*la* ad ka-*val* viande de cheval en civet
pinoli m pl pi-*no*-li pignes
pinza f **padovana** pinn-tsa pa-do-*va*-na pâtisserie
pinzimonio m pinn-tsi-*mo*-nyo sorte de vinaigrette dans laquelle on trempe des légumes crus (voir aussi **cazzimperio**)
pioppparello m pyo-pa-*rèl*-lo pholiote du peuplier (champignon)
pisarei m pl **e fasó** m pl pi-za-*reille* é fa-zo boulettes relevées d'une sauce tomate, et servies avec du lard et des haricots cuits
piselli m pl pi-*zèl*-li petits pois
pistum m *pi*-stoumm boulettes aigres-douces servies avec du jus de porc
pitta f *pit*-ta petit pain plat
pitte f *pit*-té petit gâteau en forme de demi-lune
pizza f *pi*-tsa il y a plus de 50 sortes de pizza, différemment garnies
— **a(l) taglio** a(l) *ta*-lyo tranche de pizza
— **dolce di Pasqua** dol-tché di pa-skwa pizza sucrée aux fruits secs
— **Margherita** mar-gué-*ri*-ta garnie d'ingrédients simples comme de l'huile d'olive, des tomates, de la mozzarella, du basilic et de l'origan
— **rustica** rou-*sti*-ka garnie au choix de jambon, salami, saucisse, œuf ou fromage
pizzaiola, alla pi-tsa-*yo*-la, *al*-la avec une sauce tomate et de l'huile d'olive
pizzoccheri m pl pi-*tso*-ké-ri pâtes courtes aux blé noir servies avec des choux et des pommes de terre
polenta f po-*lènn*-ta polenta
— **al ragù** al ra-*gou* servie avec une sauce bolognaise

— **concia** *konn·tcha avec plusieurs fromages*

— **e osei** *é o·zeille servie avec des moineaux, des grives ou des alouettes • biscuit de Savoie avec de la confiture*

— **pasticciata** *pa·sti·tcha·ta au four avec une sauce bolognaise, des champignons et du fromage*

— **sulla spianatoria** *soul·la spya·na·to·rya avec des saucisses, des tomates et du fromage de brebis, servie sur une spianatoria (plat à dessert)*

— **taragna** *ta·ra·nya polenta de blé noir*

polipo m *po·li·po poulpe (voir **polpi**)*

pollo m *pol·lo poulet*

— **alla diavola** *al·la dya·vo·la au gril avec du poivre rouge ou du piment*

— **con peperoni e patate al coccio** *konn pé·pé·ro·ni é pa·ta·té al ko·tcho cuit à feux doux dans un plat en terre cuite avec de la sauge, des pommes de terre et des poivrons*

polpette f pl *pol·pèt·té boulettes de viande*

polpettine f pl *pol·pét·ti·né petites boulettes de viande*

— **di carne con salsa di pomodoro** *di kar·né konn sal·sa di po·mo·do·ro à la sauce tomate*

polpettone m *pol·pét·to·né pain de viande*

polpi m pl *pol·pi poulpes (qu'on appelle aussi **polipi**)*

— **alla luciana** *al·la lou·tcha·na poulpes en tranches avec des tomates, de l'huile, de l'ail, du persil et du citron*

— **in purgatorio** *inn pour·ga·to·ryo garnis de tomates, de persil, de piment et d'ail*

pomodori m pl *po·mo·do·ri tomates*

— **secchi** *sèk·ki tomates sèches*

pomodorini m pl *po·mo·do·ri·ni petites tomates • tomates séchées au soleil*

pompelmo m *pomm·pèl·mo pample-mousse*

porchetta f *por·kèt·ta cochon de lait au four ou au gril*

porcini m pl *por·tchi·ni cèpes*

porco m *por·ko porc*

potizza f *po·ti·tsa gâteau mou préparé avec du pain au levain*

prataiolo m *pra·ta·yo·lo champignon de Paris*

preboggion m *pré·bo·djonn mélange d'herbes des champs*

prosciutto m *pro·chout·to nom donné au jambon coupé en tranches minces*

— **affumicato** *af·fou·mi·ka·to salami fumé*

— **San Daniele** *sann da·nyè·lé jambon cru, doux et délicat*

provola f *pro·vo·la fromage de lait de vache et de buflonne, à pâte demi-dure*

provolone m *pro·vo·lo·né fromage de vache savoureux à pâte demi-molle*

prugna f *prou·nya prune*

puttanesca, alla *pout·ta·nè·ska, a·la "à la mode des putains" – sauce tomate avec du piment, des anchois et des olives noires*

Q

quaglia f pl *kwa·lya caille*

quartirolo m *kwar·ti·ro·lo fromage à pâte molle, doux et délicat*

quattro formaggi *kwat·tro for·ma·dji sauce faite avec quatre fromages différents*

quattro stagioni *kwat·tro sta·djo·ni pizza avec différents ingrédients sur chaque quart*

R

rabarbaro m *ra·bar·ba·ro rhubarbe*

radicchio m *ra·di·kyo chicorée*

— **rosso** *ros·so légume amer avec de longues feuilles rouges*

rafano m **tedesco** *ra·fa·no té·dé·sko raifort*

ragù m *sauce tomate à la viande, mais parfois aux légumes seulement*

— **alla bolognese** *al·la bo·lo·nyè·zé sauce à base de porc et de veau*

— **alla napoletana** *al·la na·po·lé·ta·na sauce à base de gros morceaux de viande, de légumes et de vin rouge*

rambasicci m pl ramm·ba·zi·tchi *feuilles de chou farcies*

rapa f ra·pa *navet*

ravioli m pl ra·vyo·li *carrés de pâtes habituellement farcis de viande, de parmesan et de chapelure*
— **liguri** li·gou·ri *parfois farcis de ricotta et de fines herbes*

raviolini m pl ra·vyo·li·ni *petits raviolis*

ravioloni m pl ra·vyo·lo·ni *gros raviolis*

razza f ra·tsa *raie (poisson)*

ri(so) m **in cagnon** ri(zo) inn ka·nyonn *riz sauté dans de l'ail, du beurre, de la sauge et saupoudré de parmesan*

ribes m **nero** ri·bèse nè·ro *cassis*

ribes m **rosso** ri·bèse ro·so *groseille rouge*

ribollita f ri·bol·li·ta *soupe de légumes remise sur le feu et épaissie*

ricciarelli m pl ri·tcha·rèl·li *biscuits aux amandes*

ricotta f ri·kot·ta *fromage frais de vache ou de brebis*
— **affumicata** af·fou·mi·ka·ta *ricotta fumée*
— **infornata** inn·for·na·ta *au four*

rigaglie f pl ri·ga·lyé *abattis*

rigatoni m pl ri·ga·to·ni *pâtes coutes en forme de gros tubes*
— **con la pagliata** konn la pa·lya·ta *servis avec des abats de veau*

ripieno m ri·pyè·no *farce*

risi m pl **e bisi** m pl ri·zi é bi·zi *soupe de riz épaisse avec des pois*

risi m pl **e bruscandoli** m pl ri·zi é brou·skann·do·li *pousses de houblon amères, cuites dans un bouillon avec du riz*

riso m ri·zo *riz*
— **al salto** al sal·to *riz bouilli sauté au safran*
— **comune** ko·mou·né *de qualité inférieure, utilisé dans la soupe*
— **fino** fi·no *de bonne qualité avec des gros grains*
— **semifino** sè·mi·fi·no *d'une qualité supérieure au* **comune***, avec de plus gros grains*
— **superfino** sou·pér·fi·no *la meilleure qualité de riz, utilisé pour faire le risotto*

risotto m ri·zot·to *plat à base de riz cuit lentement dans un bouillon, d'une consistance épaisse*
— **alla milanese** al·la mi·la·nè·zé *avec de la mœlle de bœuf, du bouillon de viande et du safran*
— **alla monzese** al·la monn·dzè·zé *avec de la saucisse, du safran ou du vin rouge*
— **alla piemontese** al·la pyé·monn·tè·zé *avec du vin blanc et des truffes (et parfois de la sauce tomate)*
— **alla sbirraglia** al·la sbi·ra·lya *avec du blanc de poulet*
— **alla trevisana** al·la tré·vi·za·na *avec de la saucisse ou du foie de poulet*
— **allo zafferano** al·lo dza·fè·ra·no *voir* **risotto alla milanese**
— **con filetti di pesce persico** konn fi·lèt·ti di pè·ché pèr·si·ko *avec des filets de perche*
— **con le rane** konn lé ra·né *aux cuisses de grenouille, avec du bouillon de grenouille et des fines herbes*
— **nero** nè·ro *risotto noir avec des blettes, des oignons et de la seiche*
— **polesano** po·lé·za·no *avec de l'anguille, du mulet, du bar, du vin blanc et du bouillon de poisson*

roast beef m ro·sbif *rosbif*

robiola f ro·byo·la *fromage de vache doux*

romana, alla ro·ma·na, al·la *avec une sauce tomate*

rombo m romm·bo *turbot*

rosolata f ro·zo·la·ta *plat sauté*

rospo m ro·spo *lotte de mer*

rosumada f ro·zou·ma·da *dessert aux œufs avec du vin rouge*

rotolo m ro·to·lo *pâte pliée en deux, farcie d'épinard, de ricotta ou de viande*

ruchetta f rou·kèt·ta *roquette*

rucola f rou·ko·la *roquette*

rum-babà m roumm ba·ba *baba arrosé de rhum et saupoudré de sucre*

ruta f rou·ta *rue (plante)*

S

sa fregula f sa *frè·gou·la soupe avec des boulettes de farine et de safran*

sagne chine f *sa·nyé ki·né pâtes au four avec des boulettes de viande, des œufs et du fromage*

salama f **da sugo ferrarese** sa·*la·ma da sou·go* fé·ra·rè·zé *saucisse de porc*

salame f **di Felino** sa·*la·*mé di fé·*li·no saucisson sec*

salami m pl sa·*la·mi saucissons*

salamino m sa·la·*mi·no petit saucisson*

salato/a m/f sa·la·to/a *salé(e)*

sale m *sa·le sel*

salmì m sal·*mì marinade avec des épices et parfois du vin*

salmone m sal·*mo·né saumon*

salsa f *sal·sa sauce*
  — **Alfredo** al·*frè·do avec du beurre, de la crème, du parmesan et du persil*
  — **alla checca** al·la *kèk·ka sauce tomate froide avec des olives, du basilic, des câpres et de l'origan*
  — **alla pizzaiola** al·la pi·*tsa·yo·la sauce tomate avec de l'ail et de l'origan*
  — **di cren** di *krènn avec du radis râpé, des pommes, de l'oignon, du bouillon et du vin blanc*
  — **di pomodoro al tonno e funghi** di po·mo·*do·ro al ton·no* é *founn·gui sauce tomate au thon et aux champignons*
  — **di pomodoro alla siciliana** di po·mo·*do·ro al·la si·tchi·lya·na avec des aubergines, des anchois, des olives, des câpres, des tomates et de l'ail*
  — **verde** *vèr·dé sauce verte avec des fines herbes, des câpres, des olives, des noix, des anchois, de la chapelure, de l'ail et du vinaigre*

saltimbocca f sal·timm·*bo·ka "saute dans la bouche" - de petite taille*

salume m sa·*lou·mé charcuterie*

sanguinaccio m sann·gwi·*na·tcho boudin noir préparé avec du sang de porc, des olives et du cacao*

saor, in saor, inn *marinade pour poisson aigre-douce*

sarago m sa·*ra·go brème*

sarde f pl sar·*dé sardines*
  — **a scapece** a ska·*pè·tché sardines frites*
  — **alla marchigiana** al·la mar·ki·*dja·na sardines marinées au four*

sardele in saor f pl sar·dè·lé inn saor *plat de sardines marinées grillées*

sartù m **"e riso"** m sar·*tou* é *ri·zo savoureux plat de riz*

sas melicheddas m pl sa·se mé·li·kè·da·se *gâteaux à la pâte d'amandes, saupoudrés de sucre*

sausa f **d'avie** *saou·sa* da·*vi·é sauce moutarde, aux noix et au miel*

savoiardi m pl sa·vo·*yar·di boudoirs*

sbrofadej m sbro·fa·*deille pâtes épaisses*
  — **in brodo** inn *bro·do au bouillon*

scagliuozzoli m pl ska·*lyou·o·tso·li polenta et provolone frits*

scaloppine f pl ska·lop·*pi·né minces côtelettes de dinde, de porc ou de veau*
  — **al marsala** al mar·*sa·la escalopes de veau au marsala*

scamorza f ska·*mor·tsa fromage frais qui ressemble à de la mozzarella, mais qu'on mange souvent fumé*

scampi m pl *skamm·*pi *sorte de petites langoustines*

scapece f ska·*pè·tché marinade dans laquelle macère habituellement du poisson*
  — **di Vasto** di *va·sto poisson frit en tranches, mariné*

scarole m ska·ro·lé *scarole*

schiaffettuni m pl *chini* skya·fét·*tou·ni ki·ni macaronis avec du porc et des œufs*

schmorbraten m chmor·*bra·tènn veau mariné, cuit dans du vin et de la sauce tomate*

sciatt m *chatte beignets sucrés contenant de la grappa*

scimu'd m chi·*moud fromage au lait écrémé, salé et épicé*

sciroppo m chi·*ro·po sirop*

scivateddi m pl chi·va·*tèd·di spaghettis épais servis avec une sauce bolognaise et de la ricotta*

scottiglia f skot·ti·lya *daube à la sauce tomate*

sebadas m pl sé·ba·da·se *gros raviolis ronds au fromage et au miel*

seccia f **"mbuttunata** sè·tcha m·bout·tou·na·ta *seiche farcie cuite à feu doux avec une sauce tomate*

selvaggina f sél·va·dji·na *gibier*

semifreddo m sè·mi·frèd·do *dessert crémeux préparé avec de la glace*
— **al torrone** al tor·ro·né *dessert avec du lait, de la vanille, des œufs et du nougat*

semola f sè·mo·la *son (de blé)* • *semoule*

semolino m sé·mo·li·no *semoule*

senape f sè·na·pé *moutarde*

seno m sè·no *sein*

seppia f sè·pya *seiche*

serpe m sèr·pé *gâteau aux amandes, au sucre glace ou au chocolat*

sfogliatelle f pl sfo·lya·tèl·lé *pâtisserie fourrée de ricotta, de cannelle, de fruits confits et de vanille*

sformato m sfor·ma·to *flan*
— **di spinaci con cibreo al vinsanto** di spi·na·tchi konn tchi·brè·o al vinn·sann·to *flan aux épinards, servi avec du foie*

sgombro m sgomm·bro *maquereau*

sogliola f so·lyo·la *sole*

sopa f **còada** pa ko·a·da *bouillon de viande, pigeon, fromage et pain*

soppressa f sop·près·sa *saucisse de porc*

soppressata f sop·près·sa·ta *saucisson épicé, fait avec des morceaux de la tête de cochon et la couenne* • *saucisson doux de porc et de lard*
— **molisana** mo·li·za·na *grosse saucisse*

sorbetto m sor·bèt·to *sorbet*

sott'aceti m pl sot·ta·tchè·ti *pickles (petits légumes marinés)*

sott'olio m sot·to·lyo *petits légumes à l'huile*

spaghetti m pl spa·guèt·ti *pâtes alimentaires fines et longues*

spá'tzle m spa·tslé *petites boulettes qu'on peut servir en bouillon*

speck m spék *type de jambon fumé*

spiedino/spiedo m spyé·di·no/spyè·do *brochette*

spezie f pl spè·tsyé *épices*

spigola f spi·go·la *loup (de mer)*

spinaci m pl spi·na·tchi *épinards*

sponga(r)da f sponn·ga(r)·da *dessert à la vanille, aux œufs et parfois aux fruits confits*

spugnola f spou·nyo·la *morille*

stecchi m pl stèk·ki *bâtonnets* • *kebabs*
— **alla ligure** al·la li·gou·ré *avec du veau, du poulet, du ris d'agneau, des œufs, des champignons, des artichauts et des épices*

stiacciata f stya·tcha·ta *petit gâteau*

stinco m stinn·ko *jarret*

stoccafisso m stok·ka·fis·so *stockfisch (morue séchée à l'air)*
— **a brandacujun** a rann·da·kou·younn *plat crémeux de patates et de stockfish*
— **accomodato** ak·ko·mo·da·to *stockfish cuit à la casserole avec des anchois ou des champignons*

stracchino m strak·ki·no *fromage frais délicat*

stracciatella f stra·tcha·tèl·la *bouillon avec des œufs battus et du parmesan*

stracotto m stra·kot·to *bœuf en civet*

stracotto/a m/f stra·kot·to/a *cuit(e) pendant longtemps* • *en daube*

strangolapreti m pl strann·go·la·prè·ti *"étouffe-prêtres" – boulettes de fromage à l'œuf, dont la recette varie selon les régions*

stravecchio m stra·vè·kyo *"très vieux" – dont la maturation a duré très longtemps*

stringozzi m pl strinn·go·tsi *pâtes courtes à la sauce tomate ou à la sauce bolognaise*

strinù m stri·nou *saucisse grillée*

stroscia f **(di Pietrabruna)** stro·cha (di pyé·tra·brou·na) *gâteau*

strozzapreti m pl stro·tsa·prè·ti *pâtes longues* • *boulettes aux épinards, aux blettes et à la ricotta*

strudel m strou·dél *pâtisserie aux pommes*

stufatino m stou-fa-*ti*-no *veau en daube cuit avec des tomates et des épices*

supa f **barbetta** sou-pa bar-*bèt*-ta *consistant bouillon de viande et de légumes*

suppa f *soup-pa soupe*

supplì m soup-*pli boulettes de riz frites* (*voir* **crocchette**)

suricitti m psou-ri-*tchit*-ti *savoureuses boulettes de polenta*

susamelli m pl sou-za-*mèl*-li *biscuits en forme de S*

T

tacchino m tak-*ki*-no *dinde*
— **alla gosutta** *al*-la go-*zout*-ta *dinde à la casserole avec du fenouil et du bouillon*
— **con sugo di melagrana** konn *sou*-go di mé-la-*gra*-na *avec un jus de grenade*

tagliatelle f ta-lya-*tèl*-lé *pâtes en forme de longs rubans*
— **alla salsa di noci** *al*-la *sal*-sa di *no*-tchi *avec des noix, de l'huile, du beurre, de la ricotta et du parmesan*
— **con finocchio selvatico** konn fi-*no*-kyo sél-*va*-ti-ko *servi avec une sauce au fenouil, au lard et au persil*

taglierini m pl ta-lyé-*ri*-ni *minces bandes de pâtes*
— **al ragù** al ra-*gou servi avec une sauce bolognaise*

tagliolini (blò blò) m pl ta-lyo-*li*-ni (blo blo) *minces bandes de pâtes en bouillon, avec du fromage râpé*

tajarin m pl ta-ya-*rinn pâtes minces servies habituellement avec une sauce bolognaise*

taleggio m ta-*lè*-djo *fromage frais, gras, avec une petite croûte*

taralli m pl ta-*ral*-li *biscuits salés et croustillants, cuits au four*

tartufo m tar-*tou*-fo *truffe*

tè m tè *thé*

tegamata f **di maiale** té-ga-*ma*-ta di ma-*ya*-lé *casserole de porc et de graines de fenouil*

tegame, in té-*ga*-mé, inn *frit(e) • braisé(e)*

tegole f pl **d'Aosta** tè-go-lé da-*os*-ta *biscuits aux amandes*

testaió m té-*sta*-yo *pâtes carrées servies avec du pesto et du parmesan*

testaroli m pl té-sta-*ro*-li *disques de pâte, un peu comme des galettes*

tiramisù m ti-ra-mi-*sou biscuits de Savoie ou savoiardi trempés dans du café et disposés en couches avec du mascarpone, puis saupoudrés de cacao*

tòcco m **di carne** *tok*-ko di *kar*-né *sauce à base de veau*

toma f *to*-ma *fromage ferme de vache ou de brebis*
— **piemontese** pyé-monn-*tè*-zé *variété de toma un peu plus douce*

tomaxelle f pl to-ma-*ksèl*-lé *rouleau de veau dans du vin et du bouillon*

tomino m to-*mi*-no *petit fromage frais*

tonno m *ton*-no *thon*

torciarelli m pl **al tartufo** tor-tcha-*rèl*-li al tar-*tou*-fo *pâtes servies avec une sauce à base de fines tranches de porc, d'épices, de champignons, de truffes et de fromage*

torcinelli m pl tor-tchi-*nèl*-li *abats d'agneau ou de chevreau en daube*

torcolo m **di San Costanzo** *tor*-ko-lo di sann ko-*stann*-tzo *gâteau en forme d'anneau*

torresani m pl tor-ré-*za*-ni *kebabs de pigeon*

torrone m tor-ro-*né nougat*
— **al cioccolato** al tchok-ko-*la*-to *nougat très mou au chocolat*

torroni m pl **di semi di sesamo** tor-ro-ni di sè-mi di *sè*-za-mo *bonbons croustillants aux graines de sésame*

torta f *tor*-ta *gâteau • tarte*

tortelli m tor-*tèl*-li *grosses pâtes farcies*
— **di San Leo** di sann *lè*-o *aux épinards et au fromage*
— **di zucca** di *tsouk*-ka *au potiron*

tortellini m pl tor-tél-*li*-ni *pâtes farcies de viande, parmesan et œufs*

tortelloni m pl tor-tél-*lo*-ni *gros tortellinis*

tosella f to-*zèl*-la *fromage frais frit*

totano m to-*ta*-no variété de calamar

tramezzino m tra-mé-*dzi*-no sandwich

trebbiano m tréb-*bya*-no cépage blanc présent dans toute l'Italie

trenette f pl **al pesto** tré-*nèt*-té al *pè*-sto pâtes plates et longues au **pesto**

trifola f *tri*-fo-la truffe blanche

triglia f *tri*-lya moule rouge

trota f fro-ta truite

tubetti m pl tou-*bèt*-ti pâtes en forme de petits tubes

turcinelli m pl **arrostiti** tour-tchi-*nèl*-li a-ro-*sti*-ti abats de veau en daube

U

uardi m pl **e fasoi** m pl *war*-di é fa-*zoille* soupe aux haricots, à l'orge, aux épices, avec un os de jambon

umbrici m pl oumm-*bri*-tchi spaghettis épais, faits maison

uova m pl *wo*-va œufs

uva f *ou*-va raisin(s)
— **bianca** *byann*-ka raisin(s) blanc(s)
— **nera** *nè*-ra raisin(s) rouge(s)
— **passa** *pas*-sa raisins secs

V

vapore, cotto/a a m/f va-*po*-ré, *ko*-to/a a vapeur, cuit(e) à la

vecchio/a m/f *vèk*-kyo/a vieux/vieille

ventresca f **di tonno** vènn-*trè*-ska di *to*-no poitrine de thon

verdura/verdure f *vér*-dou-ra/*vér*-dou-ré légumes

verza f *vèr*-dza chou frisé

vialone nano m *vya*-lo-né *na*-no petit grain de riz utilisé pour le risotto

vincisgrassi m pl vinn-*tchiz*-*gras*-si plat au four copieux, avec des abats, du fromage et parfois des truffes

viscidu m vi-*chi*-dou fromage sec aigre-doux, coupé en tranches et mariné

vitello m vi-*tèl*-lo veau

— **tonnato** ton-*na*-to minces tranches de veau recouvertes d'une sauce au thon, aux câpres et aux anchois

vongole f pl vonn-go-lé palourdes

Z

zabaglione m dza-ba-*lyo*-né mousse sucrée à base d'œufs battus, de marsala et de sucre

zampetto m dzamm-*pèt*-to pied de porc, d'agneau ou de veau

zenzero m dzènn-dzé-ro gingembre

zeppule f pl **"e cicenielli** m pl *dzép*-pou-lé é tchi-tché-*nyè*-li beignets au fromage et aux anchois

zeppule f pl **"e San Giuseppe** *dzèp*-pou-lé é sann djou-*zè*-pé petits gâteaux en forme d'anneau, frits

zimin m pl *dzi*-minn soupe aux haricots, au porc et aux blettes • plat aux calmars et aux blettes

ziti m pl *dzi*-ti longues pâtes épaisses et creuses

zucca f *tsouk*-ka potiron
— **gialla in agrodolce** *djal*-la inn a-gro-*dol*-tché frit et servi avec des épices et des câpres

zucchero m *tsouk*-ké-ro sucre

zuccotto m **fiorentino** tsou-*kot*-to fyo-rènn-*ti*-no biscuit de Savoie avec de la liqueur, de la crème anglaise, du chocolat et de la crème instantanée

zuppa f *tsoup*-pa potage
— **alla canavesana** *al*-la ka-na-vé-*za*-na potage au pain, au chou, avec du beurre, du lard, des oignons et de l'ail
— **di ceci** di *tchè*-tchi potage aux pois chiches
— **di pesce alla marinara** di *pè*-ché *al*-la ma-ri-*na*-ra soupe de poisson
— **"e zuffritto** é dzouf-*frit*-to sauce préparée avec des abats de cochon, du vin rouge et de la sauce tomate.

l'essentiel

l'essenziale

75A	**Au secours !**	*Aiuto!*	a·*you*·to
75B	**Stop !**	*Fermi!*	fèr·mi
75C	**Circulez !**	*Vai via!*	vaille vi·a
75D	**Au voleur !**	*Ladro!*	la·dro
75E	**Au feu !**	*Al fuoco!*	al fwo·ko
75F	**Attention !**	*Attenzione!*	at·tènn·tsyo·né

76A **C'est une urgence !**
È un'emergenza! — é ou·né·mér·djènn·tsa

76B **Appelez la police !**
Chiami la polizia! — kya·mi la po·li·tsi·a

76C **Appelez un docteur !**
Chiami un medico! — kya·mi ounn mè·di·ko

76D **Appelez une ambulance !**
Chiami un'ambulanza! — kya·mi ou·namm·bou·lann·tsa

77A **Pouvez-vous m'aider, s'il vous plaît ?**
Mi può aiutare, — mi pwo a·you·ta·ré
per favore? — pér fa·vo·ré

77B **Je dois passer un coup de fil.**
Devo fare una — dè·vo fa·ré ou·na
telefonata. — té·lé·fo·na·ta

signalisation

Carabinieri	ka·ra·bi·nyè·ri	**Carabiniers**
Polizia	po·li·tsi·a	**Police**
Posto di	po·sto di	**Hôtel de police**
polizia	po·li·tsi·a	
Pronto soccorso	pronn·to sok·kor·so	**Urgences**
Questura	kwé·stou·ra	**Préfecture de police**

77C Je suis perdu(e).
Mi sono perso/a. m/f   mi *so*·no *pèr*·so/a

77E Où sont les toilettes ?
Dove sono i gabinetti?   do·vé *so*·no i ga·bi·*nèt*·ti

police

la polizia

78A Où est l'hôtel de police ?
Dov'è il posto di polizia?   do·vè il *po*·sto di po·li·*tsi*·a

78B Je voudrais porter plainte.
Voglio fare una   *vo*·lyo *fa*·ré *ou*·na
denuncia.   dé·*nounn*·tcha

78C Je suis assuré.
Ho l'assicurazione.   o la·si·kou·ra·*tsyo*·né

79A On m'a violé(e).
Sono stato/a violentato/a. m/f   sono *sta*·to/a vyo·lènn·*ta*·to/a

79B Je me suis fait voler.
Sono stato/a derubato/a m/f   *so*·no *sta*·to/a dé·rou·*ba*·to/a

80A J'ai perdu mon sac.
Ho perso la mia borsa   o *pèr*·so la *mi*·a *bor*·sa

80B J'ai perdu mon argent.
Ho perso il mio denaro   o *pèr*·so il *mi*·o dé·*na*·ro

80C J'ai perdu mon passeport.
Ho perso il mio passaporto   o *pèr*·so il *mi*·o pa·sa·*por*·to
Il/elle a été agressé(e).
È stato/a aggredito/a. m/f   é *sta*·to/a ag·gré·*di*·to/a

les forces de l'ordre

En Italie, c'est la *polizia*, la police nationale, et les *carabinieri*, une force de police administrée par le ministère de la Défense, qui veillent à l'ordre public. Ces deux corps s'occupent de nombreux délits, mais pour dénoncer un vol, il vaut mieux s'adresser au *posto di polizia*, le commissariat, ou à la *questura*, la préfecture de police. Si vous êtes toutefois près d'une *caserma* (caserne) de *carabinieri*, n'hésitez pas. Ces derniers vous redirigeront, si nécessaire, vers le bon interlocuteur.

Il/elle a été violé(e).
È stato/a violentato/a. m/f   é *sta*·to/a vyo·lènn·*ta*·to/a

Il/elle a essayé   *Ha cercato di...*   a tchér·*ka*·to di...
de...
   m'agresser   *aggredirmi*   ag·gré·*dir*·mi
   me violer   *violentarmi*   vyo·lènn·*tar*·mi
   me voler   *derubarmi*   dé·rou·*bar*·mi

81A Je voudrais contacter mon consulat.
Vorrei contattare il mio   vo·*reille* konn·tat·*ta*·ré il *mi*·o
consolato   konn·so·*la*·to

81B Je voudrais contacter mon ambassade.
Vorrei contattare la mia   vo·*reille* konn·tat·*ta*·ré la *mi*·a
ambasciata   amm·ba·*cha*·ta

Est-ce que je peux appeler quelqu'un ?
Posso chiamare qualcuno?   pos·so kya·*ma*·ré kwal·*kou*·no

Est-ce que je peux appeler un avocat ?
Posso chiamare   pos·so kya·*ma*·ré
un avvocato?   ou·nav·vo·*ka*·to

Est-ce que je peux avoir un avocat qui parle français ?
Posso avere un avvocato   pos·so a·*vè*·ré ou·nav·vo·*ka*·to
che parli francese?   ké *par*·li frann·*tchè*·zé

Est-ce qu'une amende permettrait d'effacer tout ça ?
C'è una multa che   tché *ou*·na *moul*·ta ké
possiamo pagare per   pos·*sya*·mo pa·*ga*·ré pér
chiarire tutto questo?   kya·*ri*·ré *tout*·to *kwè*·sto

Ce médicament est pour mon usage personnel.
Questo medicinale è   *kwè*·sto mé·di·tchi·*na*·lé è
per uso personale.   pér *ou*·zo pér·so·*na*·lé

J'ai une ordonnance pour ce médicament.
Ho una ricetta per questa   o *ou*·na ri·*tchèt*·ta pér *kwè*·sta
medicina.   mé·di·*tchi*·na

Je (ne) comprends (pas).
(Non) Capisco.   (nonn) ka·*pi*·sko

On m'accuse de quoi ?
Di che cosa sono stato/a   di ké *ko*·za *so*·no *sta*·to/a
accusato/a? m/f   ak·kou·*za*·to/a

Excusez-moi.
Mi scusi.   mi *skou*·zi

Désolé(e).
Mi dispiace.   mi di·*spya*·tché

Je ne savais pas que je faisais quelque chose de mal.
Non sapevo che facessi   nonn sa·*pè*·vo ké fa·*tchès*·si
qualcosa di male.   kwal·*ko*·za di *ma*·lé

Ce n'est pas moi qui l'ai fait.
Non sono stato/a io. m/f   nonn *so*·no *sta*·to/a *i*·o

Je suis innocent(e).
Sono innocente.   *so*·no in·no·*tchènn*·té

la police dira...		
Tu seras accusé(e) de...	*Sarai accusato/a di...* m/f	sa·*raille* ak·kou·*za*·to/a di...
Il/Elle sera accusé(e) de/pour...	*Lui/Lei sarà accusato/a di...* m/f	*louï*/leille sa·*ra* ak·kou·*za*·to/a di...
agression	*aggressione*	ag·gré·*syo*·né
trouble de l'ordre public	*disturbo della quiete pubblica*	di·*stour*·bo *dèl*·la kwyè·té *poub*·bli·ka
meurtre	*omicidio*	o·mi·*tchi*·dyo
ne pas avoir de visa	*non avere un visto*	no·na·*vè*·ré ounn *vi*·sto
détention (de substances illégales)	*possesso (di sostanze illecite)*	pos·*sè*·so (di so·*stann*·tsé il·*lè*·tchi·té)
viol	*stupro*	*stou*·pro
vol à l'étalage	*taccheggio*	tak·*kè*·djo
excès de vitesse	*eccesso di velocità*	é·*tchès*·so di vé·lo·tchi·*ta*
vol	*furto*	*four*·to

consulter un professionnel de santé

consultare un medico

82A Où se trouve le dentiste le plus proche ?
Dov'è il dentista più vicino? m do·vè il dènn·ti·sta pyou vi·tchi·no

82B Où se trouve le dentiste le plus proche ?
Dov'è la dentista più vicina? f do·vè la dènn·ti·sta pyou vi·tchi·na

82C Où se trouve le médecin le plus proche ?
Dov'è il medico più vicino? m do·vè il mè·di·ko pyou vi·tchi·no

82D Où se trouve l'hôpital le plus proche ?
Dov'è l'ospedale più vicino? m do·vè lo·spé·da·lé pyou vi·tchi·no

82E Où se trouve la pharmacie (de garde) la plus proche ?
Dov'è la farmacia (di turno) do·vè la far·ma·tchi·a (di tour·no)
più vicina? f pyou vi·tchi·na

83A J'ai besoin d'un médecin (qui parle français).
Ho bisogno di un medico o bi·zo·nyo di ounn mè·di·ko
(che parli francese). (ké par·li frann·tchè·zé)

83B Est-ce que je peux voir un médecin femme ?
Posso vedere una po·so vé·dè·ré ou·na
dottoressa? dot·to·rè·sa

Est-ce que le médecin peut venir ici ?
Può venire qui il medico? pwo vé·ni·ré kwi il mè·di·ko

J'ai été vacciné(e) contre...	*Sono stato/a vaccinato/a per...* m/f	so·no sta·to/a va·tchi·na·to/a pér...
Il/Elle a été vacciné(e) contre...	*Lui/Lei è stato/a vaccinato/a per...*	louille/leille è sta·to/a va·tchi·na·to/a pér...
l'hépatite A/B/C	*l'epatite A/B/C*	lé·pa·ti·té a/bi/tchi
le tétanos	*il tetano*	il tè·ta·no
la typhoïde	*il tifo*	il ti·fo

J'ai besoin de... *Ho bisogno di...* o bi·*zo*·nyo di...
nouvelles lunettes *nuovi occhiali* nwo·vi ok·*kya*·li
nouvelles lentilles *nuove lenti a* nwo·vé *lènn*·ti a
de contact *contatto* konn·*tat*·to

83C J'ai fini mes médicaments.
Ho finito la mia o fi·*ni*·to la *mi*·a
medicina. mé·di·*tchi*·na

Pourriez-vous me donner une facture pour l'assurance ?
Potrebbe darmi una po·*trèb*·bé *dar*·mi *ou*·na
ricevuta per ri·tché·*vou*·ta pér
l'assicurazione? las·si·kou·ra·*tsyo*·né

Quel est le problème ?
Qual'è il problema? kwa·*lè* il pro·*blè*·ma

Où avez-vous mal ?
Dove Le fa male? do·vé lé fa *ma*·lé

Avez-vous de la température ?
Ha la febbre? a la *fèb*·bré

Depuis quand vous sentez-vous comme ça ?
Da quanto (tempo) è da *kwann*·to (*tèmm*·po) è
che si sente così? ké si *sènn*·té ko·*zi*

Vous avez déjà eu ce genre de symptômes ?
Si è mai sentito/a si é maille *sènn*·ti·to/a
così prima? **m/f** ko·*zi pri*·ma

Avez-vous des rapports sexuels réguliers ?
È sessualmente é sés·sou·al·*mènn*·té
attivo/a? **m/f** at·*ti*·vo/a

Avez-vous eu des rapports non protégés ?
Ha avuto rapporti a a·*vou*·to rap·*por*·ti
non protetti? nonn pro·*tèt*·ti

Êtes-vous allergique à quelque chose ?
È allergico/a   é al·lèr·dji·ko/a
a qualcosa? m/f   a kwal·*ko*·za

Prenez-vous des médicaments ?
Sta prendendo   sta prènn·*dènn*·do
medicine?   mé·di·*tchi*·né

Êtes-vous enceinte ?
È incinta?   é inn·*tchinn*·ta

Votre voyage doit durer combien de temps ?
Per quanto tempo   pér *kwann*·to tèmm·po
viaggia?   *vya*·dja

Est-ce que vous... ?

buvez	*Beve?*	bè·vé
fumez	*Fuma?*	fou·ma
vous droguez	*Si droga?*	si *dro*·ga

Il faut qu'on vous hospitalise.
Deve essere ricoverato/a   dè·vé ès·sé·ré ri·ko·vé·*ra*·to/a
in ospedale. m/f   i·no·spé·*da*·lé

Vous devriez le faire contrôler par votre médecin quand vous rentrerez chez vous.
Dovrebbe farlo   do·*vrèb*·bé *far*·lo
controllare dal   konn·trol·*la*·ré dal
medico quando   *mè*·di·ko *kwann*·do
ritorna a casa.   ri·*tor*·na a *ka*·za

Vous devriez rentrer chez vous et vous faire soigner.
Dovrebbe tornare   do·*vrèb*·bé tor·*na*·ré
a casa per farsi curare.   a *ka*·za pér *far*·si kou·*ra*·ré

Vous êtes hypocondriaque.
È un ipocondriaco/a. m/f   é ou·ni·po·konn·*dri*·a·ko/a

Profitez bien de vos vacances !
Vada a godersi   *va*·da a go·*dèr*·si
le vacanze!   lé va·*kann*·tsé

symptômes et condition physique

84A Je suis malade.
Mi sento male.   mi *sènn*·to *ma*·lé

Mon ami(e) est malade.
Il mio amico è malato. m   il *mi*·o a·*mi*·ko è ma·*la*·to
La mia amica è malata. f   la *mi*·a a·*mi*·ka è ma·*la*·ta

84B J'ai mal ici.
Mi fa male qui.   mi fa *ma*·lé kwi

Je me suis blessé(e).
Sono stato/a ferito/a. m/f   *so*·no *sta*·to/a fé·*ri*·to/a

J'ai vomi plusieurs fois.
Ho vomitato alcune volte.   o vo·mi·*ta*·to al·*kou*·né *vol*·té

Je n'arrive pas à dormir.
Non riesco a dormire.   nonn ri·è·sko a dor·*mi*·ré

Utilisez une nouvelle seringue, s'il vous plaît.
Usi una siringa   *ou*·si *ou*·na si·*rinn*·ga
nuova, per favore.   *nwo*·va pér fa·*vo*·ré

J'ai ma seringue.
Ho con me la mia siringa.   o konn mé la *mi*·a si·*rinn*·ga

Je ne veux pas de transfusion sanguine.
Non voglio una   nonn *vo*·lyo *ou*·na
trasfusione di sangue.   tra·sfou·*syo*·né di *sann*·gwé

J'ai...	*Ho...*	o...
la tête qui tourne	*il capogiro*	il ka·po·*dji*·ro
des bouffées	*vampate*	vamm·*pa*·té
de chaleur	*di calore*	di ka·*lo*·ré
la nausée	*la nausea*	la na·ou·zé·a
des frissons	*i brividi*	i *bri*·vi·di

Je me sens...	*Mi sento...*	mi *sènn*·to...
mieux	*meglio*	mè·lyo
bizarre	*strano/a* m/f	stra·no/a
faible	*debole*	dè·bo·lé
moins bien	*peggio*	pè·djo

Je me sens...	*Sono...*	so·no...
anxieux(euse)	*ansioso/a* m/f	ann·syo·zo/a
déprimé(e)	*depresso/a* m/f	dé·près·so/a

J'ai...	*Ho...*	o...
un rhume	*un raffreddore*	ounn raf·fréd·do·ré
de la toux	*la tosse*	la tos·sé
de la fièvre	*la febbre*	la fèb·bré
mal à la tête	*mal di testa*	mal di tè·sta
un problème	*un problema*	ounn pro·blè·ma
cardiaque	*cardiaco*	kar·di·a·ko
la migraine	*un'emicrania*	ou·né·mi·kra·nya

Je suis...	*Sono...*	so·no...
asthmatique	*asmatico/a* m/f	az·ma·ti·ko/a
diabétique	*diabetico/a* m/f	dya·bè·ti·ko/a
épileptique	*epilettico/a* m/f	é·pi·lèt·ti·ko/a

J'ai (récemment) eu...
Ho avuto ... (di recente).   o a·vou·to... (di ré·tchènn·té)

Il/Elle a (récemment) eu...
Ha avuto... (di recente).   a a·vou·to... (di ré·tchènn·té)

Je prends des médicaments pour...
Prendo la medicina per...   prènn·do la mé·di·tchi·na pér...

Il/Elle prend des médicaments pour...
Prende la medicina per...   prènn·dé la mé·di·tchi·na pér...

Pour en savoir plus, consulter le **dictionnaire**.

santé

santé au féminin

Je crois que je suis enceinte.
Penso di essere incinta.   pènn·so di ès·sé·ré inn·tchinn·ta

Je suis enceinte.
Sono incinta.   so·no inn·tchinn·ta

Je prends la pillule.
Prendo la pillola.   prènn·do la pil·lo·la

J'ai (2) semaines de retard.
Sono (due) settimane   so·no (dou·é) sét·ti·ma·né
che non mi vengono le   ké nonn mi vènn·go·no lé
mestruazioni.   mé·strou·a·tsyo·ni

J'ai remarqué une grosseur ici.
Ho notato un nodulo/   o no·ta·to ounn no·dou·lo/
gonfiore qui.   gonn·fyo·ré kwi

le médecin dira...

Est-ce que vous utilisez une méthode contraceptive ?
Prende contraccettivi?   prènn·dé konn·tra·tchét·ti·vi

Êtes-vous réglée ?
Ha le mestruazioni?   a lé mé·strou·a·tsyo·ni

Êtes-vous enceinte ?
È incinta?   é inn·tchinn·ta

Quand avez-vous eu vos règles pour la dernière fois ?
Quand'è l'ultima volta   kwann·dè loul·ti·ma vol·ta
che Le sono venute le   ké lé so·no vé·nou·té lé
mestruazioni?   mé·strou·a·tsyo·ni

Vous êtes enceinte.
È incinta.   é inn·tchinn·ta

J'ai besoin...	*Ho bisogno...*	o bi·*zo*·nyo...
d'une méthode	*di contraccettivi*	di konn·tra·tchét·*ti*·vi
contraceptive		
de la pillule	*della pillola del*	dé·la *pil*·lo·la dél
du lendemain	*mattino dopo*	mat·*ti*·no *do*·po
d'un test de	*di un test di*	di ounn tést di
grossesse	*gravidanza*	gra·vi·*dann*·tsa

Pour en savoir plus, consultez le **dictionnaire**.

allergies

le allergie

85A Je suis allergique aux antibiotiques.
Sono allergico/a   so·no al·*lèr*·dji·ko/a
agli antibiotici m/f   *a*·lyi ann·ti·*byo*·ti·tchi/a

85B Je suis allergique aux anti-inflammatoires.
Sono allergico/a   so·no al·*lèr*·dji·ko/a
agli antinfiammatori m/f   *a*·lyi ann·tinn·fyam·ma·*to*·ri

85C Je suis allergique à l'aspirine.
Sono allergico/a   so·no al·*lèr*·dji·ko/a
all'aspirina m/f   al·la·spi·*ri*·na

85D Je suis allergique aux piqûres d'abeille.
Sono allergico/a   so·no al·*lèr*·dji·ko/a
alle api m/f   al·lé *a*·pi

85E Je suis allergique à la codéine.
Sono allergico/a   so·no al·*lèr*·dji·ko/a
alla codeina m/f   al·la ko·dé·*i*·na

85F Je suis allergique à la péniciline.
Sono allergico/a   so·no al·*lèr*·dji·ko/a
alla penicillina m/f   al·la pé·ni·tchil·*li*·na

J'ai une allergie de la peau.
Ho un'allergia alla pelle.   o ou·nal·lér·*dji*·a *a*·la pèl·lé

Pour en savoir plus sur les allergies alimentaires, consulter le chapitre **végétariens/régimes spéciaux**, p. 159.

parties du corps

J'ai mal à l'estomac.
Mi fa male (lo stomaco).   mi fa *ma*·lé (lo *sto*·ma·ko)

Je n'arrive pas à bouger (ma cheville).
Non riesco a muovere   nonn ri·è·sko a *mwo*·vé·ré
(la caviglia).   (la ka·*vi*·lya)

J'ai une crampe (au pied).
Ho crampi (al piede).   o *kramm*·pi (al *pyè*·dé)

(Ma gorge) est irritée.
(La gola) è gonfia.   (la *go*·la) è *gonn*·fya

Pour en savoir plus sur les parties du corps, consulter le **dictionnaire**.

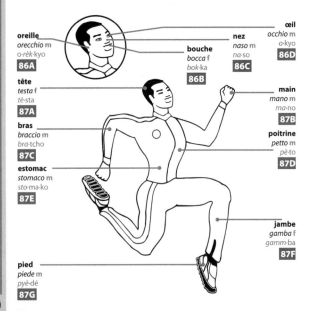

oreille
orecchio m
o·*rèk*·kyo
86A

tête
testa f
tè·sta
87A

bras
braccio m
bra·tcho
87C

estomac
stomaco m
sto·ma·ko
87E

pied
piede m
pyè·dé
87G

bouche
bocca f
bok·ka
86B

nez
naso m
na·so
86C

œil
occhio m
o·kyo
86D

main
mano m
ma·no
87B

poitrine
petto m
pè·to
87D

jambe
gamba f
gamm·ba
87F

pharmacie

J'ai besoin de quelque chose contre (la diarrhée).
Ho bisogno di   o bi·*zo*·nyo di
qualcosa per (la diarrea).   kwal·*ko*·za pér (la dyar·*rè*·a)

Il faut une ordonnance pour (les antihistaminiques) ?
C'è bisogno di una   tché bi·*zo*·nyo di *ou*·na
ricetta per (gli   ri·*tchèt*·ta pér (lyi
antistaminici)?   ann·ti·sta·*mi*·ni·tchi)

Combien de fois par jour ?
Quante volte al giorno?   kwann·té *vol*·té al *djor*·no

Ça me fera dormir ?
Mi farà dormire?   mi fa·*ra* dor·*mi*·ré

Pour en savoir plus, consulter le **dictionnaire**.

chez le dentiste

J'ai...	*Ho...*	o...
une dent cassée	*un dente rotto*	ounn *dènn*·té *rot*·to
un trou	*una cavità*	*ou*·na ka·vi·*ta*
mal aux dents	*mal di denti*	mal di *dènn*·ti

J'ai besoin d'un(e)... *Ho bisogno di...* o bi·*zo*·nyo di...
  anesthésiant *un anestetico* ou·na·né·*stè*·ti·ko
  plombage *un'otturazione* ou·not·tou·ra·*tsyo*·né
  couronne *una corona* ou·na ko·*ro*·na

J'ai perdu un plombage.
  Ho perso un'otturazione. o *pèr*·so ou·not·tou·ra·*tsyo*·né

Mon dentier est cassé.
  La mia dentiera è rotta. la *mi*·a dènn·*tyè*·ra è *rot*·ta

J'ai mal aux gencives.
  Mi fanno male le gengive. mi *fan*·no *ma*·lé lé djènn·*dji*·vé

Je ne veux pas qu'on me l'enlève.
  Non voglio che mi venga nonn *vo*·lyo ké mi *vènn*·ga
  tolto. *tol*·to

Aïe !
  Ahi! a·i

---

parler local

a·pra bè·né la bok·ka
  Apra bene la bocca. **Ouvrez bien la bouche.**

nonn lé fa·ra ma·lé pér nyènn·té
  Non Le farà male per niente. **Vous ne sentirez rien du tout.**

for·sé lé fa·ra ounn po ma·lé
  Forse Le farà un po' male. **Ça vous fera peut-être un peu mal.**

mor·da kwè·sto
  Morda questo. **Mordez ça.**

cha·kwi
  Sciacqui! **Rincez-vous la bouche !**

tor·ni kwi ké nonn o fi·ni·to
  Torni qui che non ho finito. **Revenez ici, je n'ai pas fini.**

À l'heure des grands débats sur l'avenir de la planète, la question des effets du tourisme se pose avec de plus en plus d'insistance. L'une des réponses dans le cadre de vos voyages consiste à faire en sorte que votre impact sur l'environnement, les cultures régionales et l'économie locale soit aussi positif que possible. Voici quelques phrases basiques pour vous aider…

différences culturelles et communication

J'aimerais apprendre un dialecte régional.
Vorrei imparare un   vor·*reille* im·pa·*ra*·ré ounn
dialetto regionale.   dya·*lét*·to ré·djo·*na*·lé

Voulez-vous que je vous apprenne un peu de français ?
Vuole che le insegni   vwo·lé ké lé inn·*sé*·gni
un po' di francese?   ounn po di frann·*tché*·zé

Est-ce une coutume locale ou nationale ?
Questa è un'usanza   kwé·sta è ounn ou·*zann*·tsa
locale o nazionale?   lo·*ka*·lé o na·tsyo·*na*·lé

Je respecte vos coutumes.
Rispetto le vostre usanze.   ris·*pét*·to lé *vos*·tré ou·*zan*·tsé

problèmes de société

À quelles difficultés est confrontée cette communauté ?
Quali problemi ci sono   kwa·li pro·*blé*·mi tchi *so*·no
da queste parti?   da kwé·sté *par*·ti
le crime organisé   *criminalità*   kri·mi·na·li·*ta*
    organizzata f   or·ga·ni·*dza*·ta
le racisme   *razzismo* m   ra·*tsi*·smo
les relations entre   *rapporti fra*   rap·*por*·ti fra
  l'Église et l'État   *Chiesa e Stato* m   kyé·za é *sta*·to

le chômage   *disoccupazione* f   di·zo·kou·pa·*tsyo*·né

J'aimerais proposer mes compétences.
   Vorrei offrirvi la mia   vor·*reille* of·*frir*·vi la *mi*·a
   competenza.   komm·pé·*tenn*·tsa

Existe-t-il des programmes de bénévolat dans la région ?
   Ci sono programmi di   tchi *so*·no pro·*gram*·mi di
   volontariato da queste   vo·lon·ta·*rya*·to da *kwé*·sté
   parti?   *par*·ti

environnement

Où puis-je recycler ceci ?
   Dove lo posso riciclare?   *do*·vé lo *po*·so ri·tchi·*kla*·ré

transports

Peut-on s'y rendre en transports en commun ?
   Possiamo arrivarci con   po·*sya*·mo ar·ri·*var*·tchi konn
   i mezzi pubblici?   i *mé*·dzi *poub*·bli·tchi

Peut-on s'y rendre en vélo ?
   Possiamo arrivarci   po·*sya*·mo ar·ri·*var*·tchi
   in bicicletta?   inn bi·tchi·*klét*·ta

Je préfère y aller à pied.
   Preferisco andarci   pré·fé·*ris*·ko ann·*dar*·tchi
   a piedi.   a *pyé*·di

hébergement

J'aimerais loger dans un hôtel géré localement.
   Vorrei stare in un albergo   vor·*reille* sta·ré in ounn al·*bèr*·go
   a gestione locale.   a djés·*tyo*·né lo·*ka*·lé

Puis-je arrêter la climatisation et ouvrir la fenêtre ?
   Posso spegnere l'aria   *po*·so *spé*·gné·ré *la*·ri·a
   condizionata e aprire   konn·di·tsyo·*na*·ta é a·*pri*·ré
   la finestra?   la fi·*nés*·tra

Ce n'est pas la peine de changer mes draps.
Non c'è bisogno di   nonn tché bi·*zo*·gno di
cambiare le lenzuola.   kamm·*bya*·ré lé lèn·*tswo*·la

achats

Où puis-je acheter des objets/souvenirs produits sur place ?
Dove posso comprare   *do*·vè *po*·so komm·*pra*·ré
oggetti/souvenirs di   o·*djé*·ti/souv·*nir* di
produzione locale?   pro·dou·*tsyo*·né lo·*ka*·lé

Vendez-vous des produits du commerce équitable ?
Vendete prodotti del   vènn·*dé*·té pro·*dot*·ti dèl
Commercio Equo e Solidale?   ko·*mèr*·tcho é·kwo é so·li·*da*·lé

alimentation

Vendez-vous …?	*Vendete …?*	venn·*dé*·té …
des produits	*prodotti*	pro·*dot*·ti
alimentaires	*alimentari*	a·li·mènn·*ta*·ri
locaux	*locali*	lo·*ka*·li
des produits	*prodotti*	pro·*do*·ti
bio	*biologici*	bi·o·*lo*·dji·tchi

Quels plats typiques me conseillez-vous de goûter ?
Mi può dire quali piatti   mi pwo *di*·ré *kwa*·li *pyat*·ti
tradizionali dovrei   tra·di·tsyo·*na*·li do·*vrey*
provare?   pro·*va*·ré

visites touristiques

Proposez-vous des circuits culturels ?
Si possono fare   si *po*·so·no *fa*·ré
gite culturali?   *dji*·té koul·tou·*ra*·li

Français	Italien	Prononciation
Est-ce que votre agence …?	*La vostra agenzia …?*	la *vos*·tra a·djèn·*tsi*·a …
donne de l'argent pour les causes humanitaires	*fa offerte a organizzazioni umanitarie*	fa of·*fèr*·té a or·ga·ni·tsa·*tsyo*·ni ou·ma·ni·*ta*·ryé
fait appel à des guides locaux	*assume guide del posto*	as·*sou*·mé *goui*·dé dèl *pos*·to
propose des visites d'entreprises locales	*visita imprese locali*	*vi*·si·ta im·*pré*·zé lo·*ka*·li
Le guide parle-t-il… ?	*La guida parla …?*	la *gwi*·da parla …
abruzzais	*Abruzzese*	a·brou·*tsé*·zé
apulien	*Pugliese*	pou·li·*é*·zé
calabrais	*Calabrese*	ka·la·*bré*·zé
émilien-romagnol	*Emiliano-Romagnolo*	é·mi·li·*a*·no ro·ma·*nyo*·lo
frioulan	*Friulano*	fri·ou·*la*·no
ligure	*Ligure*	*li*·gou·ré
lombard	*Lombardo*	lomm·*bar*·do
marchigiano	*Marchigiano*	mar·ki·*dja*·no
napolitain	*Napoletano*	na·po·lé·*ta*·no
ombrien	*Umbro*	*oumm*·bro
piémontais	*Piemontese*	pié·mon·*té*·zé
romain	*Romanesco*	ro·ma·*nès*·ko
sarde	*Sardo*	*sar*·do
sicilien	*Siciliano*	si·tchi·li·a·no
toscan	*Toscano*	to·*ska*·no
vénitien	*Veneto*	*vé*·né·to

Le genre des noms et des adjectifs est indiqué par un m (masculin) et/ou un f (féminin). Si le mot est au pluriel, il sera suivi de pl. Les adjectifs qui se terminent par -e, qui ont la même forme au masculin et au féminin, ne sont suivis d'aucune indication. Les mots et les expressions de ce dictionnaire sont classés par ordre alphabétique. Pour rechercher une expression, rendez-vous au premier mot (par exemple : **en noir et blanc** *in bianco e nero* est classée à "en").

A

à *a* a

— **côté de** *accanto a* ak·*kann*·to a

— **droite** *a destra* a dè·stra

— **l'étranger** *all'estero* al·lè·sté·ro

— **la mer** *al mare* al ma·ré

— **la retraite** *in pensione* inn pènn·syo·né

— **plein temps** *a tempo pieno* a tèmm·po pyè·no

abeille *ape* f a·pé

abîmé(e) *guasto/a* gwa·sto/a • *guastato/a* gwa·sta·to/a

abîmer *guastare* gwa·sta·ré

s'abîmer *guastarsi* gwa·star·si

abricot *albicocca* f al·bi·ko·ka

accident *incidente* m inn·tchi·dènn·té

accord m *accordo* ak·kor·do

accrocher *agganciare* ag·gann·tcha·ré

acheter *comprare* komm·pra·ré

actualité *attualità* f at·tou·a·li·ta

acupuncture *agopuntura* f a·go·pounn·tou·ra

addition *conto* m konn·to

administration *amministrazione* f am·mi·ni·stra·tsyo·né

admirer *ammirare* am·mi·ra·ré

adonné(e) *dipendente* m/f di·pènn·dènn·té

adresse *indirizzo* m inn·di·ri·tso

adulte *adulto* a/m/f a·doul·to/a

aérobic *aerobica* f a·é·ro·bi·ka

aéroport *aeroporto* m a·é·ro·por·to

affaire *affare* m pl af·fa·re

affranchir *affrancare* af·frann·ca·ré

Afrique *Africa* f a·fri·ka

âge *età* f é·ta

agence de voyage *agenzia* f *di viaggio* a·djènn·tsi·a di vya·djo

agenda f a·djènn·da

agire *agire* a·dji·ré

agneau *agnello* m a·nyèl·lo

agressif(ive) *aggressivo/a* m/f ag·gré·si·vo/a

agriculteur(trice) *agricoltore/agricoltrice* m/f a·gri·kol·to·ré/a·gri·kol·tri·tché

agriculture *agricoltura* f a·gri·kol·tou·ra

aide *aiuto* a·you·to

aider *aiutare* a·you·ta·ré

aides sociales *assistenza* f *sociale* as·si·stènn·tsa so·tcha·lé

aiguille *ago* m a·go

— **de seringue** *ago* m *da siringa* a·go da si·rinn·ga

aiguisé(e) *affilato/a* m/f af·fi·la·to/a

ail *aglio* m a·lyo

aile *ala* f a·la

aimer *amare* a·ma·ré

air *aria* f a·rya

— **conditionné** *aria condizionata* a·rya konn·di·tsyo·na·ta

alcool *alcol* m al·kol

Allemagne *Germania* f djér·ma·nya

aller *andare* ann·da·ré

s'en aller *andarsene* ann·dar·sé·né

(un) **aller simple** *(un biglietto di) solo andata* (ounn bi·lyèt·to di) so·lo ann·da·ta (billet) **aller-retour** *(biglietto) di andata e ritorno* (bi·lyè·to) di an·*da*·ta é ri·*tor*·no

allergia *allergia* f al·lér·*dji*·a

allocations chômage *sussidio* m *di disoccupazione* sous·si·dyo di di·zok·kou·pa·*tsyo*·né

allonger *allungare* al·lounn·*ga*·ré
  s'allonger *stendersi* stènn·dér·si

allumage *ascensione* f a·chènn·*syo*·né

allumette *fiammifero* m pl fyam·*mi*·fé·ro

alpinisme *alpinismo* m al·pi·*niz*·mo

altitude *quota* f *kwo*·ta

amande *mandorla* f mann·*dor*·la

amant *amante* m a·*mann*·té

ambassade *ambasciata* f amm·ba·*cha*·ta

ambassadeur(drice) *ambasciatore/ ambasciatrice* m/f amm·ba·cha·to·ré/ amm·ba·cha·*tri*·tché

ambulance *ambulanza* f

amende *multa* f moul·ta

Amérique *America* f a·*mè*·ri·ka

ami(e) *amico/a* m/f a·*mi*·ko/a

ampoule (électrique) *lampadina* f lamm·pa·*di*·na

ampoule *vescica* f vé·*chi*·ka

amusant(e) *divertente* di·vér·*tènn*·té

amuser *divertire* di·vér·*ti*·ré
  s'amuser *divertirsi* di·vér·*tir*·si

analgésique *analgesico* m a·nal·*djè*·zi·ko

analyse de sang *analisi* f *del sangue* a·*na*·li·zi dél *sann*·gwé

ananas *ananas* m a·na·nas

ancien(ne) *antico/a* m/f ann·*ti*·ko/a

anglais(e) *inglese* inn·*glè*·zé

angle *angolo* m ann·go·lo

Angleterre *Inghilterra* f inn·guil·*tèr*·ra

animal *animale* m a·ni·*ma*·lé

anneau *anello* m a·*nèl*·lo

année *anno* m *an*·no
  cette année *quest'anno* m kwè·*stan*·no
  l'année dernière *l'anno* m *scorso* lan·no *skor*·so

anniversaire *compleanno* m komm·plé·*an*·no

annonce *annuncio* m an·*nounn*·tcho

annuaire téléphonique *elenco* m *telefonico* é·*lènn*·ko té·lé·fo·ni·ko

annuel(le) *annuale* an·nou·*a*·lé

antibiotiques *antibiotici* m pl ann·ti·byo·ti·tchi

antihistaminiques *antistaminici* m pl ann·ti·sta·*mi*·ni·tchi

antinucléaire *antinucleare* ann·ti·nou·klé·*a*·ré

antiseptique *antisettico* m ann·ti·*sèt*·ti·ko

appareil *apparecchio* m ap·pa·rè·kyo
  — auditif *apparecchio acustico* ap·pa·*rè*·kyo a·*kou*·sti·ko
  — photo *macchina* f *fotografica* *mak*·ki·na fo·to·*gra*·fi·ka

appartement *appartamento* m ap·par·ta·*mènn*·to

appel *chiamata* f kya·*ma*·ta
  — à la charge du destinataire *chiamata* f *a carico del destinatario* kya·*ma*·ta a *ka*·ri·ko dél dé·sti·na·*ta*·ryo

appendicite *appendicite* f ap·pènn·*di*·tchi·té

apprendre *imparare* imm·pa·*ra*·ré

après *dopo* do·po

après-demain *dopodomani* do·po·do·*ma*·ni

après-midi *pomeriggio* m po·mé·*ri*·djo

après-rasage *dopobarba* m do·po·*bar*·ba

après-shampooing *balsamo* m *per i capelli* bal·sa·mo pér i ka·*pè*·li

arachides *arachidi* f pl a·*ra*·ki·di

araignée *ragno* m *ra*·nyo

arbitre *arbitro* m *ar*·bi·tro

arbre *albero* m al·*bé*·ro

archéologique *archeologico/a* m/f ar·ké·o·*lo*·dji·ko/a

architecte *architetto* m ar·ki·*tèt*·to

architecture *architettura* f ar·ki·tét·*tou*·ra

argent (matière) *argento* m ar·*djènn*·to

argent *denaro* m dé·*na*·ro • *soldi* m pl *sol*·di

armoire *armadio* m ar·*ma*·dyo

arrêt *fermata* f fér·*ma*·ta
  — d'autobus *fermata* f *d'autobus* fér·*ma*·ta da·ou·to·bou·se

arrêter *fermare* fér·*ma*·ré
  — (un voleur) *arrestare* ar·ré·*sta*·ré

arrivée *arrivo* m ar·*ri*·vo

arriver *arrivare* ar·ri·va·ré

art *arte* f ar·té
artiste *artista* m et f ar·ti·sta
arts martiaux *arti* f pl *marziali* ar·ti mar·tsya·li
ASA *ASA* a·za
ascenseur *ascensore* m a·chènn·so·ré
Asie *Asia* f a·zya
asperges *asparagi* m pl a·spa·ra·dji
aspirateur *aspiratore* m a·spi·ra·to·ré
aspirine *aspirina* f a·spi·ri·na
asseoir *sedere* sé·dè·ré
assez *abbastanza* ab·ba·stann·tsa
assiette *piatto* m pyat·to
 — **creuse** *piatto fondo* pyat·to *fonn*·do
assurance *assicurazione* f as·si·kou·ra·tsyo·né
asthme *asma* f az·ma
atelier *laboratorio* m la·bo·ra·to·ryo
athlétisme *atletica* f a·tlè·ti·ka
attendre *aspettare* a·spét·ta·ré
attente (sur la liste d') *attesa* f *(in lista d'* at·tè·za (inn *li*·sta d')
aube *alba* f al·ba
auberge de jeunesse *ostello* m *della gioventù* o·stèl·lo dè·la djo·vènn·*tou*
aubergine *melanzana* f mé·lann·*dza*·na
aucun(e) des deux *nessuno/a dei due* m/f nés·*sou*·no/a deille *dou*·é
aujourd'hui *oggi* o·dji
aussi *anche* ann·ké
Australie *Australia* f a·ou·stra·lya
autel *altare* m al·*ta*·ré
autobus *autobus* m a·ou·to·bou·se
autocar *pullman* m poul·mann
automatique *automatico/a* m/f a·ou·to·*ma*·ti·ko/a
automne *autunno* m a·ou·*toun*·no
autorisation *permesso* m pér·*mès*·so
autoroute *autostrada* f a·ou·to·*stra*·da
auto-stop *autostop* a·ou·to·stop
autre *altro/a* m/f *al*·tro/a
autrefois *una volta* f ou·na *vol*·ta
avant *prima* *pri*·ma
avant-hier *altro ieri* m *al*·tro yè·ri
avare *avaro/a* m/f a·*va*·ro/a

avec *con* konn
aventure *avventura* f av·vènn·*tou*·ra
avenue *viale* m vya·lé
aveugle *cieco/a* m/f tchè·ko/a
avion *aereo* m a·è·ré·o
aviron *canottaggio* m ka·not·*ta*·djo
aviser *avvertire* av·vér·ti·ré
avocat (fruit) *avocado* m a·vo·*ka*·do
avocat(e) *avvocato/a* m/f av·vo·*ka*·to/a
avoine *avena* f a·vè·na
avoir *avere* a·vè·ré
 — **besoin de** *avere bisogno di* a·vè·ré bi·zo·nyo di
 — **faim** *avere fame* f a·vè·ré *fa*·mé
 — **soif** *avere sete* f a·vè·ré sè·té
 — **sommeil** *avere sonno* m a·vè·ré *son*·no
avortement *aborto* m a·*bor*·to

B

baby-sitter *baby-sitter* m et f bé·bi·*sit*·tér
bac *traghetto* m tra·*guèt*·to
bagage *bagaglio* m ba·*ga*·lyo
 — **autorisé** *bagaglio* m *consentito* ba·*ga*·lyo konn·sènn·*ti*·to
 — **à main** *bagaglio* m *a mano* ba·*ga*·lyo a *ma*·no
bain *bagno* m *ba*·nyo
baiser *bacio* m *ba*·tcho
bal *ballo* m bal·lo
balcon *balcone* m bal·*ko*·né
balle *palla* f *pal*·la
 — **de golf** *palla* f *da golf* *pal*·la da golf
ballet *balletto* m bal·*lè*·to
ballon *pallone* m pal·*lo*·né
bande *fascia* f *fa*·cha
banque *banca* f *bann*·ka
baptême *battesimo* m bat·tè·zi·mo
bar *locale* m lo·*ka*·lé
barque *barca* f *bar*·ka
bas *calze* f pl kal·tsé
bas(se) *basso/a* m/f *bas*·so/a
base-ball *baseball* m bè·zbol
basket-ball *pallacanestro* f pal·la·ka·*nè*·stro
bateau *nave* f *na*·vé

batterie *batteria* f bat·té·*ri*·a
beau/belle *bello/a* m/f bèl·lo/a
beaucoup *molto*
beaucoup de *molto/a* m/f mol·to/a
beau-père *suocero* m swo·tché·ro
bêche *vanga* f vann·ga
belle-mère *suocera* f swo·tché·ra
berceau *culla* f koul·la
berner *imbrogliare* imm·bro·*lya*·ré
besoin *bisogno* m bi·zo·nyo **· besoin de
(avoir)** *avere bisogno di*
a·vè·ré bi·zo·nyo di
betterave *barbabietola* f bar·ba·byè·to·la
beurre *burro* m bour·ro
bible *bibbia* f bib·bya
bibliothèque *biblioteca* f bi·bli·o·tè·ka
bicyclette *bicicletta* f bi·tchi·*klèt*·ta **· faire
du vélo** *andare in bicicletta* ann·*da*·ré inn
bi·tchi·*klèt*·ta
bidon *bidone* m bi·do·né
bientôt *presto* m/f *prè*·sto
bière *birra* f bir·ra
— blonde *birra* f *chiara* bi·ra kya·ra
bijou *gioiello* m djo·yèl·lo
billard *biliardo* m bi·*lyar*·do
billet *biglietto* m bi·*lyèt*·to
— de banque *banconota* f
bann·ko·no·ta
billetterie *biglietteria* f bi·lyét·té·*ri*·a
biscuit *biscotto* m bi·*skot*·to
blanc/blanche *bianco/a* m/f byann·ko/a
blessé(e) *ferito/a* m/f fé·*ri*·to/a
blesser *ferire* f fé·*ri*·ré
blessure *ferita* f fé·*ri*·ta
bleu *livido* m li·vi·do
bleu(e) (clair) *azzurro/a* m/f a·dzour·ro/a
bleu(e) (foncé) *blu* blou
blond(e) *biondo/a* m/f byonn·do/a
bloqué(e) *bloccato/a* m/f blok·*ka*·to/a
bœuf *manzo* m mann·dzo
boire *bere* bè·ré
bois *legno* m lè·nyo
— à brûler *legna* f *da ardere* lè·nya da
ar·dé·ré
boisson *bevanda* f bé·*vann*·da
boîte *scatola* f ska·to·la **· petite boîte**
scatoletta f ska·to·*lèt*·ta

— de conserve *barattolo* m ba·*rat*·to·lo
— aux lettres *buca* f *delle lettere* bou·ka
dé·lé *lèt*·té·ré
bon(ne) *buono/a* m/f bwo·no/a
bonbons *caramelle* f pl ka·ra·mèl·lé
— à la menthe *caramelle* f pl *alla menta*
ka·ra·mèl·lé a·la mènn·ta
bondé(e) *affollato/a* m/f af·fol·*la*·to/a
bord, à *a bordo* a bor·do
bord de mer *lungomare* m lounn·go·*ma*·ré
bottes *stivali* m pl sti·*va*·li
bouche *bocca* f bok·ka
boucherie *macelleria* f
ma·tchél·lé·*ri*·a
bouchon *tappo* m tap·po **· bouchons
d'oreille** *tappi* m pl *per le orecchie* tap·pi
pér lé o·rèk·kyé
boucles d'oreille *orecchini* m pl o·rék·*ki*·ni
bouddhiste *buddista* m et f boud·*di*·sta
boue *fango* m fann·go
boulangerie *panetteria* f pa·nét·té·*ri*·a
boussole *bussola* f bous·so·la
bouteille *bottiglia* f bot·*ti*·lya
bouton *bottone* m bot·to·né
boxe *pugilato* m pou·dji·*la*·to
braille *braille* m braille
bras *braccio* m *bra*·tcho
brebis *pecora* f *pè*·ko·ra
brillant(e) *brillante* m/f bril·*lann*·té
briquet *accendino* m
a·tchènn·*di*·no
bronchite *bronchite* f bronn·*ki*·té
brosse à dents *spazzolino* m *da denti*
spa·tso·*li*·no da dènn·ti
brûler *bruciare* brou·*tcha*·ré
brûlure *scottatura* f skot·ta·*tou*·ra
brumeux(euse) *nebbioso/a* m/f
néb·byo·zo/a
bruyant(e) *rumoroso/a* m/f rou·mo·ro·zo/a
budget *bilancio* m bi·*lann*·tcho
bureau *ufficio* m ouf·fi·tcho
— de poste *ufficio postale* ouf·fi·tcho
po·*sta*·lé
— des objets perdus *ufficio oggetti
smarriti* ouf·fi·tcho o·*djèt*·ti sma·*ri*·ti

C

cabine téléphonique *cabina* f *telefonica*
ka·*bi*·na te·lé·fo·ni·ka

câbles de démarrage *cavi* m pl *con
morsetti* ka·vi m konn mor·*sèt*·ti

cacahouète *arachide* f a·ra·ki·dé

cacao *cacao* m ka·*ka*·o

cadeau *regalo* m ré·*ga*·lo
— **de mariage** *regalo* m *di nozze* ré·*ga*·lo
di *no*·tsé

cadenas *lucchetto* m lou·*kèt*·to

café *caffè* m kaf·fè • *bar* m bar

cahier *quaderno* m kwa·*dèr*·no

caisse *cassa* f *kas*·sa

caissier(ère) *cassiere/a* m/f kas·syè·ré/a

calculatrice *calcolatrice* f
kal·ko·la·*tri*·tché

calendrier *calendario* m ka·lènn·*da*·ryo

caméra vidéo *videocamera* f
vi·dé·o·*ka*·mé·ra

camion *camion* m ka·myonn

campagne *campagna* f kamm·*pa*·nya

camper *campeggiare* kamm·pé·*dja*·ré

camping *campeggio* m kamm·pè·djo

Canada *Canada* m ka·na·da

canard *anatra* f a·na·tra

cancer *cancro* m kann·kro

caravane *roulotte* f rou·lot·té

carême *quaresima* f kwa·rè·zi·ma

carotte *carota* f ka·*ro*·ta

carte *carta* f pl kar·ta • *tessera* f tès·sé·ra
— **d'embarquement** *carta d'imbarco*
kar·ta dimm·bar·ko
— **d'identité** *carta d'identità*
kar·ta d·dènn·ti·ta • *documento* m
d'identità do·kou·*mènn*·to di·dènn·ti·ta
— **de crédit** *carta f di credito* kar·ta di
krè·di·to
— **grise** *libretto* m *di circolazione*
li·*brèt*·to di tchir·ko·la·tsyo·né
— **postale** *cartolina* f kar·to·*li*·na
— **téléphonique** *scheda* f *telefonica*
skè·da té·lé·fo·ni·ka

carton *scatola* f *ska*·to·la

cartouche de camping-gaz *cartuccia*
f *di ricambio del gas* kar·tou·tcha di

ri·*kamm*·byo dél gaz

cascade *cascata* f ka·*ska*·ta

casher *kasher* ka·chér

casier *armadietto* m ar·ma·*dyèt*·to
— **à bagages** *armadietto per i bagagli*
ar·ma·*dyèt*·to pér i ba·*ga*·lyi

casino *casinò* m ka·zi·*no*

casque *casco* m ka·sko

cassé(e) *rotto/a* m/f rot·to/a

casser *rompere* romm·pé·ré

casserole *pentola* f *pènn*·to·la

cassette *cassetta* f kas·*sèt*·ta
— **vidéo** *videonastro* m vi·dé·o·*na*·stro

catholique *cattolico/a* m/f kat·to·li·ko/a

caution *caparra* f ka·pa·ra

cave *cantina* f kann·*ti*·na
— **viticole** *cantina* f kann·*ti*·na

caviar *caviale* m ka·vya·lé

CD *cidì* m tchi·*di*

ce(t)/cette *questo/a* m/f *kwè*·sto/a

ceinture de sécurité *cintura* f *di sicurezza*
tchinn·*tou*·ra di si·kou·rè·tsa

célébration *celebrazione* f
tché·lé·bra·tsyo·né

célèbre *famoso/a* m/f fa·mo·zo/a

célibataire (homme) *celibe* m *tchè*·li·bé

célibataire (femme) *nubile* f nou·bi·lé

cendrier *portacenere* m por·ta·tchè·né·ré

centime *centesimo* m tchènn·*tè*·zi·mo

centimètre *centimetro* m
tchènn·*ti*·mé·tro

centre *centro* m tchènn·tro
— **commercial** *centro* m *commerciale*
tchènn·tro kom·mér·*tcha*·lé
— **historique** *centro* m *storico*
tchènn·tro sto·ri·ko
— **téléphonique** *centro* m *telefonico*
tchènn·tro té·lé·fo·ni·ko

céréales *cereali* m pl tché·ré·*a*·li

certificat *certificato* m
tchér·ti·fi·*ka*·to

chacun(e) *ciascuno/a* m/f tcha·*sko*·nou·o/a

chaîne *catena* f ka·tè·na
— **de bicyclette** *catena* f *di bicicletta*
ka·tè·na di bi·tchi·*klèt*·ta
— **de montagne** *catena* f *di montagne*
ka·tè·na di monn·*ta*·nyé

chaines (pour la neige) *catene* f pl *da neve* ka-tè-né da nè-vé

chaise *sedia* f sè-dya • *sedile* m sé-*di*-lé

chaleur *caldo* m *kal*-do

chambre *camera* f ka-*mé*-ra

— **à air** *camera f d'aria* ka-*mé*-ra *da*-rya

— **à coucher** *camera f da letto* ka-*mé*-ra da *lèt*-to

— **double** *camera f doppia* ka-*mé*-ra *dop*-pya

— **simple** *camera f singola* ka-*mé*-ra *sinn*-go-la

champignon *fungo* m *founn*-go

championnat *campionato* m kamm-pyo-*na*-to

chance *fortuna* f for-*tou*-na

chanceux(euse) *fortunato/a* m/f for-tou-*na*-to/a

chandail *maglione* m ma-*lyo*-né

chandelle *candela* f kann-*dè*-la

change *cambio* m *(valuta)* kamm-byo (va-*lou*-ta)

changement de vitesse *cambio* m *kamm*-byo

changer *cambiare* kamm-*bya*-ré

chanson *canzone* f kann-*tso*-né

chant *canto* m *kann*-to

chanter *cantare* kann-*ta*-ré

chanteur(euse) *cantante* m/f kann-*tann*-té

chapeau *cappello* m kap-*pè*-lo

charcuterie *salumeria* f sa-lou-mé-*ri*-a

chariot *carrello* m kar-*rèl*-lo

charpentier *carpentiere* m kar-*pènn*-tyè-ré

chasse *caccia* f ka-tcha

chat *gatto* m *gat*-to

château *castello* m ka-*stèl*-lo

chaton *gattino* m gat-*ti*-no

chaud(e) *caldo/a* m/f *kal*-do/a

chauffage *riscaldamento* m ri-skal-da-*mènn*-to

— **central** *riscaldamento m centrale* ri-skal-da-*mènn*-to tchènn-*tra*-lé

chaussettes *calzini* m pl cal-*tsi*-ni

chaussures *scarpe* f pl *skar*-pé

— **de foot** *scarpette* f pl skar-*pèt*-té

— **de marche** *scarponi* m pl skar-*po*-ni

— **de ski** *scarponi* m pl *(da sci)* skar-*po*-ni (da chi)

chef *capo* m *ka*-po

chemin *sentiero* m sènn-*tyè*-ro

chemise *camicia* f ka-*mi*-tcha

chèque *assegno* m as-sè-nyo

cher/chère *caro/a* m/f ka-ro/a

chercher *cercare* tchér-*ka*-ré

cheval *cavallo* m ka-*va*-lo • **faire du cheval** *andare a cavallo* ann-*da*-ré a ka-*val*-lo • *cavalcare* ka-val-*ka*-ré

cheville *caviglia* f ka-*vi*-lya

chèvre *capra* f *ka*-pra

chewing-gum *gomma f da masticare* *gom*-ma da ma-sti-*ka*-ré

chien *cane* m *ka*-né

— **d'aveugle** *cane m guida* *ka*-né *gwi*-da

chiot *cucciolo* m kou-*tcho*-lo

chocolat *cioccolato* m tchok-ko-*la*-to

chômeur(euse) *disoccupato/a* m/f di-zok-kou-*pa*-to/a

chou *cavolo* m *ka*-vo-lo

chou-fleur *cavolfiore* m ka-vol-*fyo*-ré

choux de Bruxelles *cavoletti* m pl *di Bruxelles* ka-vo-*lèt*-ti di brouk-*sèl*

chrétien(ne) *cristiano/a* m/f kri-*stya*-no/a

cidre *sidro* m *si*-dro

ciel *cielo* m *tchè*-lo

cigare *sigaro* m *si*-ga-ro

cigarette *sigaretta* f si-ga-*rèt*-ta

cime *cima* f *tchi*-ma

cinéma *cinema* m *tchi*-né-ma

cirque *circo* m *tchir*-ko

ciseaux *forbici* f pl *for*-bi-tchi

citron *limone* m li-*mo*-né

clair(e) *chiaro/a* m/f *kya*-ro/a

classe *classe* f *klas*-sé • **première/seconde classe** *prima/seconda classe* f *pri*-ma/ sé-*konn*-da *klas*-sé

— **affaires** *classe f business* *kla*-sé *biz*-nèse

— **économique** *classe f turistica* *klas*-sé tou-*ri*-sti-ka

classique *classico/a* m/f *kla*-si-ko/a

clavier *tastiera* f ta-*stiè*-ra

clef *chiave* f *kya*-vé

client(e) *cliente* m et f kli-*ènn*-té

clignotant *freccia* f frè·tcha

clôture *recinto* m ré·*tchinn*·to

cochon *maiale* m ma·*ya*·lé

code postal *codice* m *postale* ko·di·tché po·*sta*·lé

cœur *cuore* m *kwo*·ré

coffre-fort *cassaforte* f kas·sa·for·té

coiffeur (pour hommes) *barbiere* m bar·*byè*·ré

coiffeur(euse) *parrucchiere/a* m/f par·rou·*kyè*·ré/a

col (montagne) *passo* m *pas*·so

colère *rabbia* f *rab*·bia • **en colère** *arrabbiato/a* m/f a·rab·*bya*·to/a

colis *pacchetto* m pak·*kè*·to

collant *collant* f pl kol·*lannt*

collègue *collega* m et f kol·*lè*·ga

colline *collina* f kol·*li*·na

collyre *collirio* m kol·*li*·ryo

combien *quanto/a* m/f *kwann*·to/a

combinaison de plongée *muta di subacqueo* f *mou*·ta di sou·ba·*kwé*·o

comédie *commedia* f kom·*mè*·dya

commande *ordine* m or·di·né

commander *ordinare* or·di·*na*·ré

comme *come* ko·mé

commencer *cominciare* ko·minn·*tcha*·ré

comment *come* ko·mé

commerce *commercio* m kom·*mèr*·tcho

commission *commissione* f kom·mi·*syo*·né

communion *comunione* f ko·mou·*nyo*·né

communiste *comunista* m et f ko·mou·*ni*·sta

compagnon/compagne *compagno/a* m/f kom·*pa*·nyo/a

complet(ète) *completo/a* m/f komm·*plè*·to/a

comprendre *capire* ka·pi·ré

compris(e) *compreso/a* m/f komm·*prè*·zo/a

compte *conto* m *konn*·to
  — bancaire *conto* m *in banca* conn·to inn *bann*·ka

compter *contare* konn·*ta*·ré

comptoir *bancone* m bann·*ko*·né

---

concert *concerto* m konn·*tchèr*·to

concombre *cetriolo* m tché·tri·o·lo

conduire *guidare* gwi·*da*·ré • *portare* por·*ta*·ré

confession (religieuse) *confessione* f konn·*fés*·syo·né

confirmer *confermare* konn·fèr·*ma*·ré

confiture *marmellata* f mar·mél·*la*·ta

confortable *comodo/a* m/f ko·mo·do/a

congelé(e) *congelato/a* m/f konn·djé·*la*·to/a

congeler *congelare* konn·djé·*la*·ré

connaître *conoscere* ko·no·ché·ré

conservateur(trice) *conservatore/conservatrice* m/f konn·sér·va·to·ré/konn·sér·va·*tri*·tché

consigne *deposito* m *bagagli* dé·po·zi·to ba·*ga*·lyi

constipation *stitichezza* f sti·ti·*kè*·tsa

constructeur(trice) *costruttore/costruttrice* m/f ko·strout·to·ré/ko·strout·*tri*·tché

construction *costruzione* ko·strou·*tsyo*·né

construire *costruire* ko·strou·i·ré

consulat *consolato* m konn·so·*la*·to

consulter *consultare* konn·soul·*ta*·ré

contraceptif *contraccettivo* m konn·tra·tchét·*ti*·vo

contrat *contratto* m konn·*trat*·to

contrôler *controllare* konn·trol·*la*·ré

contrôleur *controllore* m konn·trol·*lo*·ré

corde *corda* f kor·da
  — à linge *corda* f *del bucato* kor·da dél bou·*ka*·to

corps *corpo* m kor·po

correspondance *coincidenza* f ko·inn·tchi·*dènn*·tsa

corrompre *corrompere* kor·romm·pé·ré

corrompu(e) *corrotto/a* m/f kor·rot·to/a

côte *costa* f ko·sta

côté *lato* m *la*·to

côté de, à *accanto a* ak·*kann*·to a

coton *cotone* m ko·to·né • **en (coton)** *di (cotone)* di (ko·to·né)

cou *collo* m ko·lo

couche (de bébé) *pannolino* m pan·no·*li*·no

couche *strato* m *stra*-to
— **d'ozone** *strato* m *d'ozono*
stra-to do-dzo-no
coucher du soleil *tramonto* m tra-*monn*-to
coudre *cucire* kou-*tchi*-ré
couleur *colore* m ko-*lo*-ré
couloir *corridoio* m kor-ri-*do*-yo
coup de fil *chiamata* f kya-*ma*-ta
coupable *colpevole* kol-*pè*-vo-lé
coupe de cheveux *taglio* m *di capelli*
ta-lyo di kap-*pè*-li
Coupe du monde *Coppa* f *del mondo*
kop-pa dél *monn*-do
coupe-ongles *tagliaunghie* m
ta-lya-*ounn*-guyé
couper *tagliare* ta-*lya*-ré
cour (tribunal) *corte* f kor-té
courageux(euse) *coraggioso/a* m/f
ko-ra-djo-zo/a
courant (électrique) *corrente* f kor-*rènn*-té
courgettes *zucchini* m pl tsouk-*ki*-ni
courir *correre* kor-ré-ré
courrier *posta* f *po*-sta
— **prioritaire** *posta* f *prioritaria* po-sta
pri-o-ri-*ta*-rya
courroie de ventilation *cinghia* f *della*
ventola tchinn-*guya* dèl-la *vènn*-to-la
cours *corso* m kor-so
course *corsa* f kor-sa • *gara* m *ga*-ra
court(e) *corto/a* m/f kor-to/a
coussin *cuscino* m kou-*chi*-no
couteau *coltello* m kol-*tèl*-lo
coûter *costare* ko-*sta*-ré
coutume *abitudine* f a-bi-tou-di-né
couturier *sarto* m sar-to
couvent *convento* m konn-*vènn*-to
couvert (restaurant) *coperto* m ko-*pèr*-to
couverts *posate* f pl po-*za*-té
couverture *coperta* f ko-*pèr*-ta
couvertures et draps *coperte* f pl
e lenzuola f pl ko-*pèr*-té é lènn-*zwo*-la
crayon *matita* f ma-*ti*-ta
crèche *asilo* m *nido* a-zi-lo *ni*-do
crème (fraiche) *panna* f *pan*-na
— **à raser** *crema* f *da barba*
krè-ma da *bar*-ba
— **acide** *panna* f *acida* pan-na *a*-tchi-da

— **bronzante** *lozione* f *abbronzante*
lo-*tsyo*-né ab-bronn-*dzann*-té
— **hydratante** *idratante* m i-dra-*tann*-té
— **solaire** *crema* f *solare* krè-ma so-*la*-ré
crevaison *bucatura* f bou-ka-*tou*-ra
cricket *cricket* m kri-*kète*
criminalité *criminalità* f kri-mi-na-li-*ta*
Croatie *Croazia* m kro-*a*-tsya
croisement *incrocio* m inn-*kro*-tcho
croix *croce* f kro-*tché*
croyant(e) *religioso/a* m/f ré-li-djo-zo/a
cru(e) *crudo/a* m/f krou-do/a
cuillère *cucchiaio* m kouk-*kya*-yo • **petite**
cuillère *cucchiaino* m kouk-kya-*i*-no
cuir *cuoio* m *kwo*-yo
cuisine *cucina* f kou-*tchi*-na
cuisiner *cucinare* kou-tchi-*na*-ré
cuisinier(ère) *cuoco/a* m/f *kwo*-ko/a
cure-dent *stuzzicadenti* m
stou-tsi-ka-*dènn*-ti
curry *curry* m kour-ri
— **en poudre** *polvere* f *da curry* pol-vé-ré
da *kour*-ri
CV *curriculum vitae* m kour-*ri*-kou-loumm
vi-té
cyclisme *ciclismo* m tchi-*kliz*-mo
cycliste *ciclista* m et f tchi-*kli*-sta
cystite *cistite* f tchi-*sti*-té

D

dangereux(euse) *pericoloso/a* m/f
pé-ri-ko-lo-zo/a
dans *dentro* *dènn*-tro
— **(1 heure)** *entro (un'ora)* ènn-tro
(ounn-o-ra)
danse *ballo* m *bal*-lo
danser *ballare* bal-*la*-ré
date *data* f *da*-ta
— **de naissance** *data* f *di nascita*
da-ta di *na*-chi-ta
dealer *spacciatore/spacciatrice* m/f
spa-tcha-to-ré/spa-tcha-*tri*-tché
début *inizio* m i-ni-tsyo
décalage horaire *disturbi* m pl
da fuso orario di-*stour*-bi da *fou*-zo
o-*ra*-ryo

déchets *rifiuti* m pl ri·fiu·ti
   — **nucléaires** *scorie* f pl *radioattive*
   *sko·*ryé ra·dyo·at·ti·vé
   — **toxiques** *rifiuti* m pl *tossici* ri·*fyou·*ti
   *tos·*si·tchi
défectueux(euse) *difettoso/a* m/f
   di·fét·*to·*zo/a
dégustation de vins *degustazione* f *dei*
   vini dé·gou·sta·*tsyo·*né deille *vi·*ni
dehors *fuori* fwo·ri
déjà *già* dja
délit *delitto* m dé·*lit·*to
demain *domani* do·*ma·*ni
demander *richiedere* ri·kyè·dé·ré
démangeaison *prurito* m prou·*ri·*to
démocracie *democrazia* f dé·mo·kra·*tsi·*a
dent *dente* m dènn·té
dentelle *merletto* m mér·*lèt·*to
dentifrice *dentifricio* m dénn·ti·*fri·*tcho
dentiste *dentista* m et f dènn·*ti·*sta
déodorant *deodorante* m de·o·do·*rann·*té
dépannage *riparazione* f ri·pa·ra·*tsyo·*né
départ *partenza* f par·tènn·tsa
dépôt *deposito* m dé·*po·*zi·to
depuis *da* da
dérailleur *cambio* m *di velocità* *kamm·*byo
   di vé·lo·tchi·*ta*
dernier(ère) *ultimo/a* m/f oul·*ti·*mo/a
derrière *dietro* dyè·tro
descendre *scendere* chènn·dé·ré
   — **à l'hôtel** *fermarsi in albergo* fér·*mar·*si
   i·nal·*bèr·*go
désinfectant *disinfettante* m
   di·zinn·fét·*tann·*té
désirer *desiderare* dé·si·dé·*ra·*ré
dessert *dolce* m dol·tché
destination *destinazione* f dé·sti·na·*tsyo·*né
détendre *rilassare* ri·las·sa·ré
   se détendre *rilassarsi* ri·las·*sar·*si
diabète *diabete* m dya·bè·té
diaphragme *diaframma* m dya·*fram·*ma
diapositive *diapositiva* m
   dya·po·zi·*ti·*va
diarrhée *diarrea* f dyar·rè·a
dictionnaire *vocabolario* m vo·ka·bo·*la·*ryo
diesel *diesel* m di·zél
dieu/déesse *dio/dea* m/f di·o/dè·a

différence de fuseau horaire *differenza*
   f *di fuso orario* dif·fé·rènn·tsa di *fou·*zo
   o·*ra·*ryo
différent(e) *diverso/a* di·vèr·so/a • *differente*
   dif·fé·rènn·té
difficile *difficile* dif·fi·tchi·lé
dimension *dimensione* f di·ménn·*syo·*ne
dinde *tacchino* m tak·*ki·*no
dîner *cena* f tchè·na
diplôme *titolo* m *di studio* *ti·*to·lo di
   *stou·*dyo
dire *dire* di·ré
direct(e) *diretto/a* m/f di·rèt·to/a
direction *direzione* f di·ré·*tsyo·*né
discrimination *discriminazione* f
   di·skri·mi·na·*tsyo·*né
dispute *bisticcio* m bi·*sti·*tcho • *lite* f *li·*té
disputer *sgridare* sgri·*da·*ré
   se disputer *litigare* li·ti·*ga·*ré
disquette *dischetto* m di·skèt·to
distributeur (automatique) de billets
   Bancomat m *bann·*ko·mat
divertissement *divertimento* m
   di·vér·ti·*ménn·*to
divorcé(e) *divorziato/a* m/f di·vor·tsya·to/a
doigt *dito* m *di·*to, *dita* pl *di·*ta
   — **de pied** *dito* m *del piede* *di·*to dél
   pyè·dé
dollar *dollaro* m *dol·*la·ro
dôme *duomo* m dwo·mo
dommage *danno* m dan·no
donner *dare* da·ré
   — **un coup de pied** *dare un calcio* da·ré
   ounn *kal·*tcho
dormir *dormire* dor·*mi·*ré
dos *schiena* f skyè·na
dose excessive *dose* f *eccessiva* do·zé
   é·tchés·*si·*va
douane *dogana* f do·*ga·*na
double *doppio/a* m/f dop·pyo/a
douche *doccia* f do·tcha
douleur *dolore* m do·lo·ré
douleurs menstruelles *dolori* m pl
   mestruali do·*lo·*ri mé·strou·a·li
   — **prémenstruelles** *tensione* f
   premestruale tènn·*syo·*né
   pré·mé·*strou·*a·lé

douloureux(euse) *doloroso/a* m/f
do·lo·ro·zo/a

doux/douce *dolce* dol·tché · *morbido/a*
m/f mor·bi·do/a

douzaine *dozzina* f do·dzi·na

drame *dramma* m dram·ma

drap *lenzuolo* m lènn·tswo·lo, *lenzuola* f pl
lènn·tswo·la

drapeau *bandiera* f bann·dyè·ra

drogue *droga* f sg dro·ga

droit(e) *diritto/a* m/f dir·ri·to/a · **(à) droite**
(a) destra (a) dè·stra · **(de) droite** *(di)
destra* (di) dè·stra

droits de l'homme *diritti* m pl *umani*
di·rit·ti ou·ma·ni

dur(e) *duro/a* m/f dou·ro/a

durant *durante* dou·rann·té

E

eau *acqua* f a·kwa
— **bouillie** *acqua bollita*
a·kwa bol·li·ta
— **chaude** *acqua calda* a·kwa kal·da
— **du robinet** *acqua del rubinetto*
a·kwa dél rou·bi·nèt·to
— **minérale** *(acqua) minerale* f (a·kwa)
mi·né·ra·lé
— **plate** *acqua non gassata*
a·kwa nonn gas·sa·ta

écharpe *sciarpa* f shar·pa

échecs *scacchi* m pl skak·ki

échographie *ecografia* f é·ko·gra·fi·a

école *scuola* f skwo·la
— **maternelle** *asilo* m a·zi·lo

économique *economico/a* m/f
é·ko·no·mi·ko/a

Écosse *Scozia* f sko·tsya

écouter *ascoltare* a·skol·ta·ré

écrevisse *gambero* m gamm·bé·ro

écrire *scrivere* skri·vé·ré

écrivain(e) *scrittore/scrittrice* m/f skrit·to·ré/
skrit·tri·tché

eczéma *eczema* m ék·dzè·ma

édifice *edificio* m é·di·fi·tcho

éducation *istruzione* f i·strou·
tsyo·né

effacer *cancellare* kann·tchél·la·ré

église *chiesa* f kyè·za

égoïste *egoista* m/f é·go·i·sta

élections *elezioni* f pl é·lé·tsyo·ni

électricien(ne) *elettricista* m et f
é·lét·tri·tchi·sta

électricité *elettricità* f é·lét·tri·tchi·ta

elle *lei* leille

embarassé(e) *imbarazzato/a* m/f
imm·ba·ra·tsa·to/a

embout *boccaglio* m bok·ka·lyo

embouteillage *ingorgo* m inn·gor·go

embrasser *baciare* ba·tcha·ré · *abbracciare*
ab·bra·tcha·ré

embrayage *frizione* f fri·tsyo·né

émotif(ive) *emotivo/a* m/f
é·mo·ti·vo/a

employé(e) *impiegato/a* m/f
imm·pyé·ga·to/a

employeur(euse) *datore/datrice* m/f *di
lavoro* da·to·ré/da·tri·tché di la·vo·ro

emprunter *prendere in prestito* prènn·dé·ré
inn prè·sti·to

en *in* inn
— **bas** *giù* djou
— **bonne santé** *in buona salute* inn
bwo·na sa·lou·té
— **colère** *arrabbiato/a* m/f
ar·rab·bya·to/a
— **face de** *di fronte a* di fronn·té a
— **montée** *in salita* inn sa·li·ta
— **noir et blanc** *in bianco e nero* inn
byann·ko é nè·ro
— **panne** *guasto/a* m/f gwa·sto/a
— **retard** *in ritardo* m/f inn ri·tar·do
— **vente** *in vendita* inn vènn·di·ta

encaisser un chèque *riscuotere un assegno*
ri·skwo·té·ré ounn as·sè·nyo

en-cas *spuntino* m spounn·ti·no

enceinte *incinta* inn·tchinn·ta

encore *di nuovo* di nwo·vo
— **pas encore** *non ancora* nonn ann·ko·ra

endroit *luogo* m lwo·go

énergie *energia* f é·nér·dji·a
— **nucléaire** *energia* f *nucleare* é·nér·dji·a
nou·klé·a·ré

enfant *bambino/a* m/f bamm·bi·no/a ·
bimbo/a m/f bimm·bo/a

enflure *gonfiore* m gonn-*fyo*-ré
ennuyé(e) *annoiato/a* m/f an-no-*ya*-to/a
ennuyeux(euse) *noioso/a* m/f no-*yo*-zo/a
énorme *enorme* é-*nor*-mé
enregistrement (aéroport) *accetazione* f a-tché-ta-*tsyo*-né
enregistrement (hôtel) *registrazione* f ré-dji-stra-*tsyo*-né
enrhumé(e) *raffreddato/a* m/f raf-fré-*da*-to/a
enseignant(e) *insegnante* m et f inn-sé-*nyann*-té
ensemble *insieme* inn-*syè*-mé
ensoleillé(e) *soleggiato/a* m/f so-lé-*dja*-to/a
entendre *sentire* sènn-*ti*-ré
enterrement *funerale* m fou-né-*ra*-lé
entorse *storta* f *stor*-ta
entraînement *allenamento* m al-lé-na-*mènn*-to
entre *fra* fra
entrée *entrata* f ènn-*tra*-ta • *ingresso* m inn-*grè*-so
entreprise *ditta* f *dit*-ta
entrer *entrare* ènn-*tra*-ré
entretien (de sélection) *colloquio* m *(selettivo)* kol-lo-kwi-o (sé-lé-*ti*-vo)
enveloppe (matelassée) *busta* f *(imbottita)* bou-sta imm-bot-*ti*-ta
environnement *ambiente* m amm-*byènn*-té
envoyer *mandare* mann-*da*-ré
épais(se) *spesso/a* m/f *spès*-so/a
épaule *spalla* f *spal*-la
épicerie *drogheria* f dro-gué-*ri*-a
épilepsie *epilessia* f é-pi-lès-*si*-a
épinards *spinaci* m pl spi-*na*-tchi
épouser *sposare* spo-*za*-ré
équipe *squadra* f *skwa*-dra
équipement *attrezzatura* f at-tré-tsa-*tou*-ra
érotique *erotico/a* m/f é-ro-*ti*-ko/a
erreur *sbaglio* m *sba*-lyo
érythème fessier *sfogo* m *da pannolino* *sfo*-go da pan-no-*li*-no
escalade *roccia* m *ro*-tcha • **faire de l'escalade** *(andare su) roccia* m (ann-*da*-ré sou) *ro*-tcha
escalader *scalare* ska-*la*-ré

escalator *scala* f *mobile* ska-la *mo*-bi-lé
escalier *scale* f pl ska-lé
escargot *lumaca* f lou-*ma*-ka
escrime *scherma* f *skèr*-ma
espace *spazio* m *spa*-tsyo
Espagne *Spagna* f *spa*-nya
espèce *specie* f *spè*-tché
   — en voie de disparition *specie* f *in via di estinzione* *spè*-tché inn *vi*-a di é-stinn-*tsyo*-né
   — protégée *specie* f *protetta* *spè*-tché prot-*tè*-ta
essais nucléaires *esperimenti* m pl *nucleari* é-spé-ri-*mènn*-ti nou-klé-*a*-ri
essayer *provare* pro-*va*-ré
essence *benzina* f bènn-*dzi*-na
essuyer *asciugare* a-chou-*ga*-ré
est *est* m é-ste
esthéticien(ne) *estetista* m et f é-sté-*ti*-sta
estomac *stomaco* m *sto*-ma-ko
et *e* é
étage *piano* m *pya*-no
étal *banco* m *bann*-ko
étape *tappa* f *tap*-pa
état *stato* m *sta*-to
   — civil *stato* m *civile* *sta*-to tchi-*vi*-lé
États-Unis d'Amérique *Stati* m pl *Uniti d'America* *sta*-ti ou-*ni*-ti da-*mè*-ri-ka
été *estate* f é-*sta*-té
étiquette *etichetta* f é-ti-*kèt*-ta
étoffe *stoffa* f *stof*-fa
étoile *stella* f *stèl*-la
   (quatre) étoiles *(a quattro) stelle* (a *kwat*-tro) *stèl*-lé
étourdi(e) *stordito/a* m/f stor-*di*-to/a
étrange *strano/a* m/f *stra*-no/a
étranger(ère) *straniero/a* m/f stra-*nyè*-ro/a • **(à) l'étranger** *(all') estero* (a)-lè-*sté*-ro
être *essere* ès-sé-ré
   — d'accord *essere d'accordo* ès-*sé*-ré dak-*kor*-do(
   — en colère *essere arrabbiato/a* m/f è-*sé*-ré ar-rab-*bya*-to/a
   — enrhumé(e) *essere raffreddato/a* m/f ès-*sé*-ré raf-fréd-*da*-to/a
   — pressé(e) *avere fretta* a-*vè*-ré *frèt*-ta

être en retard *in ritardo* inn ri·*tar*·do
étroit(e) *stretto/a* m/f strèt·to/a
étudiant(e) *studente/studentessa* m/f stou·*dènn*·té/stou·dènn·*tès*·sa
euro *euro* m inv è·ou·ro
Europe *Europa* f é·ou·ro·pa
européen(ne) *europeo/a* m/f é·ou·ro·pè·o/a
euthanasie *eutanasia* f é·ou·ta·na·*zi*·a
examen *esame* m é·*za*·mé
excédent de bagages *bagaglio* m *in eccedenza* ba·*ga*·lyo inn é·tché·*dènn*·tsa
excellent(e) *ottimo/a* m/f ot·*ti*·mo/a
exclu(e) *escluso/a* m/f é·*sklou*·zo/a
excursion *gita* f *dji*·ta
exemple *esempio* m é·*zèmm*·pyo
expérience *esperienza* f é·spé·*ryènn*·tsa
exploitation *sfruttamento* m sfrout·ta·*mènn*·to
exposition *esposizione* f é·spo·zi·*tsyo*·né
express *espresso/a* m/f é·*sprès*·so/a

F

facile *facile* fa·tchi·lé
faible *debole* dè·bo·lé
faim *fame* f fa·mé · **avoir faim** *avere fame* a·vè·ré fa·mé
fait(e) à la main *fatto/a* m/f *a mano* *fat*·to/a a *ma*·no
— **maison** *casalingo/a* f ka·za·*linn*·go/a
faire *fare* fa·ré
— **de l'auto-stop** *fare l'autostop* fa·ré *la*·ou·to·stop
— **du cheval** *andare a cavallo* ann·*da*·ré a ka·*val*·lo · **cavalcare** ka·val·*ka*·ré
— **de l'escalade** *(andare su) roccia* m (ann·*da*·ré sou) *ro*·tcha
— **du surf** *praticare il surf* pra·ti·*ka*·ré il sourf
— **du vélo** *andare in bicicletta* ann·*da*·ré inn bi·tchi·*klèt*·ta
— **(un sport)** *praticare (uno sport)* pra·ti·*ka*·ré (ou·no sporte)
fait(e) *fatto/a* m/f *fat*·to/a
— **main** *fatto/a* m/f *a mano* fat·to/a a *ma*·no
— **maison** *casalingo/a* f ka·za·*linn*·go/a
famille *famiglia* f fa·*mi*·lya

farine *farina* f fa·ri·na
fascinant(e) *affascinante* af·fa·chi·*nann*·té
fatigué(e) *stanco/a* m/f *stann*·ko/a
fausse couche *aborto* m *spontaneo* a·*bor*·to sponn·*ta*·né·o
faute *colpa* f *kol*·pa
fauteuil roulant *sedia* f *a rotelle* sè·dya a ro·*tèl*·lé
faux/fausse *sbagliato/a* m/f sba·*lya*·to/a · *falso/a* m/f fal·so/a
fax *fax* m faks
femme *donna* f *don*·na · **moglie** f mo·lyé
fenêtre *finestra* f fi·*nè*·stra
— **(de voiture, d'avion)** *finestrino* m fi·né·*stri*·no
fer à repasser *ferro* m *da stiro* *fèr*·ro da *sti*·ro
ferme *fattoria* f fat·to·*ri*·a
fermé(e) *chiuso/a (a chiave)* m/f kyou·zo/a (a *kya*·vé)
fermer *chiudere* kyou·dé·ré
fermeture *chiusura* kyou·*zou*·ra
festival *festival* m fè·sti·val
fête *festa* f *fè*·sta
feu *fuoco* m fwo·ko
feu (tricolore) *semaforo* m sé·*ma*·fo·ro
feuille *foglia* f fo·lya
fiançailles *fidanzamento* m fi·dann·tsa·*mènn*·to
fiancé(e) *fidanzato/a* m/f fi·dann·*tsa*·to/a
ficelle *spago* m *spa*·go
fièvre *febbre* f *fèb*·bré
fiévreux(euse) *febbrile* féb·*bri*·lé
figue *fico* m fi·ko
fil (à coudre) *filo* m fi·lo
fil dentaire *filo* m *dentario* fi·lo dènn·*ta*·ryo
fille *figlia* f fi·lya
film *film* m film
fils *figlio* m fi·lyo
fin *fine* f fi·né
finir *finire* fi·ni·ré
flash (d'appareil photo) *flash* m flèche
fleur *fiore* m fyo·ré
fleuriste *fioraio* m et f fyo·*ra*·yo
flocons de maïs *fiocchi* m pl *di mais* fyok·ki di *ma*·i·se

foie *fegato* m fè·ga·to
football *calcio* m kal·tcho
footing *footing* m fou·tinng
fond *fondo* fonn·do
   au fond *in fondo* inn fonn·do
forces armées *forze* f pl *armate* for·tsé
   ar·ma·té
forêt *foresta* f fo·rè·sta
forme *forma* f for·ma
formulaire *modulo* m mo·dou·lo
fort(e) *forte* m/f for·té
fortune *fortuna* f for·tou·na
fou/folle *pazzo/a* m/f pa·tso/a
four *forno* m for·no
four à micro-ondes *forno* m *a microonde*
   for·no a mi·kro·onn·dé
fourchette *forchetta* f for·kèt·ta
fourgon *furgone* m four·go·né
fourmi *formica* f for·mi·ka
fragile *fragile* fra·dji·lé
frais/fraîche *fresco/a* m/f frè·sko/a
fraise *fragola* f fra·go·la
framboise *lampone* m lamm·po·né
France *Francia* f frann·tcha
frein *freno* m frè·no
frère *fratello* m fra·tèl·lo
frigidaire *frigorifero* m fri·go·ri·fé·ro
frire *friggere* fri·djé·ré
froid(e) *freddo/a* m/f frèd·do/a
fromage *formaggio* m for·ma·djo
   — frais *formaggio* m *fresco* for·ma·djo
   frè·sko
frontière *confine* m konn·fi·né
fruits *frutta* f frout·ta
fumer *fumare* fou·ma·ré
fumeur *fumatore* m fou·ma·to·ré
   non-fumeur *non fumatore* nonn
   fou·ma·to·ré
futur *futuro* m fou·tou·ro

G

gagnant(e) *vincitore/vincitrice* m/f
   vinn·tchi·to·ré/vinn·tchi·tri·tché
gagner *vincere* vinn·tché·ré
galerie d'art *galleria* f *d'arte* gal·lé·ri·a
   dar·té

gants *guanti* m pl gwann·ti
garage *garage* m ga·ra·je
garçon *bambino* m bamm·bi·no • **petit**
   garçon *bambino* m bamm·bi·no
gare *stazione* f sta·tsyo·né
   — ferroviaire *stazione* f *ferroviaria*
   sta·tsyo·né fé·ro·vya·rya
   — routière *stazione* f *d'autobus*
   sta·tsyo·né da·ou·to·bou·se
gastroentérite *gastroenterite* f
   ga·stro·ènn·té·ri·té
gâteau *torta* f tor·ta
gauche *sinistra* f si·ni·stra
(de) gauche *(di) sinistra* (di) si·ni·stra
gaufre *cialda* chal·da
gay *gay* gueille
gaz *gas* m gaz
gel *gelo* m djè·lo
geler *gelare* djè·la·ré
gencive *gengiva* f djènn·dji·va
gendarmerie *carabinieri* m pl ka·ra·bi·nyè·ri
général(e) *generale* djé·né·ra·lé
genou *ginocchio* m dji·no·kyo, *ginocchia*
   pl dji·no·kya
gens *gente* djènn·té
gentil(le) *gentile* djènn·ti·lé
gilet de sauvetage *giubbotto* m *di*
   salvataggio djoub·bot·to di sal·va·ta·djo
gingembre *zenzero* m dzènn·dzé·ro
glace (eau) *ghiaccio* m guya·tcho
glace (crème glacée) *gelato* m djé·la·to
glacier *gelateria* f djé·la·té·ri·a
gorge *gola* f go·la
gourde *borraccia* f bor·ra·tcha
gouvernement *governo* m go·vèr·no
gramme *grammo* m gram·mo
grand(e) *grande* grann·dé
grandir *crescere* krè·ché·ré
grand-mère *nonna* f non·na
grand-père *nonno* m non·no
gratuit(e) *gratuito/a* m/f gra·tou·i·to/a
grêle *grandine* f grann·di·né • **chute de**
   grêle *grandinata* f grann·di·na·ta
(en) grève *(in) sciopero* m inn cho·pé·ro
grille-pain *tostapane* m to·sta·pa·né
grippe *influenza* f inn·flou·ènn·tsa
gris(e) *grigio/a* m/f gri·djo/a

gros(se) *grasso/a* m/f gras·so/a
grosseur *nodulo* m no·dou·lo
grotte *grotta* f grot·ta
groupe *gruppo* m group·po
— **de rock** *gruppo* m *rock* group·po rok
— **sanguin** *gruppo* m *sanguigno* group·po sann·gwi·nyo
guerre *guerra* f gwèr·ra
guichet automatique (de billets) *distributore* m *automatico di biglietti* di·stri·bou·to·ré a·ou·to·ma·ti·ko di bi·lyèt·ti
guide *guida* f gwi·da
— **audio** *guida* f *audio* gwi·da a·ou·dyo
— **des spectacles** *guida* f *agli spettacoli* gwi·da a·lyi spét·ta·ko·li
— **touristique** *guida* f *turistica* gwi·da tou·ri·sti·ka
guidon *manubrio* m ma·nou·bri·o
guitare *chitarra* f ki·tar·ra
gymnastique *ginnastica* f dji·na·sti·ka
gynécologue *ginecologo/a* m/f dji·né·ko·lo·go/a

halal *halal* a·lal
hall *atrio* m a·tryo
hammac *amaca* f a·ma·ka
hand-ball *pallamuro* f pal·la·mou·ro
handicapé(e) *disabile* di·za·bi·lé
harcèlement *molestia* f mo·lè·stya
hareng *aringa* f a·rinn·ga
haricots *fagioli* m pl fa·djo·li
haschish *hashish* m a·chiche
haut(e) *alto/a* m/f al·to/a
hauteur *altezza* f al·tè·tsa
hépatite *epatite* f é·pa·ti·té
herbe *erba* f èr·ba • **fines herbes** *erbe* f pl èr·bé
herboriste *erborista* m et f ér·bo·ri·sta
heure *ora* f o·ra
heureux(euse) *felice* m/f fé·li·tché
hier *ieri* yè·ri
hindou(e) *indù* m et f inn·dou
hindouiste *induista* m et f inn·doui·sta

histoire *storia* f sto·rya
historique *storico/a* m/f sto·ri·ko/a
hiver *inverno* m inn·vèr·no
hockey *hockey* m o·ki
— **sur glace** *hockey* m *su ghiaccio* o·ki sou guya·tcho
homéopathie *omeopatia* f o·mé·o·pa·ti·a
homme *uomo* m wo·mo
homme/femme d'affaires *uomo/donna d'affari* m/f wo·mo/don·na daf·fa·ri
homosexuel(le) *omosessuale* m et f o·mo·sés·sou·a·lé
hôpital *ospedale* m o·spé·da·lé
horaire *orario* m o·ra·ryo
horaire d'ouverture *orario* m *di apertura* o·ra·ryo di a·pér·tou·ra
horloge *orologio* m o·ro·lo·djo
horrible *orrendo/a* m/f or·rènn·do/a
hors-bord *motoscafo* m mo·to·ska·fo
hospitalité *ospitalità* f o·spi·ta·li·ta
hôtel *albergo* m al·bèr·go
— **de police** *posto* m *di polizia* po·sto di po·li·tsi·a
housse (d'oreiller) *federa* f fè·dé·ra
huile *olio* m o·lyo
— **d'olive** *olio* m *d'oliva* o·lyo do·li·va
huître *ostrica* f o·stri·ka
hurler *urlare* our·la·ré

ici *qui* kwi
idiot(e) *idiota* m et f i·dyo·ta
il *lui* lou·ï
île *isola* f i·zo·la
illégal(e) *illegale* il·lé·ga·lé
ils *loro* lo·ro
immigration *immigrazione* f im·mi·gra·tsyo·né
imperméable *impermeabile* m imm·pér·mé·a·bi·lé
important(e) *importante* imm·por·tann·té
impossible *impossibile* imm·pos·si·bi·lé
impressionner *allucinare* al·lou·tchi·na·ré
imprimante *stampante* f stamm·pann·té
incident *incidente* m inn·tchi·dènn·té

inconfortable *scomodo/a* m/f *sko·mo·do/a*

inconnu(e) *sconosciuto/a* m/f
sko·no·chou·to/a

indigestion *indigestione* f
inn·di·djé·styo·né

indiquer *indicare* inn·di·*ka*·ré

industrie *industria* f inn·*dou*·stri·a

infection *infezione* f inn·fé·*tsyo*·né

infirmier(ère) *infermiere/a* m/f
inn·fér·myè·ré/a

inflammation *infiammazione* f
inn·fyam·ma·tsyo·né

inflation *inflazione* f inn·fla·*tsyo*·né

influence *influenza* f inn·flou·*ènn*·tsa

informations *informazioni* f pl
inn·for·ma·tsyo·ni

informatique *informatica* f inn·for·*ma*·ti·ka

informel(le) *informale* inn·for·*ma*·lé

infraction *infrazione* inn·fra·*tsyo*·né

ingénieur(e) *ingegnere* m et f
inn·djé·nyè·ré

ingrédient *ingrediente* m
inn·gré·dyènn·té

inhalateur *inalatore* m i·na·la·*to*·ré

injection *iniezione* f i·nyé·*tsyo*·né

innocent(e) *innocente* in·no·*tchènn*·té

inondation *inondazione* f
i·nonn·da·tzyo·né

inquiet(ète) *preoccupato/a* m/f
pré·ok·kou·pa·to/a

insecte *insetto* m inn·*sèt*·to

insolite *insolito/a* m/f inn·*so*·li·to/a

instituteur(trice) *maestro/a* m/f
ma·è·stro/a

instructeur(trice) *istruttore/istruttrice* m/f
i·strout·to·ré/i·strout·tri·tché

intéressant(e) *interessante*
inn·té·ré·sann·té

international(e) *internazionale*
inn·tér·na·tsyo·na·lé

Internet *Internet* m *inn*·tér·nète

interprète *interprete* m/f inn·*tèr*·pré·té

interurbain(e) *interurbano/a* m/f
inn·tér·rour·ba·no/a

intervalle *intervallo* m inn·tér·*val*·lo

intervention (chirurgicale) *intervento* m
inn·tér·vènn·to

intoxication alimentaire *intossicazione*
f *alimentare* inn·tos·si·ka·*tsyo*·né
a·li·mènn·ta·ré

inviter *invitare* inn·vi·*ta*·ré

Irlande *Irlanda* f ir·*lann*·da

Italie *Italia* f i·*ta*·lya

italien(ne) *italiano/a* m/f i·ta·*lya*·no/a

itinéraire *itinerario* m i·ti·né·*ra*·ryo

ivre *ubriaco/a* m/f ou·bri·*a*·ko/a

J

jaloux(ouse) *geloso/a* m/f djé·*lo*·zo/a

jamais *mai* maille

jambe *gamba* f *gamm*·ba

jambon (cuit) *prosciutto* m *(cotto)*
pro·*chout*·to *(kot*·to)

Japon *Giappone* m djap·*po*·né

jardin *giardino* m djar·*di*·no

jardinage *giardinaggio* m djar·di·*na*·djo

jardiner *giardinare* djar·di·*na*·ré

jaune *giallo/a* m/f djal·lo/a

je *io* i·o

jeans *jeans* m pl djinn·se

jetable *usa e getta* ou·za é djèt·ta

jeton *gettone* m djét·*to*·né

jeu *gioco* m *djo*·ko
   — **vidéo** *gioco* m *elettronico* djo·ko
   é·lét·*tro*·ni·ko

jeune *giovane* djo·va·né

jockey *fantino* m fann·*ti*·no

jogging *footing* m fou·tinng

jouer *giocare* djo·*ka*·ré
   — **au foot** *giocare a calcio* djo·*ka*·ré a
   kal·tcho
   — **de la guitare** *suonare la chitarra*
   swo·*na*·ré la ki·*tar*·ra

jour *giorno* m *djor*·no

Jour de l'an *Capodanno* m
   ka·po dan·no

journal *giornale* m djor·*na*·lé

journaliste *giornalista* m et f djor·na·*li*·sta

judo *giudò* m djou·do

juge *giudice* m djou·*di*·tché

juif/juive *ebreo/a* m/f é·*brè*·o/a

jumeaux/jumelles *gemelli/e* m/f pl
   djé·*mèl*·li/é

jumelles *binocolo* m bi·no·ko·lo
jupe *gonna* f gon·na
jus *succo* m souk·ko
   — **de fruit** *succo* m *di frutta souk·ko di*
   frout·ta
   — **de fruit frais** *spremuta* f spré·mou·ta
   — **d'orange (en bouteille)** *succo* m
   d'arancia souk·ko da·rann·tcha
   — **d'orange (frais)** *spremuta* m
   d'arancia spré·mou·ta da·rann·tcha
jusqu'à *fino a* fi·no a
juste *giusto/a* m/f djou·sto/a

K

kilo *chilo* m ki·lo
kilomètre *chilomètre* m ki·lo·mé·tro
kiosque (à journaux) *edicola* f é·di·ko·la
kit *valigetta* f va·li·djèt·ta
   — **d'urgence** *valigetta f del pronto soc-*
   corso va·li·djèt·ta dél pronn·to sok·kor·so
kiwi *kiwi* m ki·wi
kyste ovarien *cisti f ovarica* tchi·sti
o·va·ri·ka

L

là *là* la
là-bas *laggiù* la·djou
lac *lago* m la·go
laid(e) *brutto/a* m/f brout·to/a
laine *lana* f la·na
laisser *lasciare* la·cha·ré
lait *latte* m lat·té
   — **de soja** *latte m di soia* la·té di so·ya
   — **écrémé** *latte m scremato* la·té
   skré·ma·to
   — **hydratant** *fluido m idratante* flou·i·do
   i·dra·tann·té
laitue *lattuga* f lat·tou·ga
lames de rasoir *lamette* f pl *(da barba)*
la·mèt·té (da bar·ba)
lampada *lampe* m lam·pa·da
langue *lingua* f linn·gwa
lapin *coniglio* m ko·ni·lyo
lard *pancetta* f pann·tchèt·ta • *lardo* m
lar·do

large *largo/a* m/f lar·go/a
laver *lavare* la·va·ré
   se laver *lavarsi* la·var·si
laverie automatique
   lavanderia f a gettone la·vann·dé·ri·a a
   djét·to·né
laxatif *lassativo* m las·sa·ti·vo
légal(e) *legale* lé·ga·lé
léger/légère *leggero/a* m/f lé·djè·ro/a
légume *legume* m lé·gou·mé
légumes verts *verdura* f vér·dou·ra
légumes marinés *sott'aceti* m pl
sot·ta·tchè·ti
lent(e) *lento/a* m/f lènn·to/a
lentement *lentamente* lénn·ta·mènn·té
lentille *lenticchia* f lènn·tik·kya
lentilles de contact *lenti* f pl *a contatto*
lènn·ti a konn·tat·to
lequel *il quale* il kwa·lé
lesbienne *lesbica* f lè·sbi·ka
lessive *detersivo* m
dé·tér·si·vo
lettre *lettera* f lèt·té·ra
lever *alzare* al·dza·ré
   se lever *alzarsi* al·dzar·si
lèvres *labbra* f pl lab·bra
lézard *lucertola* f lou·tchér·to·la
librairie *libreria* f li·bré·ri·a
libre *libero/a* m/f li·bé·ro/a
lieu de naissance *luogo m di nascita*
lwo·go di na·chi·ta
ligne *linea* f li·né·a
   — **aérienne** *linea f aerea* li·né·a a·è·ré·a
   — **téléphonique directe** *telefono m*
   diretto té·lè·fo·no di·rèt·to
lime à ongles *limetta* f li·mèt·ta
limite de vitesse *limite m di velocità* li·mi·té
di vé·lo·tchi·ta
limonade *limonata* f li·mo·na·ta
lingerie *biancheria f intima* byann·ké·ri·a
inn·ti·ma
lire *leggere* lè·djé·ré
liste *elenco* m é·lènn·ko
lit *letto* m lèt·to
   — **à deux places** *letto m matrimoniale*
   lè·to ma·tri·mo·nya·lé
lits jumeaux *due letti* dou·é lèt·ti
litre *litro* m li·tro

livre *libro* m *li*-bro
livre sterling *sterlina* f stér-*li*-na
local(e) *locale* lo-*ka*-lé
location de voitures *autonoleggio* m a-ou-to-no-lè-djo
logement *alloggio* m al-*lo*-djo
loi *legge* f lè-djé
loin *lontano* lonn-*ta*-no
lointain(e) *lontano/a* m/f lonn-*ta*-no/a • *remoto/a* m/f re-*mo*-to/a
long/longue *lungo/a* m/f lounn-go/a
louer *noleggiare* no-lé-dja-ré • *prendere in affitto* prènn-dé-ré inn af-fit-to
lourd(e) *pesante* pé-*zann*-té
loyer *affitto* m af-fit-to
luge *slitta* f *slit*-ta • **faire de la luge** *andare in slitta* ann-*da*-ré inn *slit*-ta
lune *luna* f *lou*-na
— **de miel** *luna di miele* *lou*-na di *myè*-lé
pleine lune *luna piena* *lou*-na *pyè*-na
lubrifiant *lubrificante* m lou-bri-fi-*kann*-té
lumière *luce* f *lou*-tché
lunettes *occhiali* m pl ok-*kya*-li
— **de ski** *occhiali* m pl *da sci* ok-*kya*-li da chi
— **de soleil** *occhiali* m pl *da sole* ok-*kya*-li da so-lé
luxe *lusso* *lous*-so
de luxe *di lusso* di *lous*-so
lycée *scuola* f *superiore* skwo-la sou-pé-*ryo*-ré

M

mâcher *masticare* ma-sti-*ca*-ré
machine *macchina* f *mak*-ki-na
— **à coudre** *macchina* f *per cucire* *mak*-ki-na pér kou-*tchi*-ré
— **à laver** *lavatrice* f la-va-*tri*-tché
mâchoire *mascella* f ma-*chèl*-la
macrobiotique *macrobiotica* f ma-kro-*byo*-ti-ka
madame *signora* f si-*gno*-ra
magasin *negozio* m né-*go*-tsyo • **grand magasin** *grande magazzino* m *grann*-dé ma-ga-*dzi*-no
— **d'alimentation** *alimentari* m pl a-li-mènn-*ta*-ri

— **d'articles de camping** *negozio* m *da campeggio* né-*go*-tsyo da kamm-*pè*-djo
— **d'articles de sport** *negozio* m *di articoli sportivi* né-*go*-tsyo di ar-*ti*-ko-li spor-*ti*-vi
— **de chaussures** *negozio* m *di scarpe* né-*go*-tsyo di *skar*-pé
— **de jouets** *negozio* m *di giocattoli* né-*go*-tsyo di djo-*kat*-to-li
— **de souvenirs** *negozio* m *di souvenir* né-*go*-tsyo di *sou*-ve-nir
— **de vêtements** *negozio* m *di abbigliamento* né-*go*-tsyo di ab-bi-lya-*mènn*-to
— **de vins** *bottiglieria* f bot-ti-lyé-*ri*-a
magazine *rivista* f ri-*vi*-sta
magnétoscope *videoregistratore* m vi-dé-o-ré-dji-stra-*to*-ré
maigre *magro/a* m/f ma-gro/a
mail *email* m *i*-meille
maillet *mazzuolo* m ma-*tswo*-lo
maillot *maglia* f ma-lya
— **de bain** *costume* m *da bagno* ko-*stou*-mé da *ba*-nyo
— **de corps** *canottiera* f ka-not-*tyè*-ra
main *mano* f *ma*-no
maintenant *adesso* a-*dès*-so
maire *sindaco* m *sinn*-da-ko
mais *ma* ma
maison *casa* f *ka*-za • **fait maison** *casalingo/a* f ka-za-*linn*-go/a
maîtresse *amante* f a-*mann*-té
mal *mal* m mal
— **à la tête** *mal* m *di testa* mal di *tè*-sta
— **de dents** *mal* m *di denti* mal di *dènn*-ti
— **de mer** *mal* m *di mare* mal di *ma*-ré
— **de ventre** *mal* m *di pancia* mal di *pann*-tcha
— **des transports (en avion)** *mal* m *di aereo* mal di a-è-ré-o
— **des transports (en voiture)** *mal* m *di macchina* mal di *mak*-ki-na
malade *malato/a* m/f ma-*la*-to/a
maladie *malattia* f ma-lat-*ti*-a
— **vénérienne** *malattia* f *venerea* ma-lat-*ti*-a vé-nè-ré-a

maman *mamma* f *mam*-ma
mammographie *mammografia* f
mam-mo-gra-*fi*-a
manager *manager* m *ma*-na-djeur
mandarine *mandarino* m mann-da-*ri*-no
manger *mangiare* mann-*dja*-ré
mangue *mango* m mann-go
manifestation *manifestazione* f
ma-ni-fé-sta-*tsyo*-né
manœuvre *manovale* m et f ma-no-*va*-lé
manquer *mancare* mann-*ka*-ré
manteau *cappotto* m ka-*pot*-to
manuel(le) *manuale* ma-nou-*a*-lé
maquillage *trucco* m *trouk*-ko
marbre *marmo* m *mar*-mo
marchand(e) de fruits et légumes
fruttivendolo/a m/f frout-ti-*vènn*-do-lo/a
marché *mercato* m mér-*ka*-to
marcher *camminare* kam-mi-*na*-ré
marée *marea* f ma-*rè*-a
margarine *margarina* f mar-ga-*ri*-na
mari *marito* m ma-*ri*-to
mariage *matrimonio* m ma-tri-*mo*-nyo
marié(e) *sposato/a* m/f spo-*za*-to/a
marquer *segnare* sé-*nya*-ré
marron *marrone* m mar-*ro*-né
marteau *martello* m mar-*tèl*-lo
massage *massaggio* m mas-*sa*-djo
match *partita* f par-*ti*-ta
matelas *materasso* m ma-té-*ras*-so
matin *mattina* f mat-*ti*-na
mayonnaise *maionese* f ma-yo-nè-zé
mécanicien(ne) *meccanico* m et f
mék-*ka*-ni-ko
méchant(e) *cattivo/a* m/f kat-*ti*-vo/a
médecin *medico* m *mè*-di-ko
médecine *medicina* f mé-di-*tchi*-na
médicament *medicina* f
mé-di-*tchi*-na
méditation *meditazione* f
mé-di-ta-*tsyo*-né
meilleur(e) *migliore* mi-*lyo*-ré
mélanger *mescolare* mé-sko-*la*-ré
mélodie *melodia* f mé-lo-*di*-a
melon *melone* m mé-*lo*-né
membre *socio/a* m/f *so*-tcho/a
même *stesso/a* m/f *stè*-so/a

mendiant(e) *mendicante* m et f
mènn-di-*kann*-té
menteur(euse) *bugiardo/a* m/f
bou-*djar*-do/a
menu *menu* m mé-*nou*
mer *mare* m ma-ré • **(à la) mer** *(al) mare*
(al) ma-ré
mère *madre* f ma-dré
merveilleux(euse) *meraviglioso/a* m/f
mé-ra-vi-*lyo*-zo/a
message *messaggio* m més-*sa*-djo
messe *messa* f *mès*-sa
métal *metallo* m mé-*tal*-lo
métallique *metallico/a* m/f mé-*tal*-li-ko/a
métier *mestiere* m mé-*styè*-ré
mètre *metro* m *mè*-tro
métro(politain) *metropolitana* f
mé-tro-po-li-*ta*-na
mettre *mettere* mèt-té-ré
meuble *mobile* m pl *mo*-bi-le
midi *mezzogiorno* m mé-dzo djor-no
miel *miele* m *myè*-lé
mignon(ne) *carino/a* m/f ka-*ri*-no/a
migraine *emicrania* f é-mi-*kra*-nya
millimètre *millimetro* m mil-*li*-mé-tro
mini-bar *frigobar* m fri-go-*bar*
mini-dictionnaire *vocabolarietto* m
vo-ca-bo-la-*rièt*-to
minuit *mezzanotte* f mè-dza *no*-té
minuscule *minuscolo/a* m/f
mi-*nou*-sko-lo/a
minute *minuto* m mi-*nou*-to
miroir *specchio* m *spèk*-kyo
mode *moda* f *mo*-da
modem *modem* m *mo*-dème
moderne *moderno/a* m/f mo-*dèr*-no/a
moins (di) *meno (di)* *mè*-no
mois *mese* m mé-zé
moitié *mezzo* m *mè*-dzo
monastère *monastero* m mo-na-*stè*-ro
monde *mondo* m *monn*-do
moniteur(trice) *maestro/a* m/f ma-è-stro/a
monnaie (pièces) *spiccioli* m pl *spi*-tcho-li
monnaie *resto* m *rè*-sto
mononucléose *mononucleosi* m
mo-no-nou-klé-o-zi
montagne *montagna* f monn-*ta*-nya
monter dans *salire su* sa-*li*-ré su

montre *orologio* m o·ro·*lo*·djo
montrer *mostrare* mo·*stra*·ré
monument *monumento* m mo·nou·*mènn*·to
morsure *morso* m *mor*·so
mort(e) *morto/a* m/f *mor*·to/a
mosquée *moschea* f mo·*skè*·a
moteur *motore* m mo·*to*·ré
moto *moto* f *mo*·to
mouche *mosca* f *mo*·ska
mouchoir *fazzoletto* m fa·tso·*lèt*·to
mouchoirs en papier *fazzolettini* m pl *di carta* fa·tso·lét·*ti*·ni di *kar*·ta
mouillé(e) *bagnato/a* m/f ba·*nya*·to/a
moules *cozze* f pl *ko*·tsé
mourir *morire* mo·*ri*·ré
moustique *zanzara* f dzann·*dza*·ra
moutarde *senape* f sè·na·pé
moyens de communication *mezzi* m pl *di comunicazione* mè·tsi di kom·mou·ni·ka·*tsyo*·né
muesli *muesli* m *mou*·sli
muet(te) *muto/a* m/f *mou*·to/a
muguet *mughetto* m mou·*guèt*·to
mur *muro* m *mou*·ro
muscle *muscolo* m *mou*·sko·lo
musée *museo* m mou·zè·o
musicien(ne) *musicista* m et f mou·zi·*tchi*·sta
— **de rue** *musicista* m et f *di strada* mou·zi·*tchi*·sta di *stra*·da
musique *musica* f *mou*·zi·ka
musulman(e) *musulmano/a* m/f mou·soul·*ma*·no/a

N

nager *nuotare* nwo·*ta*·ré
nappe *tovaglia* f to·*va*·lya
narine *narice* f na·*ri*·tché
nasal(e) *nasale* na·*za*·lé
natation *nuoto* m *nwo*·to
national(e) *nazionale* na·tsyo·*na*·lé
nationalité *nazionalità* f na·tsyo·na·li·*ta*
nature *natura* f na·*tou*·ra
nausée *nausea* f na·ou·zé·a
— **matinale** *nausea* f *mattutina* na·ou·zé·a mat·tou·*ti*·na

nécessaire *necessario/a* m/f né·tchés·*sa*·ryo/a
neige *neve* f nè·vé
nettoyage *pulizia* f pou·li·*tsi*·a
— **à sec** *lavaggio* m *a secco* la·*va*·djo a sè·ko
nez *naso* m na·zo
niveau *livello* m li·*vèl*·lo
Noël *Natale* m na·*ta*·lé
noir(e) *nero/a* m/f né·ro/a
noix *noce* f no·tché
nom *nome* m no·mé
— **de famille** *cognome* m ko·nyo·mé
nombre *numero* m nou·mé·ro
non *no* no
nord *nord* m norde
normal(e) *normale* nor·ma·lé
nourriture *cibo* m *tchi*·bo
— **pour bébé** *cibo* m *da bebè* tchi·bo da bé·bè
nous *noi* noï
nouveau/nouvelle *nuovo/a* m/f nwo·vo/a
nouvelles *notizie* f pl no·ti·tsyé
nuage *nuvola* f nou·vo·la
nuageux(euse) *nuvoloso/a* m/f nou·vo·lo·zo/a
nuit *notte* f not·té
numérique *digitale* di·dji·*ta*·lé
numéro de plaque d'immatriculation *numero* m *di targa* nou·mé·ro di *tar*·ga

O

objectif *obiettivo* m o·byét·*ti*·vo
objet ancien *pezzo* m *di antiquariato* pè·tso di ann·ti·kwa·*rya*·to
objets de valeur *oggetti* m pl *di valore* o·djèt·ti di va·lo·ré
occasion *seconda mano* m/f sé·konn·da *ma*·no • **d'occasion** *di seconda mano* m/f di sé·konn·da *ma*·no
océan *oceano* m o·*tché*·a·no
odeur *odore* m o·do·ré
œil *occhio* m ok·kyo
œuf *uovo* m wo·vo • *uova* pl wo·va
œuvre (d'art) *opera f (d'arte)* o·pé·ra (*dar*·té)
office du tourisme *ufficio* m *del turismo* ouf·fi·tcho dél tou·*riz*·mo

oignon cipolla f tchi-*pol*-la

oiseau uccello m ou-*tchèl*-lo

olive oliva f o-*li*-va

ombre ombra f omm-bra

opéra (genre) opera f lirica o-pé-ra *li*-ri-ka

opéra (bâtiment) teatro m dell'opera té-*a*-tro dél-op-é-ra

opérateur(trice) operatore/operatrice m/f o-pé-ra-to-ré/o-pé-ra-*tri*-tché

opinion opinione f o-pi-*nyo*-né

or oro m o-ro

orage temporale m témm-po-*ra*-lé

orange (couleur) arancione a-rann-*tcho*-né

orange (fruit) arancia f a-*rann*-tcha

orchestre orchestra f or-kè-stra

ordinaire ordinario/a m/f or-di-*na*-ryo/a

ordinateur computer m komm-*pyou*-teur

ordonnance ricetta f ri-*tchèt*-ta

ordures spazzatura f pl spa-tsa-*tou*-ra

oreille orecchio m o-*rèk*-kyo

original(e) originale m/f o-ri-dji-*na*-lé

os osso m os-so

ou o o

où dove do-vé

oublier dimenticare di-mènn-ti-*ka*-ré

ouest ovest m o-*vést*e

oui sì si

ouvert(e) aperto/a m/f a-*pèr*-to/a

ouvre-boîte(s) apriscatole m a-pri-*ska*-to-lé

ouvre-bouteille(s) apribottiglie m a-pri-bot-*ti*-lyé

ouvrier(ère) operaio/a m/f o-pé-*ra*-yo/a

ouvrir aprire a-*pri*-ré

oxygène ossigeno m os-*si*-djé-no

P

pacemaker pacemaker m *peille*-se-meille-keur

page pagina f pa-dji-na

paiement pagamento m pa-ga-*mènn*-to

pain pane m pa-né

— **de seigle** pane m di segala pa-né di sè-ga-la

— **complet** pane m integrale pa-né inn-té-*gra*-lé

— **grillé** pane m tostato pa-né to-*sta*-to

paire paio m pa-yo

paix pace f pa-tché

palais palazzo m pa-*la*-tso

pamplemousse pompelmo m pomm-*pèl*-mo

panier cestino m tché-*sti*-no

panorama veduta f vé-*dou*-ta

pantalon pantaloni m pl pann-ta-*lo*-ni

papa papà m pa-*pa*

papetier cartolaio m kar-to-*la*-yo

papier carta f *kar*-ta

— **toilette** carta f igienica kar-ta i-*djè*-ni-ka

papiers documenti m pl do-kou-*mènn*-ti

papillon farfalla f far-*fal*-la

Pâques Pasqua f pa-skwa

paquet pacchetto m pa-*kèt*-to

par per pè-re

— **avion** via f aerea vi-a a-è-ré-a

— **jour** al giorno al djor-no

parapluie ombrello m omm-*brèl*-lo

parasol ombrellone m omm-brél-*lo*-né

parc parco m *par*-ko

— **national** parco m nazionale par-ko na-tsyo-*na*-lé

parce que perché pér-ké

pardonner perdonare pér-do-*na*-ré

pare-brise parabrezza m pa-ra-brè-dza

parents genitori m pl djé-ni-*to*-ri

paresseux(euse) pigro/a m/f pi-gro/a

parfois a volte a vol-té

parfum profumo m pro-*fou*-mo

pari scommessa f skom-*mè*-sa

parking parcheggio m par-kè-djo

parlement parlamento m par-la-*mènn*-to

parler parlare par-*la*-ré

paroi parete f pa-rè-té

parole parola f pa-*ro*-la

partager condividere konn-di-vi-dé-ré

parti partito m par-*ti*-to

partie parte f *par*-té

partir partire par-*ti*-ré

pas du tout niente nyènn-té

passager(ère) passeggero/a m/f pas-sé-*djè*-ro/a

passe (sport) passaggio m pas-*sa*-djo

passé passato m pas-*sa*-to

passeport passaporto m pas-sa-*por*-to

passe-temps *passatempo* m
pas·sa·*tèmm*·po

pastèque *anguria* f ann·*gou*·rya

pâté *paté* m pa·*té*

pâtes *pasta* f pa·sta

pâtisserie *pasticceria* f
pa·sti·tché·*ri*·a

pauvre *povero/a* m/f po·*vé*·ro/a

pauvreté *povertà* f po·ver·*ta*

payer *pagare* pa·*ga*·ré

pays *paese* m pa·è·zé

Pays-Bas *Paesi Bassi* m pl pa·è·zi bas·si

pays de Galles *Galles* m *ga*·lè·se

peau *pelle* f pèl·lé

pêche (activité) *pesca* f *pé*·ska

pêche (fruit) *pesca* f pè·ska

pédale *pedale* m pé·da·lé

peigne *pettine* m pèt·ti·né

peindre *dipingere* di·*pinn*·djé·ré

peintre *pittore/pittrice* m/f pit·*to*·ré/
pit·*tri*·tché

peinture *pittura* f pi·*tou*·ra

pellicule photo *rullino* m roul·*li*·no

penderie *guardaroba* m gwar·da·*ro*·ba

pénicilline *penicillina* f pé·ni·tchil·*li*·na

pénis *pene* m pè·né

penser *pensare* pénn·*sa*·ré

pension *pensione* f pènn·syo·né

perdre *perdere* pèr·dé·ré

perdu(e) *perso/a* m/f pèr·so/a

père *padre* m pa·dré

permanent(e) *permanente* m/f
pér·ma·*nènn*·té

permis de conduire *patente* f *(di guida)*
pa·*tènn*·té (di *gwi*·da)

permission *permesso* m pér·*mès*·so

persil *prezzemolo* m prét·*tsè*·mol lo

personne *persona* f pér·so·na

personnel(le) *personale* m/f pér·so·*na*·lé

d'ici peu (de temps) *fra poco* fra po·ko

petit(e) *piccolo/a* m/f pik·ko·lo/a

petit(e) ami(e) *ragazzo* m ra·*ga*·tso ·
ragazza f ra·*ga*·tsa

petit-déjeuner *(prima) colazione* f *(pri*·ma)
ko·la·*tsyo*·né

petit-fils/petite-fille *nipote* m et f ni·*po*·té

pétition *petizione* f pé·ti·*tsyo*·né

petits pois *piselli* m pl pi·*zèl*·li

peu *po'* po

— **d'ici peu** *fra poco* fra po·ko

— **de** *pochi/e* m/f po·ki/é

— **un peu** *un po'* ounn po

peut-être *forse* for·sé

phare *faro* m fa·ro

pharmacie *farmacia* f far·ma·*tchi*·a

pharmacien(ne) *farmacista* m et f
far·ma·*tchi*·sta

photo *foto* f fo·to

photographe *fotografo* m fo·to·gra·fo

photographie *fotografia* f fo·to·gra·*fi*·a

pièce *pezzo* m pè·tso

— **de fabrication artisanale** *pezzo* m
d'artigianato pè·tso dar·ti·dja·*na*·to

— **de théâtre** *commedia* f kom·*mè*·dya

pièces (de monnaie) *monete* f pl mo·*nè*·té

pied *piede* m pyè·dé

pierre *pietra* f pyè·tra

piéton(ne) *pedone* m/f pé·do·né

pile *pila* f *pi*·la

pilule *pillola* f pil·lo·la

— **(anticontraceptive)**
pillola f *(anticoncezionale)* pil·lo·la
(ann·ti·konn·tché·tsyo·*na*·lé)

— **du lendemain**
pillola f *del mattino dopo* pi·lo·la dél
mat·*ti*·no do·po

piment *peperoncino* m pé·pé·ronn·*tchi*·no

pince à épiler *pinzette* f pl pinn·*tsè*·té

pioche *piccone* m pik·ko·né

piolet *piccozza* f pik·*ko*·tsa

pique-nique *picnic* m pik·nik

piquets (de tente) *picchetti* m pl *(per la*
tenda) pi·*kèt*·ti (pér la *tènn*·da)

piqûre *puntura* f pounn·*tou*·ra

piscine *piscina* f pi·*chi*·na

pistache *pistacchio* m pi·*stak*·kyo

piste *pista* f pi·sta

— **cyclable** *ciclopista* f tchi·klo·*pi*·sta

place *piazza* f *pya*·tsa

place (assise) *posto* m po·sto

plage *spiaggia* f *spya*·dja

plaindre *compatire* komm·pa·*ti*·ré

se plaindre *lamentarsi* la·mènn·*tar*·si

plaire *piacere* pya·tchè·ré

plaisanterie *scherzo* m skèr·tso
plan *pianta* f pyann·ta
planche de surf *tavola da surf* ta·vo·la da soorf
planète *pianeta* m pya·nè·ta
plante *pianta* f pyann·ta
plaque d'immatriculation *targa* f tar·ga
plastique *plastica* f pla·sti·ka
plat(e) *piatto/a* m/f pyat·to/a
plateau (vaisselle) *vassoio* m vas·so·yo • *altopiano* m al·to·pya·no
plein(e) *pieno/a* m/f pyè·no/a • **(à) plein temps** (a) *tempo pieno* (a) tèmm·po pyè·no
plomb *piombo* m pyomm·bo • **sans plomb** *senza piombo* sènn·tsa pyomm·bo
plongée *immersioni* f pl im·mér·syo·ni
— **(avec masque et tuba)** *snorkelling* m snor·kél·linng
plonger *tuffarsi* touf·far·si
pluie *pioggia* m pyo·dja
plus (di) *più* (di) pyou
pneu *gomma* f gom·ma
poche *tasca* f ta·ska
poêle *padella* f pa·dèl·la
poêle (de chauffage) *stufa* f stou·fa
— **à gaz** *stufa* f (a gas) stou·fa a gaz
poésie *poesia* f po·é·zi·a
poids *peso* m pè·zo
poignet *polso* m pol·so
point *punto* m pounn·to
poire *pera* f pè·ra
poireau *porro* m por·ro
pois chiches *ceci* m pl tchè·tchi
poisson *pesce* m pè·ché
poissonnerie *pescheria* f pé·ské·ri·a
poitrine *petto* m pèt·to
poivre *pepe* m pé·pé
poivron *peperone* m pé·pé·ro·né
police (nationale) *polizia* f po·li·tsi·a
politicien *politico* m po·li·ti·ko
politique *politica* f po·li·ti·ka
pollen *polline* m pol·li·né
pollution *inquinamento* m inn·kwi·na·mènn·to
pomme *mela* f mè·la
— **de terre** *patata* f pa·ta·ta

pompe *pompa* f pomm·pa
poney *cavallino* m ka·val·li·no
pont *ponte* m ponn·té
populaire *popolare* po·po·la·ré
population *cittadinanza* f tchit·ta·di·nann·tsa
porc *maiale* m ma·ya·lé
port *porto* m por·to
portable *portatile* por·ta·ti·lé
(ordinateur) portable (computer) *portatile* m (komm·pyou·teur) por·ta·ti·lé
(téléphone) portable (telefono) *cellulare* m (té·lè·fo·no) tchél·lou·la·ré
portail *cancello* m kann·tchèl·lo
porte *porta* f por·ta
portefeuille *portafoglio* m por·ta·fo·lyo
porter (avec soi) *portare* por·ta·ré
porter (sur soi) *indossare* inn·dos·sa·ré
posemètre *esposimetro* m é·spo·zi·mé·tro
possible *possibile* pos·si·bi·lé
poste ordinaire *posta* f *ordinaria* po·sta or·di·na·rya
— **restante** *fermo* m *posta* fèr·mo po·sta
pot d'échappement *tubo* m *di scappamento* tou·bo di skap·pa·mènn·to
potable *potabile* po·ta·bi·lé
poterie *pignatta* f pi·nyat·ta
poteries *oggetti* m pl *in ceramica* o·djèt·ti inn tché·ra·mi·ka
potiron *zucca* f tsouk·ka
poulet *pollo* m pol·lo
poumons *polmoni* m pl pol·mo·ni
poupée *bambola* f bamm·bo·la
pour *per* pér
— **toujours** *per sempre* pér sèmm·pré
pourboire *mancia* f mann·tcha
pourcentage *percentuale* f pér·tchènn·tou·a·lé
pourquoi *perché* pér·ké
pousser *spingere* spinn·djé·ré
pousses de soja *germogli* m pl (di soia) djér·mo·lyi (di so·ya)
pouvoir *potere* m po·tè·ré
pouvoir *potere* po·tè·ré
poux *pidocchi* m pl pi·dok·ki
précédent(e) *precedente* pré·tché·dènn·té

précieux(euse) *prezioso/a* m/f
pré-*tsyo*-zo/a

préféré(e) *preferito/a* m/f pré-fé-*ri*-to/a

préférer *preferire* pré-fé-*ri*-ré

premier *primo* m
— **ministre** *primo ministro* m/f *pri*-mo
mi-*ni*-stro

première *prima* f *pri*-ma

prendre *prendere* prènn-*dé*-ré

préparer *preparare* pré-pa-*ra*-ré

près (de) *vicino (a)* vi-*tchi*-no (a)

préservatif *preservativo* m pré-zér-va-*ti*-vo

président *presidente* m/f pré-zi-*dènn*-té

pressé(e) *fretta* frèt-ta

pressing *lavanderia* f la-vann-dé-*ri*-a

pression *pressione* f prés-*syo*-né

prêt(e) *pronto/a* m/f *pronn*-to/a

prêtre *prete* m prè-té

prier *pregare* pré-*ga*-ré

prière *preghiera* f pré-*guyè*-ra

principal(e) *principale* prinn-tchi-*pa*-lé

printemps *primavera* f pri-ma-*vè*-ra

prise (électrique) *spina* f *spi*-na
— **multiple** *spina* f *multipla spi*-na
moul-ti-pla

prison *prigione* f pri-*djo*-né

prisonnier(ère) *prigioniero/a* m/f
pri-djo-*nyè*-ro/a

privé(e) *privato/a* m/f pri-*va*-to/a

prix *prezzo* m prè-tso
— **du billet** *prezzo* m *d'ingresso*
prè-tso dinn-*grès*-so

problème *problema* m pro-*blè*-ma
— **cardiaque** *problema* m
cardiaco pro-*blè*-ma kar-*di*-a-ko

prochain(e) *prossimo/a* m/f pros-si-mo/a

proche *vicino/a* m/f vi-*tchi*-no/a

produire *produrre* pro-*dour*-ré

produits artisanaux *oggetti* m pl
d'artigianato o-djèt-ti dar-ti-dja-*na*-to

professeur(e) *professore/professoressa* m/f
pro-fés-*so*-ré/pro-fés-so-*rès*-sa

profession *mestiere* m mé-*styè*-ré

profit *profitto* m pro-*fit*-to

profond(e) *profondo/a* m/f
pro-*fonn*-do/a

programme *programma* m pro-*gram*-ma

projecteur *proiettore* m pro-*yét*-to-ré

promenade *gita* f *dji*-ta • *passeggiata* f
pas-sé-*dja*-ta

promesse *promessa* f pro-*mès*-sa

propre *pulito/a* m pou-*li*-to/a

propriétaire *padrone/padrona* m/f *di casa*
pa-*dro*-né/pa-*dro*-na di *ka*-za

propriétaire *proprietario/a* m/f
pro-pri-é-*ta*-ryo/a

prorogation *proroga* f pro-ro-ga

protégé(e) *protetto/a* m/f pro-*tèt*-to/a

protéger *proteggere* pro-tè-*djé*-ré

protester *protestare* pro-tè-*sta*-ré

provisions *provviste* f pl prov-*vi*-sté
— **alimentaires** *provviste* m pl
alimentari prov-*vi*-sté a-li-mènn-*ta*-ri

prugne *prugna* f *prou*-nya

prune *prugna* f *prou*-nya

pub *pub* m poub

puce *pulce* f poul-tché

pull *maglione* m ma-*lyo*-né

pur(e) *puro/a* m/f pou-ro/a

Q

quai *binario* m bi-*na*-ryo

qualité *qualità* f kwa-li-*ta*

quand *quando* kwann-do

quantité *quantità* f kwann-ti-*ta*

quarantaine *quarantena* f kwa-rann-*tè*-na

quart *quarto* m *kwar*-to

quartier *quartiere* m kwar-*tyè*-ré

quasiment *quasi* kwa-zi

quatre *quattro* kwat-tro

quatrième *quarto* kwar-to

quelque chose *qualcosa* kwal-*ko*-za

quelques *alcuni/e* m/f pl
al-*kou*-ni/é

question *domanda* f do-*mann*-da • **poser
une question** *fare una domanda* fa-ré
ou-na do-mann-*da*

queue *coda* f ko-da

qui *chi* ki

quincaillerie *ferramenta* f fér-ra-*mènn*-ta

quinze jours *quindici giorni* m pl
kwinn-di-tchi djor-ni

quoi *che (cosa)* ké (*ko*-za)

R

racisme *razzismo* m ra·*tsiz*·mo
raconter *raccontare* rak·konn·*ta*·ré
radiateur *radiatore* m ra·dya·to·ré
radis *ravanello* m ra·va·*nèl*·lo
raide *ripido/a* m/f ri·pi·do/a
raifort *rafano* m ra·fa·no
raisin(s) *uva* f pl *ou*·va
raisins secs *uva* f *passa ou*·va *pas*·sa
raison *ragione* f ra·djo·né
ramasser *raccogliere* rak·ko·lyé·ré
randonnée *escursione* f é·skour·syo·né
— **pédestre** *escursionismo* m *a piedi*
é·skour·syo·*niz*·mo a pyè·dé
rapide *rapido/a* m/f ra·pi·do/a • *veloce*
vé·*lo*·tché
rapport *rapporto* m rap·*por*·to
rapports protégés *rapporti* m pl *protetti*
rap·*por*·ti pro·*tèt*·ti
raquette *racchetta* f rak·*kèt*·ta
rare *raro/a* m/f ra·ro/a
rasage *rasatura* f ra·za·*tou*·ra
raser *fare la barba* fa·ré la *bar*·ba
rasoir *rasoio* m *(elettrico)* ra·zo·yo
(é·*lèt*·tri·ko)
rat *topo* m to·po
rayon(s) *raggio/raggi* m ra·djo/ra·dji
réalisateur(trice) *regista* m et f ré·*dji*·sta
réaliste *realistico/a* m/f
ré·a·*li*·sti·ko/a
récemment *di recente* di ré·*tchènn*·té
recevoir *ricevere* ri·tchè·vé·ré
récifs *scogliera* f sko·lyè·ra
récit *racconto* m rak·*konn*·to
recommandé *(posta) raccomandata* f
(po·sta) rak·ko·mann·*da*·ta
recommander *raccomandare*
rak·ko·mann·*da*·ré
reçu *ricevuta* f ri·tché·*vou*·ta
recyclable *riciclabile* ri·tchi·*kla*·bi·lé
recycler *riciclare* ri·tchi·*kla*·ré
réfrigérateur *frigo* m *fri*·go
réfugié *rifugiato/a* m/f ri·fou·*dja*·to/a
refuser *rifiutare* ri·fyou·ta·ré
regarder *guardare* gwar·*da*·ré
régime *dieta* f dyè·ta

région *regione* f ré·*djo*·né
régional(e) *regionale* ré·djo·*na*·lé
règle *regola* f rè·go·la
règles *mestruazioni* f pl mé·strou·a·*tsyo*·ni
reine *regina* f ré·*dji*·na
religion *religione* f ré·li·djo·né
relique *reliquia* f ré·*li*·kwi·a
remboursement *rimborso* m rimm·*bor*·so
remercier *ringraziare* rinn·gra·*tsya*·ré
remonte-pente *sciovia* f cho·vi·a
rencontrer *incontrare* inn·konn·*tra*·ré
rendez-vous *appuntamento* m
ap·pounn·ta·*mènn*·to
rendre visite *andare a trovare* ann·*da*·ré
a tro·*va*·ré
réparer *riparare* ri·pa·ra·ré
repas *pranzo* m prann·dzo
— **froid** *pasto* m *freddo* pa·sto frè·do
réponse *risposta* f ri·*spo*·sta
reposer *riposare* ri·po·za·ré
réseau *rete* f rè·té
réservation *prenotazione* f
pré·no·ta·*tsyo*·né
réserver *prenotare*
pré·no·ta·ré
réserves *provviste* f pl prov·*vi*·sté
résidence universitaire *collegio* m
universitario kol·lè·djo ou·ni·vér·si·*ta*·ryo
respirer *respirare* ré·spi·ra·ré
restaurant *ristorante* m ri·sto·*rann*·té
• *locale* m lo·ka·lé
retard *ritardo* m ri·*tar*·do • **en retard** *in*
ritardo inn ri·*tar*·do
retourner *ritornare* ri·tor·*na*·ré
retrait des bagages *ritiro* m *bagagli* ri·*ti*·ro
ba·*ga*·lyi
retraite *pensione* f pènn·*syo*·né • **(à) la**
retraite *(in) pensione*
(inn) pènn·syo·né
retraité(e) *pensionato/a* m/f
pènn·syo·na·to/a
rétribution *compenso* m komm·*pènn*·so
rêve *sogno* m so·nyo
réveil *sveglia* f své·lya
réveiller *svegliare* své·*lya*·ré
se réveiller *svegliarsi* své·*lyar*·si
rêver *sognare* so·*nya*·ré

revue *rivista* f ri·vi·sta

rhume *raffredore* m raf·fré·do·ré
· **rhume des foins** *febbre* f *da fieno* fèb·bré da fyè·no · **enrhumé(e)** *raffreddato/a* m/f raf·fréd·da·to/a

riche *ricco/a* m/f rik·ko/a

rien *niente* nyènn·té

rire *ridere* ri·dé·ré

risque *rischio* m ri·skyo

ristourne *sconto* m skonn·to

rivière *fiume* m fyou·mé

riz *riso* m ri·zo
— **complet** *riso* m *integrale* ri·zo inn·té·gra·lé

robe *abito* m a·bi·to

robinet *rubinetto* m rou·bi·nèt·to

roche *roccia* f ro·tcha

(musique) rock *(musica) rock* *(mou·zi·ka)* rok

roi *re* m ré

roman *romanzo* m ro·mann·dzo
· **architecture romane** *architettura romanica* f ar·kit·tét·tou·ra ro·ma·ni·ka

romantique *romantico/a* m/f ro·mann·ti·ko/a

rond(e) *rotondo/a* m/f ro·tonn·do/a

rond-point *rotonda* m ro·tonn·da

rose *rosa* m/f ro·za

roue *ruota* f rwo·ta

rouge *rosso/a* m/f ros·so/a

rouge à lèvres *rossetto* m ros·sèt·to

rougeole *morbillo* m mor·bil·lo

rougeurs *sfogo* m sfo·go

route *strada* f stra·da

rue *strada* f stra·da

ruelle *vicolo* m vi·ko·lo

ruines *rovine* f pl ro·vi·né

ruisseau *ruscello* m rou·chèl·lo

rythme *ritmo* m ri·tmo

S

sable *sabbia* f sa·bya

sac *borsa* f bor·sa
— **à dos** *zaino* m dza·i·no
— **à main** *borsetta* f bor·sèt·ta
— **de couchage** *sacco* m a *pelo*

sak·ko a pè·lo

sachet *sacchetto* m sak·kèt·to

saint *santo/a* m/f sann·to/a

Saint-Sylvestre *san Silvestro* m sann sil·vè·stro

saison *stagione* f sta·djo·né

salade *insalata* f inn·sa·la·ta

salaire *stipendio* m sti·pènn·dyo

sale *sporco/a* m/f spor·ko/a

salle *sala* f sa·la
— **d'attente** *sala* f *d'attesa* sa·la dat·tè·sa
— **de bain(s)** *bagno* m ba·nyo
— **de gym** *palestra* f pa·lè·stra
— **de transit** *sala* f *di transito* sa·la di trann·zi·to

salon de coiffure *parrucchiere* m par·rou·kyè·ré

samedi *sabato* m sa·ba·to

sanctuaire *santuario* m sann·tou·a·ryo

sandales *sandali* m pl sann·da·li

sandwich *panino* m pa·ni·no · *tramezzino* m tra·mé·dzi·no

sang *sangue* m sann·gwé

sans *senza* sènn·tsa
— **plomb** *senza piombo* sènn·tsa pyomm·bo

sans-abri *senzatetto* m&f sènn·tsa·tèt·to

santé *salute* f sa·lou·té

sardine *sardina* f sar·di·na

sauce *sugo* m sou·go
— **au piment rouge** *salsa* f *di peperoncino rosso* sal·sa di pé·pé·ronn·tchi·no ros·so
— **de soja** *salsa* f *di soia* sal·sa di so·ya
— **tomate** *salsa* f *di pomodoro* sal·sa di po·mo·do·ro

saucisse *salsiccia* f sal·si·tcha

saucisson *salame* m sa·la·mé

saumon *salmone* m sal·mo·né

sauna *sauna* f sa·ou·na

sauter *saltare* sal·ta·ré

savoir *sapere* sa·pè·ré

savon *sapone* m sa·po·né

savoureux(euse) *gustoso/a* m/f gou·sto·zo/a

scanner *scanner* m skan·nér
scène (théâtre) *palcoscenico* m
  pal·ko·chè·ni·ko
science *scienza* f chènn·tsa
score *punteggio* m pounn·tè·djo
sculpture *scultura* f skoul·tou·ra
seau *secchio* m sèk·kyo
sec/sèche *secco/a* m/f sèk·ko/a
second(e) *secondo/a* m/f sé·konn·do/a
seconde *secondo* m sé·konn·do
secrétaire *segretario/a* m/f sé·gré·ta·ryo/a
sein *seno* m sè·no
sel *sale* m sa·lé
self-service *self-service* self·sèr·vi·se
selle *sella* f sèl·la
semaine *settimana* f sét·ti·ma·na
  — **de Pâques** *settimana* f santa
  sét·ti·ma·na sann·ta
semblable *simile* m/f si·mi·lé
sensuel(le) *sensuale* m/f sénn·sou·a·lé
sentier *sentiero* m sènn·tyè·ro
  — **de montagne** *sentiero* m di montagna sènn·tyè·ro di monn·ta·nya
  — **de randonnée** *itinerario* m escursionistico i·ti·né·ra·ryo é·skour·syo·ni·sti·ko
sentiments *sentimenti* m pl sènn·ti·mènn·ti
sentir *sentire* sènn·ti·ré
séparé(e) *separato/a* m/f sé·pa·ra·to/a
série (télévisée) *serie* f (televisiva) sè·ryé
  (té·lé·vi·si·va) • *telenovela* f té·lé·no·vè·la
sérieux(euse) *serio/a* m/f sè·ryo/a
seringue *siringa* f si·rinn·ga
séropositif(ive) *sieropositivo/a* m/f
  syé·ro·po·zi·ti·vo/a
serpent *serpente* m sér·pènn·té
serrure *serratura* f sér·ra·tou·ra
serveur(euse) *cameriere/a* m/f
  ka·mé·ryè·ré/a
service *servizio* m sér·vi·tsyo
  — **militaire** *servizio* m militare sér·vi·tsyo
  mi·li·ta·ré
serviette *asciugamano* m a·chou·ga·ma·no
  — **de table** *tovagliolo* m to·va·lyo·lo
  — **hygiénique** *salva slip* m sal·va slipe
  • *pannolino* m pan·no·li·no
serviettes hygiéniques *assorbenti* m pl
  igienici as·sor·bènn·ti i·djè·ni·tchi

seul(e) *da solo/a* m/f da so·lo/a
seulement *solo* so·lo
sexe *sesso* m sès·so
sexisme *sessismo* m sés·siz·mo
shampooing *shampoo* m shamm·pou
short *pantaloncini* m pl pann·ta·lonn·tchi·ni
si *se* sé
  — **seulement** *magari* m ma·ga·ri
sida *AIDS* m aille·dze
siège *posto* m po·sto
  — **enfant** *seggiolino* m sé·djo·li·no
signature *firma* f fir·ma
signe *segno* m sè·nyo
simple *semplice* m/f sèmm·pli·tché
sirop pour la toux *sciroppo* m per la tosse
  chi·rop·po pér la tos·sé
skier *sciare* cha·ré
ski *sci* m chi
  — **nautique** *sci* m acquatico chi
  a·kwa·ti·ko
Slovénie *Slovenia* f slo·vè·nya
socialiste *socialista* m et f so·tcha·li·sta
soda *bibita* f bi·bi·ta
sœur *sorella* f so·rèl·la
sœur (religieuse) *suora* f swo·ra
soie *seta* f sè·ta
soif *sete* f sè·té • **avoir soif** avere sete f
  a·vè·ré sè·té
soigner *curare* kou·ra·ré
soir *sera* f sè·ra
  ce soir *stasera* sta·sè·ra
sol *pavimento* m pa·vi·mènn·to
soldat *soldato* m sol·da·to
solde *saldo* m sal·do
soldes *saldi* m sal·di
soleil *sole* m so·lé
sombre *scuro/a* m/f skou·ro/a
sommeil *sonno* m son·no • **avoir sommeil**
  avere sonno m a·vè·ré son·no
somnifère *sonnifero* m son·ni·fé·ro
sortie *uscita* f ou·chi·ta
sortir (avec) *uscire (con)* ou·chi·ré (konn)
souhaiter *desiderare* dé·zi·dé·ra·ré
  • *augurare* a·o·gou·ra·ré • **souhaiter la**
  bienvenue à dare il benvenuto a da·ré il
  bènn·vé·nou·to a
soupe *minestra* f mi·nè·stra

sourd(e) *sordo/a* m/f *sor·do/a*

sourire *sorridere* *sor·ri·dé·ré*

souris (d'ordinateur) *mouse* m *ma·ousse*

souris (rongeur) *topo* m *to·po*

sous *sotto* *sot·to*

sous-titres *sottotitoli* m pl *sot·to·ti·to·li*

soutien-gorge *reggiseno* m *ré·dji·sè·no*

souvenir *ricordo* m *ri·kor·do* • **se souvenir** *ricordarsi* m *ri·kor·dar·si*

souvent *spesso* *spès·so*

sparadrap *cerotti* m pl *tché·rot·ti*

spécial(e) *speciale* *spé·tcha·lé*

spécialement *specialmente* *spé·tchal·mènn·té*

spécialist(e) *specialista* m et f *spé·tcha·li·sta*

spectacle *spettacolo* m *spét·ta·ko·lo*

spermicide *spermicida* f *spér·mi·tchi·da*

spirale *spirale* f *spi·ra·lé*

sport *sport* m *sport*

sportif(ive) *sportivo/a* m/f *spor·ti·vo/a*

sports aquatiques *sport* m *acquatici* *sport a·kwa·ti·tchi*

— automobiles *automobilismo* m *a·ou·to·mo·bi·liz·mo*

stade *stadio* m *sta·dyo*

station *stazione* f *sta·tsyo·né*

— de métro *stazione* f *della metropolitana* *sta·tsyo·né dèl·la mé·tro·po·li·ta·na*

— de taxis *posteggio* m *di tassi* *po·stè·djo di ta·si*

station-service *stazione* f *di servizio* *sta·tsyo·né di sér·vi·tsyo* • **distributore** m *di·stri·bou·to·ré*

statue *statua* f *sta·tou·a*

steak *bistecca* f *bi·stèk·ka*

stick pour les lèvres *burro* m *per le labbra* *bour·ro pér lé la·bra*

stupide *stupido/a* m/f *stou·pi·do/a*

style *stile* m *sti·lé*

stylo (à bille) *penna* f *(a sfera)* *pèn·na (a sfè·ra)*

sucette *ciucciotto* m *tchou·tchot·to*

sucre *zucchero* m *tsouk·ké·ro*

sucreries *dolciumi* m pl *dol·tchou·mi*

sud *sud* m *soude*

Suisse *Svizzera* f *svi·tsè·ra*

suivre *seguire* *sé·gwi·ré*

supermarché *supermercato* m *sou·pér·mér·ka·to*

superstition *superstizione* f *sou·pér·sti·tsyo·né*

supporter *fare il tifo* *fa·ré il ti·fo*

supporteurs *tifosi* m pl *ti·fo·zi*

supporteur(trice) *tifoso/a* m/f *ti·fo·zo/a*

sur *sopra* *so·pra* • *su* *sou*

sur(e) *sicuro/a* m/f *si·kou·ro/a*

surf des neiges *surf* m *da neve* *sourf da nè·vé*

surgelés *surgelati* m pl *sour·djé·la·ti*

surnom *soprannome* m *so·pran·no·mé*

surprise *sorpresa* f *sor·prè·sa*

synagogue *sinagoga* f *si·na·go·ga*

synthétique *sintetico/a* m/f *sinn·tè·ti·ko/a*

T

tabac *tabacco* m *ta·bak·ko*

tabac (magasin) *tabaccheria* f *ta·bak·ké·ri·a*

table *tavola* f *ta·vo·la*

tableau *quadro* m *kwa·dro*

tachymètre *tachimetro* m *ta·ki·mé·tro*

taille (vêtements) *taglia* f *ta·lya*

taille-crayon *temperino* m *tèmm·pé·ri·no*

talc *borotalco* m *bo·ro·tal·ko*

tampons *tamponi* m pl *tamm·po·ni*

tante *zia* f *tsi·a*

tard *tardi* *tar·di*

tarif *tariffa* f *ta·rif·fa*

tasse *tazza* f *ta·tsa*

taux de change *tasso* m *di cambio* *tas·so di kamm·byo*

taxe *tassa* f *ta·sa*

— d'aéroport *tassa* f *aeroportuale* *tas·sa a·é·ro·por·tou·a·lé*

taxi *tassi* m *tas·si*

tee-shirt *maglietta* f *ma·lyèt·ta*

télécommande *telecomando* m *té·lé·ko·mann·do*

télégramme *telegramma* m *té·lé·gram·ma*

téléobjectif *teleobiettivo* m té·lé·o·byét·ti·vo
téléphérique *funivia* f fou·ni·vi·a
téléphone *telefono* m té·lè·fo·no
  — **public** *telefono* m *pubblico* té·lè·fo·no pou·bli·ko
téléphoner *telefonare* té·lè·fo·*na*·ré
télésiège *seggiovia* f sé·djo·vi·a
télévision *televisione* f té·lé·vi·*zyo*·né
température *temperatura* f témm·pé·ra·*tou*·ra
temple *tempio* m tèmm·pyo
temps *tempo* m tèmm·po
  · à temps partiel *ad orario ridotto* ad o·*ra*·ryo ri·*dot*·to
tennis *tennis* m tèn·ni·se
  — **de table** *ping-pong* m pinng·*ponng*
tension artérielle *pressione* f *del sangue* prés·syo·né dél sann·gwé
tente *tenda* f tènn·da
terrain *campo* m kamm·po
  — **de golf** *campo* m *da golf* kamm·po da golf
  — **de jeux** *parco* m *giochi* par·ko djo·ki
  — **de tennis** *campo* m *da tennis* kamm·po da tèn·ni·se
terre *terra* f tèr·ra **· Terre** *Terra* f tèr·ra
terrible *terribile* m/f tér·ri·bi·lé
test de grossesse *test* m *di gravidanza* tést di gra·vi·*dann*·tsa **· pap test** m pap tèste
tête *testa* f tè·sta
tétine *ciucciotto* m tchou·*tchot*·to
thé *tè* m tè
théâtre *teatro* m té·*a*·tro
thon *tonno* m ton·no
tiède *tiepido/a* m/f tyè·pi·do/a
timbre *francobollo* m frann·ko·*bol*·lo
timide *timido/a* m/f *ti*·mi·do/a
tirer *tirare* ti·*ra*·ré
tofu *tofu* m to·fou
toilettes *gabinetto* m ga·bi·*nèt*·to
  — **publiques** *gabinetto* m *pubblico* ga·bi·*nèt*·to poub·bli·ko
tomate *pomodoro* m po·mo·*do*·ro
tombe *tomba* f tomm·ba
tonalité *segnale* m *(acustico)* sé·*nya*·lé (a·kou·sti·ko)
torche électrique *torcia* f *elettrica*

tor·tcha é·*lèt*·tri·ka
toucher *toccare* tok·*ka*·ré
toujours *sempre* sèmm·pré
tour *torre* f tor·ré
touriste *turista* m et f tou·*ri*·sta
tourner *girare* dji·*ra*·ré
tourte *torta* f tor·ta
tout(e) *tutto/a* m/f tout·to/a
tous/toutes *tutti/e* m/f tout·ti/é
tousser *tossire* tos·si·ré
toux *tosse* tos·sé
toxicomane *tossicomane* tos·si·ko·ma·né
toxicomanie *tossicodipendenza* f tos·si·ko·di·pènn·*dènn*·tsa
trace *pista* f *pi*·sta
traduire *tradurre* tra·*dour*·ré
trafic *traffico* m traf·fi·ko
train *treno* m trè·no
traitement *salario* m sa·*la*·ryo **· traitement médical** *trattamento* m trat·ta·*ménn* to, *cura* f cou ra
tram *tram* m tram
tranche *fetta* f fèt·ta
tranquille *tranquillo/a* m/f trann·*kwil*·lo/a
transport *trasporto* m tra·*spor*·to
travail *lavoro* m la·*vo*·ro
travailler *lavorare* la·vo·*ra*·ré
  — **à son compte** *lavorare in proprio* la·vo·*ra*·ré inn *pro*·pri·o
travailleur(euse) *lavoratore/lavoratrice* m/f la·vo·ra·*to*·ré/la·vo·ra·*tri*·tché
traveller's chèque *assegno* m *di viaggio* as·sè·nyo di *vya*·djo
travesti *travestito* m tra·vé·*sti*·to
tremblement de terre *terremoto* m tér·ré·*mo*·to
triste *triste* tri·sté
troisième *terzo/a* m/f tèr·tso/a
trop *troppo/a* m/f sg trop·po/a
trop (cher/chère) *troppo (caro/a)* trop·po (*ka*·ro/a)
trop de *troppi/e* m/f pl trop·pi/e
trottoir *marciapiede* m mar·tcha·*pyè*·dé
trouble *disturbo* dis·*tour*·bo
troubles liés au décalage horaire *disturbi* m pl *da fuso orario*

di-*stour*-bi da *fou*-zo o-*ra*-ryo

trousse de premiers secours *corredo* m *antinfortunistico* kor-rè-do ann-tinn-for-tou-*ni*-sti-ko

trouver *trovare* tro-*va*-ré

tu *tu* tou

tuer *ammazzare* am-ma-*tsa*-ré

TV *TV* f ti-*vou*

TVA *IVA* f i-va

type *tipo* m *ti*-po

typique *tipico/a* m/f *ti*-pi-ko/a

U

ulcère *ulcera* f oul-*tchè*-ra

ultérieur(e) *ulteriore* oul-té-*rio*-ré

ultime *ultimo* oul-*ti*-mo

ultrasensible *ultrasensibile* oul-tra-sènn-*si*-bi-lé

unanime *unanime* ou-*na*-ni-mé

unifier *unificare* ou-ni-fi-*ka*-ré

uniforme *divisa* f di-*vi*-za

union *unione* f ou-*nyo*-né

unique *unico/a* m/f ou-ni-ko/a

univers *universo* m ou-ni-*vèr*-so

universel(le) *universale* ou-ni-vér-*sa*-lé

université *università* f ou-ni-vér-*si*-ta

urgence *emergenza* f é-mér-*djènn*-tsa

urgent(e) *urgente* m/f our-*djènn*-té

usager *utente* m/f ou-*tènn*-té

user *usare* ou-*za*-ré

usine *fabbrica* f *fab*-bri-ka

ustensile *utensile* ou-tènn-*si*-lé

utile *utile* ou-ti-lé

V

vacance *vacanza* f va-*kann*-tsa

vacant(e) *libero/a* m/f li-*bè*-ro/a

vaccination *vaccinazione* f- va-tchi-na-*tsyo*-né

vache *mucca* f *mouk*-ka

vagin *vagina* f va-*dji*-na

vague *onda* f *onn*-da

valeur *valore* m va-*lo*-ré

valider *convalidare* konn-va-li-*da*-ré

valise *valigia* f va-*li*-dja

vallée *valle* f *val*-lé

veau *vitello* m vi-*tèl*-llo

végétarien(ne) *vegetariano/a* m/f vé-djé-ta-*rya*-no/a

vélo *bici* f *bi*-tchi

— **de course** *bici* f *da corsa bi*-tchi da *kor*-sa

— **tout-terrain** *mountain bike* m mounn-*tènn* baille-ke

velours *velluto* m vél-*lou*-to

vendre *vendere* vènn-*dé*-ré

vénéneux(euse) *velenoso/a* m/f vé-lé-*no*-zo/a

venir *venire* vé-*ni*-ré

vent *vento* m *vènn*-to

vente *vendita* vènn-di-ta

ventilateur *ventilatore* m vènn-ti-la-*to*-ré

verre (matière) *vetro* m *vè*-tro

verre (pour boire) *bicchiere* m bik-*kyè*-ré

vert(e) *verde* vèr-dé

veste *giacca* f *djak*-ka

vestiaire *spogliatoio* m spo-lya-*to*-yo

vêtement(e) *abbigliamento* m ab-bi-lya-*mènn*-to

veuf/veuve *vedovo/vedova* m/f vé-do-vo/ vé-*do*-va

via *via* f *vi*-a

viande *carne* f *kar*-né

— **blanche** *carne* f *bianca kar*-né *byann*-ca

— **hachée** *carne* f *tritata kar*-né tri-*ta*-ta

— **rouge** *carne* f *rossa kar*-né *ros*-sa

vide *vuoto/a* m/f *vwo*-to/a

vie *vita* f *vi*-ta

vieux/vieille *vecchio/a* m/f vèk-kyo/a

vignette *bollo* m *di circolazione bol*-lo di tchir-ko-la-*tsyo*-né

vignoble *vigneto* m vi-*nyè*-to

village *villaggio* m vil-*la*-djo

ville *città* f tchit-*ta*

vin *vino* m *vi*-no

— **blanc** *vino* m *bianco vi*-no *byann*-ko

— **mousseux** *vino* m *spumante vi*-no spou-*mann*-té

— **rouge** *vino* m *rosso vi*-no *ros*-so

vinaigre *aceto* m a-*tchè*-to

viol *stupro* m *stou*-pro

violet *viola* vyo·la
virus *virus* m *vi·*rou·se
visa *visto* m *vi·*sto
visage *faccia* f *fa·*tcha
visite *visita* f *vi·*zi·ta • **rendre visite**
   andare a trovare ann·*da·*ré a
   tro·*va·*ré
   — guidée *visita* f *guidata* *vi·*zi·ta
   gwi·*da·*ta
visiter *visitare* vi·si·ta·ré • *fare una visita* fa·ré
   ou·na *vi·*si·ta
vitamines *vitamine* f pl vi·ta·*mi·*né
vitesse *velocità* f vé·lo·tchi·*ta*
vivre *vivere* *vi·*vé·ré
voir *vedere* vé·*dè·*ré
voisin(e) *vicino/a* m/f vi·*tchi·*no/a
voiture *macchina* f *mak·*ki·na
voix *voce* f vo·tché
vol *volo* m *vo·*lo
volé(e) *rubato/a* m/f rou·*ba·*to/a
voler *volare* vo·*la·*ré
voler (quelqu'un/quelque chose) *(de)*
   rubare (dé)·rou·*ba·*ré
voleur(euse) *ladro/a* m/f *la·*dro/a
volley-ball *pallavolo* f pal·la·vo·lo
vomir *vomitare* vo·mi·*ta·*ré
voter *votare* vo·*ta·*ré

vouloir *volere* vo·*lè·*ré
vous **(de politesse)** *Lei* leille
voyage d'affaires *viaggio* m *d'affari*
   vya·djo da·*fa·*ri
voyager *viaggiare* vya·*dja·*ré
vrai(e) *vero/a* m/f *vè·*ro/a
vue *vista* f *vi·*sta

W

W.-C. *servizi* m pl *igienici* sér·*vi·*tsi
wagon-lit *vagone* m *letto*
   va·*go·*né *lèt·*to
wagon-restaurant *carrozza* f *ristorante*
   kar·ro·tsa ri·sto·*rann·*té
week-end *fine settimana* m *fi·*né
   sét·ti·*ma·*na

Y

yaourt *yogurt* m *yo·*gourte

Z

zoo *giardino* m *zoologico* djar·*di·*no
   dzo·o·*lo·*dji·ko
zoom *zoom* m dzoumm

Le genre des noms et des adjectifs est indiqué par un m (masculin) et/ou un f (féminin). Si le mot est au pluriel, il sera suivi de pl. Les adjectifs qui se terminent par -e, qui ont la même forme au masculin et au féminin, ne sont suivis d'aucune indication. Les mots et les expressions de ce dictionnaire sont classés par ordre alphabétique. Pour rechercher une expression, rendez-vous au premier mot (par exemple : **in buona salute** en bonne santé est classée à "in").

A

a a à

a bordo a bor·do à bord

abbastanza ab·ba·stann·tsa assez

abbigliamento m ab·bi·lya·mènn·to vêtement(s)

abbracciare ab·bra·tcha·ré embrasser

abitare a·bi·ta·ré habiter (quelque part)

abito m a·bi·to robe

aborto m a·bor·to avortement
   — spontaneo sponn·ta·né·o fausse couche

accanto ak·kann·to à côté

accanto a ak·kann·to a à côté de

accendino m a·tchènn·di·no briquet

accetazione f a·tché·ta·tsyo·né enregistrement (aéroport)

aceto m a·tchè·to vinaigre

acqua f a·kwa eau
   — bollita bol·li·ta eau bouillie
   — calda kal·da eau chaude
   — del rubinetto dél rou·bi·nèt·to eau du robinet
   — minerale mi·né·ra·lé eau minérale
   — non gassata nonn gas·sa·ta eau naturelle

adesso a·dès·so maintenant

adulto/a m/f a·doul·to/a adulte

aereo m a·è·ré·o avion

aerobica f a·é·ro·bi·ka aérobic

aeroporto m a·é·ro·por·to aéroport

affari m pl af·fa·ri affaires

affascinante af·fa·chi·nann·té fascinant(e) • attirant(e)

affitto m af·fi·to loyer

affollato/a m/f af·fo·la·to/a bondé(e)

agenda f a·djènn·da agenda

agenzia f **di viaggio** a·djènn·tsi·a di vya·djo agence de voyages

agganciare ag·gann·tcha·ré accrocher

aggiustare a·djou·sta·ré réparer

aggressivo/a m/f ag·gré·si·vo/a agressif(ive)

aglio m a·lyo ail

agnello m a·nyèl·lo agneau

ago m a·go aiguille

agopuntura f a·go·pounn·tou·ra acupuncture

agricoltore/agricoltrice m/f a·gri·kol·to·ré/a·gri·kol·tri·tché agriculteur(trice)

agricoltura f a·gri·kol·tou·ra agriculture

AIDS m aille·di·è·sé (ou aille·dze) sida

aiutare a·you·ta·ré aider

ala f a·la aile

alba f al·ba aube

albergo m al·bèr·go hôtel

albero m al·bé·ro arbre

albicocca f al·bi·ko·ka abricot

alcuni/e m/f pl al·kou·ni/é certain(es) • quelques

alimentari m a·li·mènn·ta·ri épicerie • supérette

alimento m a·li·mènn·to aliment

al giorno al djor·no par jour

al mare al ma·ré à la mer

all'estero al·lè·sté·ro à l'étranger

allenamento m al·lé·na·mènn·to entraînement

allergia f al·lér·dji·a allergie

alloggio m al-*lo*-djo logement
allucinare al-lou-tchi-*na*-ré impressionner
alpinismo m al-pi-*niz*-mo alpinisme
altare m al-*ta*-ré autel
altezza f al-*tè*-tsa hauteur
alto/a m/f al-to/a haut(e) • grand(e)
altopiano m al-to-*pya*-no plateau
altro/a m/f al-tro/a autre
— **ieri** m yèr-i avant-hier
amaca f a-*ma*-ka hammac
amante m/f a-*mann*-té amant • maîtresse
amare a-*ma*-ré aimer
ambasciata f amm-ba-*cha*-ta ambassade
ambasciatore/ambasciatrice m/f
amm-ba-cha-*to*-ré/amm-ba-cha-*tri*-tché
ambassadeur(drice)
ambiente m amm-*byèn*-té environnement
ambulanza f amm-bou-*lann*-tsa ambulance
amico/a m/f a-*mi*-ko/a ami(e)
ammazzare am-ma-*tsa*-ré tuer
amministrazione f am-mi-ni-stra-*tsyo*-né
administration
analgesico m a-nal-*djé*-zi-ko analgésique
analisi f **del sangue** a-*na*-li-si dél *sann*-gwé
analyse de sang
ananas m a-na-nas ananas
anatra f a-na-tra canard
anche ann-ké aussi
ancora ann-*ko*-ra encore
andare ann-*da*-ré aller
— **a cavallo** a ka-*val*-lo faire du cheval
— **a vedere** a vé-dè-ré aller voir
— **in bicicletta** inn bi-tchi-*klè*-ta faire du
vélo
— **in slitta** inn *slit*-ta faire de la luge
— **su roccia** sou *ro*-tcha faire de l'escalade
andata f ann-*da*-ta aller • **solo andata** so-lo
ann-*da*-ta aller simple • **andata e ritorno**
ann-*da*-ta é ri-tor-no aller-retour
anello m a-*nèl*-lo bague
angolo m ann-go-lo angle
anguria f ann-*gou*-rya pastèque
animale m a-ni-*ma*-lé animal
anno m an-no année
annoiato/a m/f an-no-*ya*-to/a blasé(e)
annuale an-nou-*a*-lé annuel(le)
annuncio m an-*nounn*-tcho annonce
antibiotici m pl ann-ti-*byo*-ti-tchi
antibiotiques

antico/a m/f ann-*ti*-ko/a ancien(ne)
antinucleare ann-ti-nou-klé-*a*-ré
antinucléaire
antisettico m ann-ti-*sèt*-ti-ko antiseptique
antistaminici m pl ann-ti-sta-*mi*-ni-tchi-
antihistaminiques
ape f a-pé abeille
aperto/a m/f a-*pèr*-to/a ouvert(e)
apparecchio m **acustico** ap-pa-rè-kyo
a-*kou*-sti-ko appareil auditif
appartamento m ap-par-ta-*mènn*-to
appartement
appendice f ap-pènn-*di*-tché appendice
appuntamento m ap-pounn-ta-*mènn*-to
rendez-vous
apribottiglie m a-pri-bot-*ti*-lyé
ouvre-bouteille(s)
aprire a-*pri*-ré ouvrir
apriscatole m a-pri-*ska*-to-lé ouvre-boîte(s)
arachidi f pl a-*ra*-ki-di cacahouètes •
arachides
arancia f a-*rann*-tcha orange (fruit)
arancione a-rann-*tcho*-né orange (couleur)
arbitro m ar-bi-tro arbitre
archeologico/a m/f ar-ké-o-*lo*-dji-ko/a
archéologique
architetto m ar-ki-*tèt*-to architecte
architettura f ar-ki-tét-*tou*-ra architecture
argento m ar-*djènn*-to argent
aria f a-rya air
— **condizionata** konn-di-*tsyo*-na-ta air
conditionné
aringa f a-*rinn*-ga hareng
armadietto m ar-ma-*dyè*-to armoire
— **per i bagagli** pér i ba-*ga*-lyi casier à
bagages
armadio m ar-*ma*-dyo armoire
arrabbiato/a m/f ar-ra-*bya*-to/a en colère
arrestare ar-ré-*sta*-ré arrêter
arrivare ar-ri-*va*-ré arriver
arrivo m pl ar-*ri*-vi arrivée (train ou avion)
arte f ar-té art
arti f pl **marziali** ar-ti mar-*tsya*-li arts
martiaux
artista m et f ar-*ti*-sta artiste
ascensore m a-chènn-*so*-ré ascenseur
asciugamano a-chou-ga-*ma*-no serviette
asciugare a-chou-*ga*-ré essuyer
ascoltare a-skol-*ta*-ré écouter

asilo m a·*zi*·lo *école maternelle*
— **nido** *ni*·do *crèche*
asma f *az*·ma *asthme*
asparagi m pl a·*spa*·ra·dji *asperges*
aspettare a·spét·*ta*·ré *attendre*
aspirina f a·spi·*ri*·na *aspirine*
assegno m as·*sè*·nyo *chèque*
— **di viaggio** di *vya*·djo *traveller's chèque* · *chèque de voyage*
assicurazione f as·si·kou·ra·*tsyo*·né *assurance*
assistenza f **sociale**
as·si·*stènn*·tsa so·*tcha*·lé *aides sociales*
assorbenti m pl **igienici** as·sor·*bènn*·ti i·*djè*·ni·tchi *serviettes hygiéniques*
atletica f a·*tlè*·ti·ka *athlétisme*
atrio m *a*·tri·o *hall*
attesa f at·*tè*·sa *attente* · **in lista d'attesa** inn *li*·sta da·*tè*·za *sur la liste d'attente*
attrezzatura f at·tré·tsa·*tou*·ra *équipement*
attualità f at·tou·a·li·*ta actualité*
autobus m *a*·ou·to·bou·se *(auto)bus*
autostop m a·ou·to·*stop auto-stop*
automatico/a m/f a·ou·to·*ma*·ti·ko/a *automatique*
automobilismo m a·ou·to·mo·bi·*liz*·mo *sports automobiles*
autonoleggio m a·ou·to·no·*lè*·djo *location de voitures*
autostrada f a·ou·to·*stra*·da *autoroute*
autunno m a·ou·*tou*·no *automne*
a volte a *vol*·té *parfois*
avaro/a m/f a·*va*·ro/a *avare*
avena f a·*vè*·na *avoine*
avere a·*vè*·ré *avoir*
— **bisogno di** bi·*zo*·nyo di *avoir besoin de*
— **fame** f *fa*·mé *avoir faim*
— **fretta** f *frèt*·ta *être pressé(e)*
— **mal di mare** mal di *ma*·ré *avoir le mal de mer*
— **sete** f *sè*·té *avoir soif*
— **sonno** m *son*·no *avoir sommeil*
avocado m a·vo·*ka*·do *avocat (fruit)*
avventura f av·vènn·*tou*·ra *aventure*
avvertire av·vér·*ti*·ré *avertir*
avvocato/a m/f av·vo·*ka*·to/a *avocat(e)*
azzurro/a m/f a·*dzou*·ro/a *bleu(e) (clair)*

B

baby-sitter m et f bé·bi·*sit*·tér *baby-sitter*
baciare ba·*tcha*·ré *embrasser*
bacio m *ba*·tcho *baiser*
bagaglio m ba·*ga*·lyo *bagage*
— **a mano** a *ma*·no *bagage à main*
— **consentito** konn·sènn·*ti*·to *bagage autorisé*
— **in eccedenza** inn é·tché·*dènn*·tsa *excédent de bagages*
bagnato/a m/f ba·*nya*·to/a *mouillé(e)* · *trempé(e)*
bagno m *ba*·nyo *bain* · *salle de bain(s)* · *toilettes*
balcone m bal·*ko*·né *balcon*
ballare bal·*la*·ré *danser*
balletto m bal·*lèt*·to *ballet*
ballo m *bal*·lo *dance* · *bal*
balsamo m **per i capelli** *bal*·sa·mo pér i ka·*pè*·li *après-shampooing*
bambino/a m/f bamm·*bi*·no/a *enfant*
bambola f *bamm*·bo·la *poupée*
banca f *bann*·ka *banque*
Bancomat m *bann*·ko·mat *distributeur (automatique) de billets* · *carte bancaire*
bancone m bann·*ko*·né *comptoir*
banconota f bann·ko·*no*·ta *billet de banque*
bandiera f bann·*dyè*·ra *drapeau*
bar m bar *café*
barattolo m ba·*rat*·to·lo *boîte* · *pot*
barbabietola f bar·ba·*byè*·to·la *betterave*
barbiere m bar·*byè*·ré *coiffeur (pour hommes)*
barca f *bar*·ka *barque*
baseball m bè·zbol *base-ball*
basso/a m/f *bas*·so/a *bas(se)* · *petit(e)*
batteria f bat·té·*ri*·a *batterie*
battesimo m bat·*tè*·zi·mo *baptême*
bebé m et f bé·*bè bébé*
bello/a m/f *bèl*·lo/a *beau/belle*
benessere m bé·*nès*·sé·ré *bien-être*
benvenuto m f bènn·vé·*nou*·to *bienvenue* · **dare il benvenuto a** *da*·ré il bènn·vé·*nou*·to a *souhaiter la bienvenue à*
benzina f bènn·*dzi*·na *essence*
bere bè·ré *boire*

bevanda f bé·*vann*·da *boisson*

biancheria f **intima** byann·ké·*ri*·a inn·ti·ma *lingerie • sous-vêtements*

bianco/a m/f byann·ko/a *blanc/blanche*

bibbia f *bib*·bya *bible*

bibita f *bi*·bi·ta *soda*

biblioteca f bi·bli·o·tè·ka *bibliothèque*

bicchiere m bik·*kyè*·ré *verre*

bici f **(da corsa)** *bi*·tchi (da *kor*·sa) *vélo (de course)*

bicicletta f bi·tchi·*klèt*·ta *bicyclette*

bidone m bi·do·né *bidon • arnaque*

biglietteria f bi·lyét·té·*ri*·a *billetterie*

biglietto m bi·*lyét*·to *billet*
— **di andata e ritorno** di ann·*da*·ta é ri·tor·no *billet aller-retour*
— **di solo andata** di *so*·lo ann·*da*·ta *billet aller simple*

bilancio m bi·*lann*·tcho *budget*

biliardo m bi·*lyar*·do *billard*

bimbo/a m/f *bimm*·bo/a *enfant*

binario m bi·*na*·ryo *rail*

binocolo m bi·no·ko·lo *jumelles*

biondo/a m/f byonn·do/a *blond(e)*

birra f *bir*·ra *bière*
— **chiara** kya·ra *bière blonde*

biscotto m bi·*skot*·to *biscuit*

bisogno m bi·zo·nyo *besoin* • **avere bisogno di** a·vé·ré bi·zo·nyo di *avoir besoin de*

bistecca f bi·*stèk*·ka *steak • bifteck*

bisticcio m bi·*sti*·tcho *dispute*

bloccato/a m/f blok·*ka*·to/a *bloqué(e)*

blu blou *bleu(e) (foncé)*

bocca f bok·ka *bouche*

boccaglio m bok·*ka*·lyo *embout*

bollo m *bol*·lo *timbre*
— **di circolazione** di tchir·ko·la·*tsyo*·né *vignette (auto)*

bordo m bor·do *bord*

borraccia f bor·*ra*·tcha *gourde*

borsa f *bor*·sa *sac*

borsetta f bor·*sèt*·ta *sac (à main)*

bottiglia f bot·*ti*·lya *bouteille*

bottiglieria f bot·ti·lyé·*ri*·a *magasin de vins*

bottone m bot·to·né *bouton*

braccio m *bra*·tcho *bras* • **le braccia** pl *bra*·tchia

braille m braille *braille*

brillante m/f bril·*lann*·té *brillant(e)*

bronchite f bronn·*ki*·té *bronchite*

bruciare brou·*tcha*·ré *brûler*

brutto/a m/f brout·to/a *laid(e)*

buca f bou·ka *trou*
— **delle lettere** dèl·lé *lèt*·té·ré *boîte aux lettres*

bucatura f bou·ka·*tou*·ra *crevaison*

buddista m et f boud·*di*·sta *bouddhiste*

bugiardo/a m/f bou·*djar*·do/a *menteur(euse)*

buono/a m/f bwo·no/a *bon(ne)*

burro m bour·ro *beurre*
— **per le labbra** pér lé *lab*·bra *stick pour les lèvres*

bussola f bous·so·la *boussole*

busta f bou·sta *enveloppe*
— **imbottita** bou·sta imm·bot·*ti*·ta *enveloppe rembourrée*

C

cabina f ka·*bi*·na *cabine*
— **telefonica** té·lé·fo·ni·ka *cabine téléphonique*

cacao m ka·*ka*·o *cacao*

caccia f *ka*·tcha *chasse*

caffè m ka·fè *café*

calcio m *kal*·tcho *coup de pied • football*

calcolatrice f kal·ko·la·*tri*·tché *calculatrice*

caldo m *kal*·do *chaleur*

caldo/a m/f kal·do/a *chaud(e)*

calendario m ka·lènn·*da*·ryo *calendrier*

calze f pl *kal*·tsé *chaussettes • bas*

calzini m pl kal·*tsi*·ni *chaussettes*

cambiare kamm·*bya*·ré *changer*

cambio m kamm·byo *échange*
— **valuta** f va·*lou*·ta *change*

camera f *ka*·mé·ra *chambre*
— **d'aria** *da*·rya *chambre à air*
— **da letto** da *lèt*·to *chambre à coucher*
— **doppia** dop·pya *chambre double*
— **singola** *sinn*·go·la *chambre simple*

cameriere/a m/f ka·mé·*ryè*·ré/a *serveur(euse)*

camicia f ka·*mi*·tcha *chemise*

camion m ka·myonn *camion*

camminare kam·mi·*na*·ré *marcher*

camminata f kam·mi·*na*·ta *marche*

campagna f kamm-*pa*-nya *campagne*

campeggiare kamm-pé-*dja*-ré *camper*

campeggio m kamm-*pè*-djo *camping*

campionato m kamm-pyo-*na*-to *championnat*

campo m *kamm*-po *champ • domaine*
 — **da golf** da golf *terrain de golf*
 — **da tennis** da *tèn*-ni-se *terrain de tennis*

cancellare kann-tchél-*la*-ré *effacer*

cancello m kann-*tchèl*-lo *portail*

cancro m *kann*-kro *cancer*

candela f kann-*dè*-la *chandelle • bougie*

cane m *ka*-né *chien*
 — **guida** gwi-da *chien d'aveugle*

canottaggio m ka-not-*ta*-djo *aviron*

canottiera f ka-not-*tyè*-ra *maillot de corps*

cantante m/f kann-*tann*-té *chanteur(euse)*

cantare kann-*ta*-ré *chanter*

cantina f kann-*ti*-na *cave • cave viticole*

canzone f kann-*tso*-né *chanson*

caparra f ka-*par*-ra *caution*

capire ka-*pi*-ré *comprendre*

capo m *ka*-po *chef*

Capodanno m *ka*-po da-no *Jour de l'an*

cappello m kap-*pèl*-lo *chapeau*

cappotto m kap-*pot*-to *manteau*

capra f *ka*-pra *chèvre*

carabiniere m ka-ra-bi-*nyè*-ré *carabinier (l'équivalent des gendarmes)*

caramella f ka-ra-*mèl*-la *bonbon*
 — **alla menta** *al*-la *mènn*-ta *à la menthe*

carcere m *kar*-tché-ré *prison*

carino/a m/f ka-*ri*-no/a *joli(e) • gentil(le)*

carne f *kar*-né *viande*
 — **tritata** tri-*ta*-ta *viande hachée*

caro/a m/f *ka*-ro/a *cher/chère*

carota f ka-*ro*-ta *carotte*

carpentiere m kar-pènn-*tyè*-ré *charpentier*

carrello m ka-*rè*-lo *chariot*

carrozza f kar-*ro*-tsa *carrosse • wagon*
 — **ristorante** ri-sto-*rann*-té *wagon-restaurant*

carta f *kar*-ta *papier • carte*
 — **d'identità** di-dènn-ti-*ta carte d'identité*
 — **d'imbarco** dimm-*bar*-ko *carte d'embarquement*
 — **di credito** di *krè*-di-to *carte de crédit*
 — **igienica** i-*djè*-ni-ka *papier toilette*

 — **telefonica** té-lé-*fo*-ni-ka *carte téléphonique*

carte f pl *kar*-té *cartes*

cartolaio m kar-to-*la*-yo *papetier*

cartolina f kar-to-*li*-na *carte postale*

cartuccia f kar-*tou*-tcha *cartouche*
 — **di ricambio del gas** di ri-*kamm*-byo dél gaz *cartouche camping-gaz*

casa f *ka*-za *maison*

casalingo/a m/f ka-za-*linn*-go/a *fait(e) maison*

cascata f ka-*ska*-ta *cascade*

casco m *ka*-sko *casque*

casinò m ka-zi-*no casino*

cassa f *kas*-sa *caisse*

cassaforte f kas-sa-for-*té coffre-fort*

cassetta f kas-*sè*-ta *cassette*

cassiere/a m/f kas-*syè*-ré/a *caissier(ère)*

castello m ka-*stè*-lo *chateau*

catena f ka-*tè*-na *chaîne*
 — **di montagne** di mon-*ta*-nyé *chaîne de montagnes*

catene f pl **da neve** ka-*tè*-né da *nè*-vé *chaînes pour la neige*

cattivo/a m/f kat-*ti*-vo/a *méchant(e)*

cattolico/a m/f kat-to-li-ko/a *catholique*

cavalcare ka-val-*ka*-ré *faire du cheval*

cavallino m ka-val-*li*-no *poney*

cavallo m ka-*val*-lo *cheval • andare a cavallo* ann-*da*-ré a ka-*val*-lo *faire du cheval*

cavi m pl **con morsetti** *ka*-vi konn mor-*sèt*-ti *câbles de démarrage*

caviale m ka-*vya*-lé *caviar*

caviglia f ka-*vi*-lya *cheville*

cavo m *ka*-vo *câble*

cavoletti m pl **di Bruxelles** ka-vo-*lèt*-ti di brouk-*sèl choux de Bruxelles*

cavolfiore m ka-vol-*fyo*-ré *chou-fleur*

cavolo m *ka*-vo-lo *chou*

ceci m pl *tchè*-tchi *pois chiches*

celebrazione f tché-lé-bra-*tsyo*-né *célébration*

celibe m *tchè*-li-bé *célibataire (homme)*

cellulare m tchél-lou-*la*-ré *téléphone portable*

cena f *tchè*-na *dîner*

centesimo m tchènn-*tè*-zi-mo *centime*

centimetro m tchènn-*ti*-mé-tro *centimètre*

centro m tchènn·tro centre
— **commerciale** kom·mér·tcha·lé centre commercial
— **storico** sto·ri·ko centre historique
— **telefonico** té·lé·fo·ni·ko centre téléphonique
cercare tchér·ka·ré chercher
cereali m pl tché·ré·a·li céréales
cerotto m tché·rot·to sparadrap
certificato m tchér·ti·fi·ka·to certificat
cestino m tché·sti·no panier
cetriolo m tché·tri·o·lo concombre
che (cosa) ké (ko·za) quoi
chi ki qui
chiamata f kya·ma·ta appel téléphonique
• coup de fil
— **a carico del destinatario** a ka·ri·ko dél dé·sti·na·ta·ryo appel à la charge du destinataire
chiaro/a m/f kya·ro/a clair(e)
chiave f kya·vé clef
chiesa f kyè·za église
chilo m ki·lo kilo
chilometro m ki·lo·mé·tro kilomètre
chitarra f ki·tar·ra guitare
chiudere kyou·dé·ré fermer
chiuso/a m/f kyou·zo/a fermé(e) • clos(e)
ciascuno/a m/f tcha·skou·no/a chaque • chacun(e)
cibo m tchi·bo nourriture
— **da bebè** da bé·bè nourriture pour bébé
ciclismo m tchi·kliz·mo cyclisme
ciclista m et f tchi·kli·sta cycliste
ciclopista f tchi·klo·pi·sta piste cyclable
cidì m tchi·di CD
cieco/a m/f tchè·ko/a aveugle
cielo m tchè·lo ciel
cima f tchi·ma cime
cinema m tchi·né·ma cinéma
cinghia f **della ventola** tchinn·guya dèl·la vènn·to·la courroie de ventilation
cintura f **di sicurezza** tchinn·tou·ra di si·kou·rè·tsa ceinture de sécurité
cioccolato m tchok·ko·la·to chocolat
cipolla f tchi·pol·la oignon
circo m tchir·ko cirque
cisti f **ovarica** tchi·sti o·va·ri·ka kyste ovarien

cistite f tchi·sti·té cystite
città f tchit·ta ville
cittadinanza f tchit·ta·di·nann·tsa nationalité
ciucciotto m tchou·tchot·to sucette
• tétine
classe f klas·sé classe
— **business** biz·nèse classe affaires
— **turistica** tou·ri·sti·ka classe économique
classico/a m/f klas·si·ko/a classique
cliente m et f kli·ènn·té client
coda f ko·da queue
codice m **postale** ko·di·tché po·sta·lé code postal
cognome m ko·nyo·mé nom de famille
coincidenza f ko·inn·tchi·dènn·tsa coïncidence • correspondance (transport)
collant f pl kol·lannt collant
colazione f ko·la·tsyo·né petit-déjeuner
collega m et f kol·lè·ga collègue
collegio m **universitario** kol·lè·djo ou·ni·vér·si·ta·ryo résidence universitaire
collina f kol·li·na colline
collirio m kol·li·ryo collyre
collo m kol·lo cou
colloquio m **(selettivo)** kol·lo·kwi·o (sé·lét·ti·vo) entretien (de sélection)
colore m ko·lo·ré couleur
colpa f kol·pa faute
colpevole kol·pè·vo·lé coupable
coltello m kol·tèl·lo couteau
come ko·mé comment
cominciare ko·minn·tcha·ré commencer
• débuter
commedia f kom·mè·dya pièce de théâtre
— **comica** ko·mi·ka comédie
commercio m kom·mèr·tcho commerce
commissione f kom·mi·syo·né commission
comodo/a m/f ko·mo·do/a confortable
compagno/a m/f komm·pa·nyo/a compagnon/compagne
compenso m komm·pènn·so rémunération
• récompense
compleanno m komm·plé·a·no anniversaire
complesso m **rock** komm·plè·so rok groupe de rock

completo/a m/f komm-*plè*-to/a *complet(ète)*
comprare komm-*pra*-ré *acheter*
compreso/a m/f komm-*prè*-zo/a *compris(e)*
• *inclus(e)*
computer m komm-*pyou*-teur *ordinateur*
— **portatile** m por-*ta*-ti-lé *(ordinateur)*
portable
comunione f ko-mou-*nyo*-né *communion*
comunista m et f ko-mou-*ni*-sta *communiste*
con konn *avec*
concerto m konn-*tchèr*-to *concert*
condividere konn-di-*vi*-dé-ré *partager*
confermare konn-fér-*ma*-ré *confirmer*
confessione f konn-*fés*-syo-né *confession*
• *aveux*
confine m konn-*fi*-né *frontière*
congelare konn-djé-*la*-ré *congeler*
congelato/a m/f konn-djé-*la*-to/a *congelé(e)*
coniglio m ko-*ni*-lyo *lapin*
conoscere ko-*no*-ché-ré *connaître*
conservatore/conservatrice m/f
konn-sér-va-*to*-ré/konn-sér-va-*tri*-tché
conservateur(trice)
consigliare konn-si-*lya*-ré *conseiller*
• *recommander*
consolato m konn-so-*la*-to *consulat*
contanti m pl konn-*tann*-ti *espèces (argent)*
• *liquide*
contare konn-*ta*-ré *compter*
conto m konn-to *addition*
— **in banca** inn *bann*-ka *compte bancaire*
contraccettivi m pl konn-tra-tchét-*ti*-vi
contraceptifs
contratto m konn-*trat*-to *contrat*
controllare konn-trol-*la*-ré *contrôler*
controllore m konn-trol-*lo*-ré
contrôleur(euse)
convalidare konn-va-li-*da*-ré *valider*
convento m konn-*vènn*-to *couvent*
coperta f ko-*pèr*-ta *couverture*
coperte f pl **e lenzuola** f pl ko-*pèr*-té é
lènn-*tswo*-la *draps et couvertures*
coperto m ko-*pèr*-to *couvert (restaurant)*
Coppa f del mondo *kop*-pa dél *monn*-do
Coupe du monde
coraggioso/a m/f ko-ra-*djo*-zo/a
courageux(euse)
corda f *kor*-da *corde*
— **del bucato** dél bou-*ka*-to *corde à linge*

corpo m *kor*-po *corps*
corrente f kor-*rènn*-té *courant (électrique)*
• *courant (d'une rivière)*
correre kor-ré-ré *courir*
corridoio m kor-ri-*do*-yo *couloir*
corrompere kor-*romm*-pé-ré *corrompre*
corrotto/a m/f kor-*ro*-to/a *corrompu(e)*
corsa f *kor*-sa *course*
corte f *kor*-té *cour (tribunal)*
corto/a m/f *kor*-to/a *court(e)*
cosa f *ko*-za *chose*
costa f *ko*-sta *côte*
costare ko-*sta*-ré *coûter*
costruire ko-strou-*i*-ré *construire*
costruttore/costruttrice m/f
ko-strout-*to*-ré/ko-strout-*tri*-tché
constructeur(trice)
costume m **da bagno**
ko-*stou*-mé da *ba*-nyo *maillot de bain*
cotone m ko-*to*-né *coton*
cozza f *ko*-tsa *moule (mollusque)*
crema f *krè*-ma *crème*
— **da barba** da *bar*-ba *crème à raser*
— **solare** so-*la*-ré *crème solaire*
crescere *krè*-ché-ré *grandir* • *croître*
criminalità f kri-mi-na-li-*ta* *criminalité*
cristiano/a m/f kri-*stya*-no/a *chrétien(ne)*
croce f *kro*-tché *croix*
crudo/a m/f *krou*-do/a *cru(e)*
cucchiaino m kouk-*kya*-i-no *petite cuillère*
cucchiaio m kouk-*kya*-yo *cuillère*
cucciolo m *kou*-tcho-lo *chiot* • *chaton*
cucina f kou-*tchi*-na *cuisine*
cucinare kou-tchi-*na*-ré *cuisiner*
cucire kou-*tchi*-ré *coudre*
culla f *koul*-la *berceau*
cuoco/a m/f *kwo*-ko/a *cuisinier(ère)*
cuoio m *kwo*-yo *cuir*
cuore m *kwo*-ré *cœur*
curare kou-*ra*-ré *soigner* • *s'occuper de*
curriculum vitae m kour-*ri*-kou-loumm
vi-té *CV*
curry m *kour*-ri *curry*
cuscino m kou-*chi*-no *coussin* • *oreiller*

D

da da *de* • *chez* • *par* • *depuis*
da solo/a m/f da *so*-lo/a *seul(e)*

italien/français

danno m dan·no dommage
dare da·ré donner
— **il benvenuto a** il bènn·vé·nou·to a souhaiter la bienvenue à
— **un calcio** ounn kal·tcho donner un coup de pied
data f da·ta date
— **di arrivo** di ar·ri·vo date d'arrivée
— **di nascita** di na·chi·ta date de naissance
— **di partenza** di par·tènn·tsa date de départ
datore/datrice m/f **di lavoro** da·to·ré/da·tri·tché di la·vo·ro employeur(euse)
dea f dè·a déesse
debole dè·bo·lé faible
degustazione f **(dei vini)** dé·gou·sta·tsyo·né (deille vi·ni) dégustation (de vins)
delitto m dé·lit·to délit • crime
democrazia f dé·mo·kra·tsi·a démocratie
denaro m dé·na·ro argent
dente m dènn·té dent • **denti** pl dènn·ti
dentifricio m dènn·ti·fri·tcho (pâte) dentifrice
dentista m et f dènn·ti·sta dentiste
dentro dènn·tro dans • à l'intérieur • au fond de soi
deodorante m dé·o·do·rann·té déodorant
deposito m dé·po·zi·to dépôt
— **bagagli** ba·ga·lyi consigne
derubare dé·rou·ba·ré voler
desiderare dé·si·dé·ra·ré désirer • souhaiter
destinazione f dé·sti·na·tsyo·né destination
destra dè·stra droite
detersivo m dé·tér·si·vo lessive • liquide vaisselle
di di de • en • que
— **andata e ritorno** ann·da·ta é ri·tor·no aller-retour
— **destra** dè·stra de droite
— **fronte a** fronn·té a en face de
— **meno** mè·no moins
— **nuovo** nwo·vo encore
— **più** pyou plus
— **recente** ré·tchènn·té récemment

— **seconda mano** sé·konn·da ma·no d'occasion
— **sinistra** si·ni·stra de gauche
diabete m dya·bè·té diabète
diaframma m dya·fram·ma diaphragme
diapositiva m dya·po·zi·ti·va diapositive
diarrea f dyar·rè·a diarrhée
diesel m di·zél diesel
dieta f dyè·ta régime • diète
dietro dyè·tro derrière
difettoso/a m/f di·fét·to·zo/a défectueux(euse)
differente (da) dif·fé·rènn·té (da) différent(e) (de)
differenza f dif·fé·rènn·tsa différence
— **di fuso orario** di fou·zo o·ra·ryo différence de fuseau horaire
difficile dif·fi·tchi·lé difficile
digitale di·dji·ta·lé numérique
dimensione f di·mènn·syo·né dimension • grandeur
dimenticare di·mènn·ti·ka·ré oublier
dio/dea m/f di·o/dè·a dieu/déesse
dipendente m/f di·pènn·dènn·té salarié(e) • adonné(e)
dipingere di·pinn·djé·ré peindre
dire di·ré dire
diretto/a m/f di·rèt·to/a direct(e)
direzione f di·ré·tsyo·né direction
diritti m pl **umani** dir·ri·ti ou·ma·ni droits de l'homme
diritto m dir·rit·to/a droit(e)
disabile m/f di·za·bi·lé handicapé(e)
dischetto m di·skét·to disquette
discriminazione f di·skri·mi·na·tsyo·né discrimination
disinfettante m di·zinn·fét·tann·té désinfectant
disoccupato/a m/f di·zo·kou·pa·to/a chômeur(euse)
distributore m di·stri·bou·to·ré pompe à essence
— **automatico di biglietti** a·ou·to·ma·ti·ko di bi·lyèt·ti distributeur automatique (de billets)
disturbo m di·stour·bo trouble
dito m di·to doigt
— **del piede** dél pyè·dé doigt de pied
ditta f dit·ta entreprise

diversi/e m/f pl di·vèr·si/é *plusieurs*
diverso/a di·vèr·so/a *différent(e)*
divertente di·vér·tènn·té *amusant(e)*
divertimento m di·vér·ti·mènn·to
  divertissement
divertirsi di·vér·tir·si *s'amuser*
divorziato/a m/f di·vor·tsya·to/a
  divorcé(e)
divisa f di·vi·za *uniforme*
doccia f do·tcha *douche*
documenti m pl do·kou·mènn·ti *papiers*
documento m **d'identità** do·kou·mènn·to
  di·dènn·ti·ta *carte d'identité*
dogana f do·ga·na *douane*
dolce m dol·tché *gâteau • dessert*
dolce dol·tché *doux/douce • sucré(e)*
dolciumi m pl dol·tchou·mi *sucreries*
dollaro m dol·la·ro *dollar*
dolore m do·lo·ré *douleur*
dolori m pl **mestruali** do·lo·ri mé·strou·a·li
  douleurs menstruelles
doloroso/a m/f do·lo·ro·zo/a
  douloureux(euse)
domanda f do·mann·da *question*
domandare do·mann·da·ré *poser une
  question*
domani do·ma·ni *demain*
  — mattina mat·ti·na *demain matin*
  — pomeriggio po·mé·ri·djo *demain
  après-midi*
  — sera sè·ra *demain soir*
donna f don·na *femme*
  — d'affari daf·fa·ri *femme d'affaires*
dopo do·po *après*
dopobarba m do·po·bar·ba *après-rasage*
dopodomani do·po·do·ma·ni *après-demain*
doppio/a m/f dop·pyo/a *double*
dormire dor·mi·ré *dormir*
dose f do·zé *dose*
  — eccessiva é·tchés·si·va *dose excessive*
dove do·vé *où*
dozzina f do·dzi·na *douzaine*
dramma m dram·ma *drame*
droga f dro·ga *drogue*
drogheria f dro·gué·ri·a *épicerie*
duomo m dwo·mo *cathédrale • dôme*
durante dou·rann·té *durant*
duro/a m/f dou·ro/a *dur(e)*

E

e é *et*
ebreo/a m/f é·brè·o/a *juif/juive*
ecografia f é·ko·gra·fi·a *échographie*
economico/a m/f é·ko·no·mi·ko/a
  économique
eczema m ék·dzè·ma *eczéma*
edicola f é·di·ko·la *kiosque (à journaux)*
edificio m é·di·fi·tcho *édifice*
egoista m/f é·go·i·sta *égoïste*
elenco m **telefonico**
  é·lènn·ko té·lé·fo·ni·ko *annuaire
  (téléphonique)*
elettricista m et f é·lét·tri·tchi·sta
  électricien(ne)
elettricità f é·lé·tri·tchi·ta *électricité*
elezioni f pl é·lé·tsyo·ni *élections*
email m i·meille *mail*
emergenza f é·mér·djènn·tsa *urgence*
emicrania f é·mi·kra·nya *migraine*
emotivo/a m/f é·mo·ti·vo/a
  émotif(ive)
energia f **(nucleare)** é·nér·dji·a
  (nou·klé·a·ré) *énergie (nucléaire)*
enorme é·nor·mé *énorme*
entrare ènn·tra·ré *entrer*
entrata f ènn·tra·ta *entrée*
entro (un'ora) ènn·tro (ounn·o·ra) *d'ici
  (une heure)*
epatite f é·pa·ti·té *hépatite*
epilessia f é·pi·lés·si·a *épilepsie*
erba f èr·ba *herbe*
erbe f pl èr·bé *fines herbes*
erborista m et f èr·bo·ri·sta *herboriste*
erotico/a m/f é·ro·ti·ko/a *érotique*
errore m ér·ro·ré *erreur*
esame m é·za·mé *examen*
escluso/a m/f é·sklou·zo/a *exclu(e) • non
  compris(e)*
escursione f é·skour·syo·né *excursion*
  — a piedi a pyè·dé *randonnée pédestre*
escursionismo m é·skour·syo·niz·mo
  randonnée
  — a piedi a pyè·dé *randonnée pédestre*
esecuzione f é·sé·kou·tsyo·né
  performance (artistique)
esempio m é·zèmm·pyo *exemple*

esperienza f é·spé·ryènn·tsa *expérience*

esperimenti m pl **nucleari**
é·spé·ri·mènn·ti nou·klé·a·ri *essais nucléaires*

esperimento m é·spo·zi·mé·tro *posemètre*

esposizione f é·spo·zi·tsyo·né *exposition*

espresso/a m/f é·sprès·so/a *express*

essere ès·sé·ré *être*
— **d'accordo** da·kor·do *être d'accord*
— **raffreddato/a** m/f raf·fréd·da·to/a *être enrhumé(e)*

est m é·ste *est*

estate f é·sta·té *été*

estetista m et f é·sté·ti·sta *esthéticien(ne)*

estero/a m/f é·sté·ro/a *étranger(ère)* •
all'estero al·lè·sté·ro *à l'étranger*

età f é·ta *âge*

etichetta f é·ti·kèt·ta *étiquette*

etto m ét·to *100 grammes*

euro m é·ou·ro *euro*

europeo/a m/f é·ou·ro·pè·o/a *européen(ne)*

eutanasia f é·ou·ta·na·zi·a *euthanasie*

F

fabbrica f fab·bri·ka *usine*

faccia f fa·tcha *visage*

facile fa·tchi·lé *facile*

fagioli m pl fa·djo·li *haricots*

fame f fa·mé *faim* • **avere fame** a·vè·ré fa·mé *avoir faim*

famiglia f fa·mi·lya *famille*

famoso/a m/f fa·mo·zo/a *célèbre*

fango m fann·go *boue*

fantastico/a m/f fann·ta·sti·ko/a *fantastique*

fantino m fann·ti·no *jockey*

fare fa·ré *faire*
— **il tifo** il ti·fo *supporter*
— **l'autostop** la·ou·to·stop *faire de l'auto-stop*
— **la barba** la bar·ba *raser*
— **male** ma·lé *faire mal*
— **una camminata** ou·na kam·mi·na·ta *faire une promenade*
— **una foto** ou·na fo·to *prendre une photo*

farfalla f far·fal·la *papillon*

faro m fa·ro *phare*

farina f fa·ri·na *farine*

farmacia f far·ma·tchi·a *pharmacie*

farmacista m et f far·ma·tchi·sta *pharmacien(ne)*

fascia f fa·cha *bande* • *bandeau* • *tranche*

fatto/a m/f fat·to/a *fait(e)*
— **a mano** a ma·no *fait(e) à la main*

fattoria f fat·to·ri·a *ferme*

fax m faks *fax*

fazzolettini m pl **di carta**
fa·tso·lét·ti·ni di kar·ta *mouchoirs en papier*

fazzoletto m fa·tso·lèt·to *mouchoir*

febbre f fèb·bré *fièvre*
— **da fieno** da fyè·no *rhume des foins*

febbrile féb·bri·lé *fiévreux(euse)*

federa f fè·dé·ra *housse (d'oreiller)*

fegato m fè·ga·to *foie*

felice m/f fé·li·tché *heureux(euse)*

ferire fé·ri·ré *blesser*

ferita f fé·ri·ta *blessure*

ferito/a m/f fé·ri·to/a *blessé(e)*

fermare fér·ma·ré *arrêter*

fermarsi fér·mar·si *s'arrêter* • *descendre (dans un hôtel)*

fermata f fér·ma·ta *arrêt*

fermo m **posta** fér·mo po·sta *poste restante*

ferramenta f fér·ra·mènn·ta *quincaillerie*

ferro m fèr·ro *fer*
— **da stiro** da sti·ro *fer à repasser*

festa f fè·sta *fête* • *congé*

fetta f fèt·ta *tranche*

fiammifero m fyam·mi·fé·ro *allumette*

fico m fi·ko *figue*

fidanzamento m
fi·dann·tsa·mènn·to *fiançailles*

fidanzato/a m/f fi·dann·tsa·to/a *fiancé(e)* • *petit(e) ami(e)*

figlia f fi·lya *fille*

figlio m fi·lyo *fils*

film m film *film*

filo m fi·lo *fil*
— **dentario** dènn·ta·ryo *fil dentaire*

fine f fi·né *fin*

fine settimana f fi·né sét·ti·ma·na *week-end*

finestra f fi·nè·stra *fenêtre*

finestrino m fi·né·stri·no *fenêtre (de voiture, d'avion)*

finire fi·ni·ré *finir* • *terminer*

finito/a m/f fi·*ni*·to *fini(e)*

fino a (giugno) *fi*·no a (djou·nyo) *jusqu'au mois de (juin)*

fiocchi m pl **di mais** fyok·ki di *ma*·i·se *flocons de maïs*

fioraio m et f fyo·*ra*·yo *fleuriste*

fiore m fyo·ré *fleur*

firma f *fir*·ma *signature*

fiume m fyou·mé *fleuve*

flash m flèche *flash (d'appareil photo)*

fluido m **idratante** flou·i·do i·dra·*tann*·té *crème hydratante*

foglia f *fo*·lya *feuille*

fondo m fonn·do *fond*

fondo/a m/f fonn·do/a *creux/creuse*

footing m fou·*tinng jogging* • *footing*

forbici f pl for·bi·tchi *ciseaux*

forchetta f for·*kè*·ta *fourchette*

foresta f fo·rè·sta *forêt*

forma f *for*·ma *forme*

formaggio m for·*ma*·djo *fromage*
— **fresco** frè·sko *fromage frais*

formica f for·*mi*·ka *fourmi*

forno m *for*·no *four*
— **a microonde** a *mi*·kro·onn·dé *four à micro-ondes*

forse for·sé *peut-être*

forte m/f for·té *fort(e)* • *relevé(e)*

fortuna f for·tou·na *chance* • *fortune*

fortunato/a m/f for·tou·na·to/a *chanceux(euse)*

forza f for·tsa *force*

forze f pl **armate** for·tsé ar·*ma*·té *forces armées*

foto f *fo*·to *photo*

fotografia f fo·to·gra·*fi*·a *photographie*

fotografo m fo·to·gra·fo *photographe*

fra fra *entre*
— **poco** po·ko *d'ici peu (de temps)*

fragile fra·dji·lé *fragile*

fragola f fra·go·la *fraise*

francobollo m frann·ko·bo·lo *timbre*

fratello m fra·tè·lo *frère*

freccia f frè·tcha *clignotant* • *flèche*

freddo/a m/f frèd·do/a *froid(e)*

freno m frè·no *frein*

fresco/a m/f frè·sko/a *frais/fraîche*

fretta f frèt·ta *hâte* • **avere fretta** a·vè·ré frèt·ta *être pressé(e)*

friggere fri·djé·ré *frire*

frigo m *fri*·go *frigo*

frigobar m fri·go·bar *minibar*

frigorifero m fri·go·ri·fè·ro *réfrigérateur*

frizione f fri·tsyo·né *embrayage*

fronte m fronn·té *front* • **di fronte a** di fronn·té a *en face de*

frutta f frout·ta *fruit* • *dessert*
— **secca** sè·ka *fruit sec*

fruttivendolo/a m/f frout·ti·vènn·do·lo/a *marchand(e) de fruits et légumes*

fumare fou·*ma*·ré *fumer*

fumato/a m/f fou·*ma*·to/a *fumé(e)* • *défoncé(e)*

funerale m fou·né·ra·lé *enterrement*

fungo m founn·go *champignon*

funivia f fou·ni·vi·a *téléphérique*

fuoco m *fwo*·ko *feu*

fuori *fwo*·ri *dehors*

furgone m four·go·né *fourgon*

fuso orario m fou·zo o·ra·ryo *décalage horaire* • **disturbi** m pl **da fuso orario** di·*stour*·bi da fou·zo o·ra·ryo *troubles liés au décalage horaire*

futuro m fou·tou·ro *futur*

G

gabinetto m **(pubblico)** ga·bi·*nèt*·to (*poub*·bli·ko) *toilettes publiques*

galleria f **d'arte** gal·lé·ri·a dar·té *galerie d'art*

Galles m *gal*·lé·se *pays de Galles*

gamba f gamm·ba *jambe*

gambero m gamm·bé·ro *écrevisse* • *homard*

gara f ga·ra *compétition*

garage m ga·ra·je *garage*

gas m gaz *gaz*

gasolio m ga·zo·lyo *gazole*

gastroenterite f ga·stro·ènn·té·ri·té *gastroentérite*

gattino m gat·*ti*·no *chaton*

gatto m gat·to *chat*

gay gueille *gay*

gelateria f djé·la·té·ri·a *glacier*

gelato m djé·la·to *glace*

geloso/a m/f djé·lo·zo/a *jaloux(ouse)*

gemelli/e m/f pl djé·*mèl*·li/é *jumeaux/*

jumelles

generale djé-né-*ra*-lé *général(e)*

gengiva f djènn-*dji*-va *gencive*

genitori m pl djé-ni-*to*-ri *parents*

gente f djènn-té *gens*

gentile djènn-*ti*-lé *gentil(le)*

germogli m **pl (di soia)** djér-*mo*-lyi (di *so*-ya) *pousses de soja*

gettone m djét-*to*-né *jeton*

ghiaccio m *guya*-tcho *glace*

già dja *déjà*

giacca f *dja*-ka *veste*

giallo/a m/f *djal*-lo/a *jaune*

Giappone m djap-*po*-né *Japon*

giardinaggio m djar-di-*na*-djo *jardinage*

giardino m djar-*di*-no *jardin*
— **zoologico** dzo-o-*lo*-dji-ko *zoo*

ginecologo/a m/f dji-né-*ko*-lo-go/a *gynécologue*

ginnastica f dji-*na*-sti-ka *gymnastique*

ginocchio m dji-*nok*-kyo *genou* • **le ginocchia** f pl dji-*nok*-kya *genoux*

giocare djo-*ka*-ré *jouer*
— **a calcio** a *kal*-tcho *jouer au foot*

gioco m *djo*-ko *jeu*
— **elettronico** é-lét-*tro*-ni-ko *jeu vidéo*

gioiello m djo-*yèl*-lo *bijou*

giornale m djor-*na*-lé *journal*

giornalista m et f djor-na-*li*-sta *journaliste*

giorno m *djor*-no *jour* • **al giorno** al *djor*-no *par jour*

giovane *djo*-va-né *jeune*

girare dji-*ra*-ré *tourner*

gita f *dji*-ta *excursion*

giù djou *en bas*

giubbotto m **di salvataggio** djoub-*bot*-to di sal-va-*ta*-djo *gilet de sauvetage*

giudice m *djou*-di-tché *juge*

giudò m djou-*do* *judo*

giusto/a m/f *djou*-sto/a *juste*

gola f *go*-la *gorge*

gomma f *gom*-ma *caoutchouc*
— **da masticare** da ma-sti-*ka*-ré *chewing-gum*

gonfiore m gonn-*fyo*-ré *enflure*

gonna f *gon*-na *jupe*

governo m go-*vèr*-no *gouvernement*

grammo m pl *gram*-mo *gramme*

grande *grann*-dé *grand(e)*

grande magazzino m *grann*-dé ma-ga-*dzi*-no *grand magasin*

grandinata f grann-di-*na*-ta *chute de grêle*

grandine f *grann*-di-né *grêle*

grasso/a m/f *gras*-so/a *gros(se)* • *gras(se)*

gratuito/a m/f gra-*tou*-i-to/a *gratuit(e)*

grigio/a m/f *gri*-djo/a *gris(e)*

grotta f *grot*-ta *grotte*

gruppo m *group*-po *groupe*
— **sanguigno** sann-*gwi*-nyo *groupe sanguin*

guanti m *gwann*-ti *gants*

guardare gwar-*da*-ré *regarder*
— **le vetrine** lé vé-*tri*-né *faire du lèche-vitrines*

guardaroba m gwar-da-*ro*-ba *penderie*

guastarsi gwa-*star*-si *s'abîmer*

guastato/a m/f gwa-*sta*-to/a *abîmé(e)*

guasto/a m/f *gwa*-sto/a *panne*

guerra f *gwèr*-ra *guerre*

guida f *gwi*-da *guide*
— **agli spettacoli** a-lyi spét-*ta*-ko-li *guide des spectacles*
— **audio** a-ou-dyo *guide (audio)*
— **turistica** tou-*ri*-sti-ka *guide touristique*

guidare gwi-*da*-ré *conduire*

gustoso/a m/f gou-*sto*-zo/a *savoureux(euse)*

H

halal a-*lal* *halal*

hashish m a-chiche *haschich*

hockey m o-ki *hockey*
— **su ghiaccio** sou *guya*-tcho *hockey sur glace*

I

idiota m et f i-*dyo*-ta *idiot(e)*

idratante m i-dra-*tann*-té *lait hydratant* • *crème hydratante*

ieri yè-ri *hier*

illegale il-lé-*ga*-lé *illégal(e)*

imbarazzato/a m/f imm-ba-ra-*tsa*-to/a *embarrassé(e)*

imbrogliare imm-bro-*lya*-ré *berner*

immersione f im-mér-*syo*-né *plongée*

- immersion
— **in apnea** inn ap-*nè*-a *plongée en apnée*
— **subacquea** sou-*ba*-kwé-a *plongée sous-marine*
immigrazione f im-mi-gra-*tsyo*-né *immigration*
imparare imm-pa-*ra*-ré *apprendre*
impermeabile m imm-pér-mé-*a*-bi-lé *imperméable*
impiegato/a m/f imm-pyé-*ga*-to/a *employé(e)*
importante imm-por-*tann*-té *important(e)*
impossibile imm-po-*si*-bi-lé *impossible*
in inn *dans* • *en*
— **bianco e nero** byann-ko é *nè*-ro en noir et blanc
— **buona salute** bwo-na sa-*lou*-té *en bonne santé*
— **fondo** *fonn*-do *au fond* • *après tout*
— **fretta** *frèt*-ta *en vitesse*
— **lista d'attesa** *li*-sta dat-*tè*-za *sur la liste d'attente*
— **omaggio** o-*ma*-djo *en hommage*
— **ritardo** ri-*tar*-do *en retard*
— **salita** sa-*li*-ta *en montée* • *de côte*
— **sciopero** m *sho*-pé-ro *en grève*
— **vendita** *vènn*-di-ta *en vente*
inalatore m i-na-la-*to*-ré *inhalateur*
incidente m inn-tchi-*dènn*-té *incident* • *accident*
incinta inn-*tchinn*-ta *enceinte*
incontrare inn-konn-*tra*-ré *rencontrer*
incrocio m inn-*kro*-tcho *croisement*
indicare inn-di-*ka*-ré *indiquer*
indigestione f inn-di-djé-*styo*-né *indigestion*
indirizzo m inn-di-*ri*-tso *adresse*
indossare inn-dos-*sa*-ré *porter*
induista et f inn-dou-*i*-sta *hindouiste*
industria f inn-*dou*-stri-a *industrie*
infermiere/a m/f inn-fér-*myè*-ré/a *infirmier(ère)*
infezione f inn-fé-*tsyo*-né *infection*
infiammazione f inn-fyam-ma-*tsyo*-né *inflammation*
influenza f inn-flou-*ènn*-tsa *grippe* • *influence*
informatica f inn-for-*ma*-ti-ka *informatique*
informazioni f pl inn-for-ma-*tsyo*-ni

informations • *renseignements*
infortunato/a m/f inn-for-tou-*na*-to/a *blessé(e)* • *accidenté(e)*
ingegnere m et f inn-djé-*nyè*-ré *ingénieur(e)*
Inghilterra f inn-guil-*tè*-ra *Angleterre*
inglese inn-*glè*-zé *anglais(e)*
ingorgo m inn-*gor*-go *embouteillage*
ingrediente m inn-gré-*dyènn*-té *ingrédient*
ingresso m inn-*grès*-so *entrée*
iniezione f i-nyè-*tsyo*-né *injection*
inizio m i-*ni*-tsyo *début*
innocente i-no-*tchènn*-té *innocent(e)*
inquinamento m inn-kwi-na-*mènn*-to *pollution*
insalata f inn-sa-*la*-ta *salade*
insegnante m et f inn-sé-*nyann*-té *enseignant(e)*
insetto m inn-*sèt*-to *insecte*
insieme inn-*syè*-mé *ensemble*
insolito/a m/f inn-so-li-to/a *insolite*
interessante inn-té-rés-*sann*-té *intéressant(e)*
internazionale inn-tèr-na-tsyo-*na*-lé *international(e)*
Internet (cafe) m inn-tèr-nète (faf-fé) *café internet*
interprete m/f inn-tèr-pré-té *interprète*
interurbano/a m/f inn-tér-our-*ba*-no/a *interurbain(e)*
intervallo m inn-tér-*val*-lo *intervalle* • *entracte*
intervento m inn-tér-*vènn*-to *intervention* • *participation*
intossicazione f **alimentare** inn-tos-si-ka-*tsyo*-né a-li-mènn-*ta*-ré *intoxication alimentaire*
inverno m inn-*vèr*-no *hiver*
invitare inn-vi-*ta*-ré *inviter*
io i-o *moi* • *je*
isola f i-zo-la *île*
istruttore/istruttrice m/f i-strout-*to*-ré/ i-strout-*tri*-tché *instructeur(trice)*
istruzione f i-strou-*tsyo*-né *éducation*
itinerario m i-ti-né-*ra*-ryo *itinéraire*
— **escursionistico** é-skour-syo-*ni*-sti-ko *itinéraire de randonnée*
IVA f i-va *TVA*

I

239

J

jeans m pl djinn·se *jeans*

K

kiwi m *ki*·wi *kiwi*
kosher *ka*·chér *casher*

L

là la *là*
labbra f pl *lab*·bra *lèvres*
laboratorio m la·bo·ra·*to*·ryo *atelier*
ladro/a m/f *la*·dro/a *voleur(euse)*
laggiù m la·*djou làbas*
lago m *la*·go *lac*
lamentarsi la·mènn·*tar*·si *se plaindre*
lamette f pl **(da barba)** la·*mèt*·té (da *bar*·ba)
  lames de rasoir
lampada f *lamm*·pa·da *lampe*
lampadina f lamm·pa·*di*·na *ampoule*
lampone m lamm·*po*·né *framboise*
lana f *la*·na *laine*
lardo m *lar*·do *lard*
largo/a m/f *lar*·go/a *large*
lasciare la·*cha*·ré *laisser*
lassativi m pl las·sa·*ti*·vi *laxatifs*
lato m *la*·to *côté*
latte m *lat*·té *lait*
  — di soia di *so*·ya *lait de soja*
  — scremato skré·*ma*·to *lait écrémé*
lattuga f lat·*tou*·ga *laitue*
lavaggio m **a secco** la·*va*·djo a sè·ko
  nettoyage à sec
lavanderia la·vann·dé·*ri*·a *pressing*
  — a gettone djét·*to*·né *laverie
  automatique*
lavare la·*va*·ré *laver*
lavarsi la·*var*·si *se laver*
lavatrice f la·va·*tri*·tché *machine à laver*
lavorare la·vo·*ra*·ré *travailler*
  — in proprio inn *pro*·pri·o *travailler son
  compte*
lavoratore/lavoratrice m/f
  la·vo·ra·*to*·ré/la·vo·ra·*tri*·tché
  travailleur(euse)

lavoro m la·*vo*·ro *travail*
legale lé·*ga*·lé *legal(e)*
legge f lè·djé *loi*
leggere *lè*·djé·ré *lire*
leggero/a m/f lé·djé·ro/a *léger/légère*
legna f **(da ardere)** *lè*·nya (da *ar*·dé·ré)
  bois (à brûler)
legno m *lè*·nyo *bois*
legume m lé·*gou*·mé *légume (sec)*
lei leille *elle*
Lei pol leille *vous (de politesse)*
lentamente lènn·ta·*mènn*·té *lentement*
lenti f pl **a contatto** *lènn*·ti a konn·*tat*·to
  lentilles de contact
lenticchia f lènn·*tik*·kya *lentille (légume)*
lento/a m/f *lènn*·to/a *lent(e)*
lenzuolo m lènn·*tswo*·lo *drap*
lesbica f *lè*·sbi·ka *lesbienne*
lettera f *lèt*·té·ra *lettre*
letto m *lèt*·to *lit* • **due letti** pl dou·é *lèt*·ti *lits
  jumeaux*
  — matrimoniale ma·tri·mo·*nya*·lé *lit à
  deux places*
libero/a m/f *li*·bé·ro/a *libre* • *public/publique*
  • *vacant(e)*
libreria f li·bré·*ri*·a *librairie*
libretto m li·*brèt*·to *livret*
  — di circolazione di tchir·ko·la·*tsyo*·né
  carte grise
libro m *li*·bro *livre*
licenza f li·*tchènn*·tsa *licence* • *permis*
limetta f li·*mèt*·ta *lime à ongles*
limite m **di velocità** *li*·mi·té di vé·lo·tchi·*ta*
  limite de vitesse
limonata f li·mo·*na*·ta *limonade* • *jus de
  citron*
limone m li·*mo*·né *citron*
linea f *li*·né·a *ligne*
  — aerea a·é·ré·a *ligne aérienne*
lingua f *linn*·gwa *langue*
lista f *li*·sta *liste*
  — d'attesa dat·*tè*·za *liste d'attente*
lite f *li*·té *dispute*
litigare li·ti·*ga*·ré *se disputer*
litro m *li*·tro *litre*
livello m li·*vèl*·lo *niveau*
livido m *li*·vi·do *bleu (ecchymose)*
locale m lo·*ka*·lé *bar* • *restaurant*

locale lo·*ka*·lé *local(e)*

lontano/a m/f lonn·*ta*·no/a *lointain(e)*

loro lo·ro *ils/elles • eux*

Loro lo·ro *vous* pl *pol*

lozione f lo·*tsyo*·né *lotion*
　　— abbronzante a·bronn·*dzann*·té *crème solaire*

lubrificante m lou·bri·fi·*kann*·té *lubrifiant*

lucchetto m lou·*kèt*·to *cadenas*

luce f lou·*tché lumière*

lucertola f lou·*tchèr*·to·la *lézard*

lui lou*î il • lui*

lumaca f lou·*ma*·ka *escargot*

luminoso/a m/f lou·mi·no·zo/a *lumineux(euse)*

luna f lou·na *lune*
　　— di miele di myè·lé *lune de miel*
　　— piena pyè·na *pleine lune*

lungo/a m/f lounn·go/a *long/longue*

lungomare m lounn·go·*ma*·ré *bord de mer*

luogo m *lwo*·go *endroit • lieu*
　　— di nascita di na·chi·ta
　　lieu de naissance

lusso m *lou*·so *luxe*

M

ma ma *mais*

macchina f *mak*·ki·na *voiture • machine*
　　— fotografica fo·to·*gra*·fi·ka *appareil photo*

macelleria f ma·tchél·lé·*ri*·a *boucherie*

madre f ma·dré *mère*

maestro/a m/f ma·è·stro/a *instituteur(trice) • moniteur(trice) (de ski)*

maglietta f ma·*lyèt*·ta *tee-shirt*

magari ma·*ga*·ri *peut-être • éventuellement*

maglione m ma·*lyo*·né *pull*

magro/a m/f *ma*·gro/a *maigre • sans viande*

mai maille *jamais*

maiale m ma·*ya*·lé *cochon • porc*

maionese f ma·yo·nè·zé *mayonnaise*

mal m mal *mal*
　　— di aereo di a·è·ré·o *mal des transports (en avion)*
　　— di denti di *dènn*·ti *mal aux dents*
　　— di macchina di *mak*·ki·na *mal des transports (en voiture)*

— di mare di *ma*·ré *mal de mer*

— di pancia di *pann*·tcha *mal de ventre*

— di testa di *tè*·sta *mal à la tête*

malato/a m/f ma·*la*·to/a *malade*

malattia f ma·lat·*ti*·a *maladie*
　　— venerea vé·*nè*·ré·a *maladie vénérienne*

male m *ma*·lé *mal*

mamma f *mam*·ma *maman*

mammografia f mam·mo·gra·*fi*·a *mammographie*

manager m *ma*·na·djeur *manager*

mancare mann·*ka*·ré *manquer • rater*

mancia f *mann*·tcha *pourboire*

mandare mann·*da*·ré *envoyer*

mandarino m mann·da·*ri*·no *mandarine*

mandorla f *mann*·dor·la *amande*

mangiare mann·*dja*·ré *manger*

mango m *mann*·go *mangue*

manifestazione f ma·ni·fé·sta·*tsyo*·né *manifestation*

mano f *ma*·no *main*

manovale m et f ma·no·*va*·lé *manœuvre*

manuale m ma·nou·*a*·lé *manuel(le)*

manubrio m ma·nou·bri·o *guidon*

manzo m *mann*·dzo *bœuf*

marciapiede m mar·tcha·*pyè*·dé *trottoir*

mare m *ma*·ré *mer* **• al mare** al *ma*·ré *à la mer*

marea f ma·rè·a *marée*

margarina f mar·ga·*ri*·na *margarine*

marijuana f ma·ri·*wa*·na *marijuana*

marito m ma·*ri*·to *mari*

marmellata f mar·mél·*la*·ta *confiture*
　　— d'arance da·*rann*·tché *confiture d'orange*

marmo m *mar*·mo *marbre*

marrone m/f mar·ro·né *marron*

martello m mar·*tèl*·lo *marteau*

massaggio m mas·*sa*·djo *massage*

materasso m ma·té·*ra*·so *matelas*

matita f ma·*ti*·ta *crayon*

matrimonio m ma·tri·mo·nyo *mariage*

mattina f mat·*ti*·na *matin*

mazzuolo m ma·*tswo*·lo *maillet*

meccanico m et f mék·*ka*·ni·ko *mécanicien(ne)*

medicina f mé·di·*tchi*·na *médicine*

medicinale m mé·di·tchi·*na*·lé *médicament*

medico m mè·di·ko *médecin*

meditazione f mé·di·ta·*tsyo*·né *méditation*

mela f mè·la *pomme*

melanzana f mé·lann·*dza*·na *aubergine*

melodia f mé·lo·*di*·a *mélodie*

melone m mé·*lo*·né *melon*

membro m mèmm·bro *membre*

mendicante m et f mènn·di·*kann*·té *mendiant(e)*

meno mè·no *moins*

menù m mé·*nou* *menu*

meraviglioso/a m/f mé·ra·vi·*lyo*·zo/a *merveilleux(euse)*

mercato m mér·*ka*·to *marché*

merletto m mér·*lèt*·to *dentelle*

mescolare mé·sko·*la*·ré *mélanger*

mese m mè·zé *mois*

messa f mès·sa *messe*

messaggio m més·*sa*·djo *message*

mestiere m mé·*styè*·ré *métier · profession*

mestruazione f mé·strou·a·*tsyo*·né *menstruation*

metallo m mé·*tal*·lo *métal*

metro m mè·tro *mètre*

metropolitana f mé·tro·po·li·*ta*·na *métro(politain)*

mettere mèt·té·ré *mettre*

mezzanotte f mè·dza *not*·té *minuit*

mezzi m pl **di comunicazione** mè·dzi di ko·mou·ni·ka·*tsyo*·né *moyens de communication*

mezzo m mè·dzo *moitié*

mezzogiorno m mé·dzo·*djor*·no *midi*

microonda f mi·kro·*on*·da *micro-ondes*

miele m *myè*·lé *miel*

migliore mi·*lyo*·ré *meilleur(e)*

millimetro m mil·*li*·mé·tro *millimètre*

minerale f mi·né·*ra*·lé *eau minérale*

minestra f mi·*nè*·stra *soupe · potage*

minibar m mi·ni·*bar* *mini-bar*

minuto m mi·*nou*·to *minute*

minuto/a m/f mi·*nou*·to/a *menu(e)*

mobile m mo·bi·lé *meuble*

moda f mo·da *mode*

modem m mo·dème *modem*

moderno/a m/f mo·*dèr*·no/a *moderne*

modulo m mo·dou·lo *formulaire*

moglie f mo·lyé *femme*

molestia f mo·*lè*·stya *harcèlement*

molto mol·to *très*

molto/a m/f mol·to/a *beaucoup de*

monastero m mo·na·*stè*·ro *monastère*

mondo m monn·do *monde*

monete f pl mo·*nè*·té *pièces*

mononucleosi m mo·no·nou·klé·o·zi *mononucléose*

montagna f monn·*ta*·nya *montagne*

monumento m mo·nou·*mènn*·to *monument*

morbillo m mor·*bil*·lo *rougeole*

morire mo·*ri*·ré *mourir*

morso m mor·so *morsure*

morto/a m/f mor·to/a *mort(e)*

mosca f mo·ska *mouche*

moschea f mo·*skè*·a *mosquée*

mostrare mo·*stra*·ré *montrer*

moto f mo·to *moto*

motore m mo·to·ré *moteur*

motoscafo m mo·to·*ska*·fo *hors-bord*

mouse m ma·*ouse* *souris (d'ordinateur)*

mucca f mou·ka *vache*

muesli m mou·sli *muesli*

mughetto m mou·*guèt*·to *muguet*

multa f moul·ta *amende*

muro m *mou*·ro *mur*

muscolo m *mou*·sko·lo *muscle*

museo m mou·zè·o *musée*

musica f *mou*·zi·ka *musique*

musicista m et f mou·zi·*tchi*·sta *musicien(ne)*
— **di strada** di *stra*·da *de rue*

musulmano/a m/f mou·soul·*ma*·no/a *musulman(e)*

muta f **di subacqueo** *mou*·ta di sou·ba·*kwé*·o *combinaison de plongée*

muto/a m/f mou·to/a *muet(te)*

N

narrativa f nar·ra·*ti*·va *roman (genre)*

nascita f *na*·chi·ta *naissance*

naso m *na*·zo *nez*

Natale m na·*ta*·lé *Noël*

natura f na·*tou*·ra *nature*

nausea f *na·ou·zé·a nausée*
— **mattutina** mat·tou·*ti*·na *nausée matinale*
nave f *na·*vé *bateau*
nazionale na·tsyo·*na*·lé *national(e)*
nazionalità f na·tsyo·na·li·*ta nationalité*
nebbioso/a m/f néb·byo·zo/a *brumeux(euse)*
necessario/a m/f né·tchés·*sa*·ryo/a *nécessaire*
negozio m né·*go*·tsyo *magasin*
— **da campeggio** da kamm·*pè*·djo *magasin d'articles de camping*
— **di abbigliamento** di ab·*bi*·lya·mènn·to *magasin de vêtements*
— **di articoli sportivi** di ar·*ti*·ko·li spor·*ti*·vi *magasin d'articles de sport*
— **di giocattoli** di djo·*kat*·to·li *magasin de jouets*
— **di scarpe** di *skar*·pé *de chaussures*
— **di souvenir** di *sou*·ve·nir *de souvenirs*
nero/a m/f *nè*·ro/a *noir(e)*
nessuno/a dei due m/f nés·*sou*·no/a deille dou·é *aucun(e) des deux*
neve f *nè*·vé *neige*
nido m *ni*·do *nid • crèche*
niente *nyènn*·té *rien*
nipote m et f ni·*po*·té *petit-fils/petite-fille • neveu/nièce*
no no *non*
noce f *no*·tché *noix • noyer*
nodulo m *no*·dou·lo *grosseur*
noi noï *nous*
noioso/a m/f no·*yo*·zo/a *ennuyeux(euse)*
noleggiare no·léd·*dja*·ré *louer*
nome m *no*·mé *nom*
non nonn *non • ne pas*
— **ancora** ann·*ko*·ra *pas encore*
— **fumatore** fou·ma·*to*·ré *non-fumeurs*
— **diretto/a** m/f di·*rèt*·to/a *pas direct(e)*
nonna f *non*·na *grand-mère*
nonno m *non*·no *grand-père*
nord m nordé *nord*
normale nor·*ma*·lé *normal(e)*
notizia f pl no·*ti*·tsya *nouvelle*
notte f *no*·té *nuit*
nubile f nou·bi·lé *célibataire (femme)*
numero m nou·*mé*·ro *numéro*

— **di camera** di *ka*·mé·ra *de chambre*
— **di targa** di *tar*·ga *d'immatriculation*
— **di telefono** di té·*lè*·fo·no *numéro de téléphone*
nuotare nwo·*ta*·ré *nager*
nuoto m *nwo*·to *natation*
nuovo/a m/f *nwo*·vo/a *neuf/neuve • di nuovo* di *nwo*·vo *encore*
nuvola f *nou*·vo·la *nuage*
nuvoloso/a m/f nou·vo·lo·zo/a *nuageux(euse)*

O

obiettivo m o·byét·*ti*·vo *objectif*
occhiali m pl ok·*kya*·li *lunettes*
— **da sci** da chi *de ski*
— **da sole** da *so*·lé *de soleil*
occhio m o·kyo *œil*
oceano m o·*tchè·a*·no *océan*
odore m o·*do*·ré *odeur*
oggetti m pl o·*djèt*·ti *objets*
— **d'artigianato** dar·ti·dja·*na*·to *produits artisanaux*
— **di valore** di va·*lo*·ré *de valeur*
— **in ceramica** inn tché·*ra*·mi·ka *poterie*
oggi o·dji *aujourd'hui*
olio m o·lyo *huile*
— **d'oliva** do·*li*·va *d'olive*
oliva f o·*li*·va *olive*
ombra f omm·bra *ombre*
ombrello m omm·*brèl*·lo *parapluie*
omeopatia f o·mé·o·pa·*ti*·a *homéopathie*
omaggio o·*ma*·djo *hommage*
omosessuale m et f o·mo·sés·sou·*a*·lé *homosexuel(le)*
onda f onn·da *vague*
opera f o·*pé*·ra *œuvre*
— **lirica** *li*·ri·ka *opéra*
operaio/a m/f o·*pé*·ra·yo/a *ouvrier(ère)*
operatore/operatrice m/f o·pé·ra·*to*·ré/o·pé·ra·*tri*·tché *opérateur(trice)*
opinione f o·pi·*nyo*·né *opinion*
oppure op·*pou*·ré *ou • sinon*
ora f o·ra *heure*

orario m o·*ra*·ryo *horaire*
— **di apertura** di a·pér·*tou*·ra *heures d'ouverture*
— **ridotto** ri·*dot*·to *à temps partiel*
orchestra f or·*kè*·stra *orchestre*
ordinare or·di·na·ré *commander*
ordinario/a m/f or·di·*na*·ryo/a *ordinaire*
ordine m or·di·né *ordre*
orecchini m pl o·rék·*ki*·ni *boucles d'oreille*
orecchio m o·*rèk*·kyo *oreille* • **orecchia** pl o·*rèk*·kya *oreilles*
originale m/f o·ri·dji·*na*·lé *original(e)*
oro m *o*·ro *or*
orologio m o·ro·*lo*·djo *montre* • *horloge*
orrendo/a m/f or·*rènn*·do/a *horrible*
ospedale m o·spé·*da*·lé *hôpital*
ospitalità f o·spi·ta·li·*ta* *hospitalité*
ossigeno m os·*si*·djé·no *oxygène*
osso m *os*·so *os*
ostello m **della gioventù** o·*stèl*·lo *dè*·la djo·vènn·*tou* *auberge de jeunesse*
osteria f o·sté·*ri*·a *brasserie*
ostrica f o·stri·ka *huître*
ottimo/a m/f ot·*ti*·mo/a *excellent(e)* • *magnifique*
ovest m o·*vé*ste *ouest*

pacchetto m pak·*kèt*·to *paquet* • *colis* • *offre groupée*
pace f pa·tché *paix*
padella f pa·*dèl*·la *poêle*
padre m pa·dré *père*
padrone/padrona m/f **di casa** pa·*dro*·né/pa·*dro*·na di *ka*·za *propriétaire*
paese m pa·è·zé *pays* • *village*
Paesi Bassi m pl pa·è·zi *bas*·si *Pays-Bas*
pagamento m pa·ga·*mènn*·to *paiement*
pagare pa·*ga*·ré *payer*
pagina f *pa*·dji·na *page*
paio m *pa*·yo *paire*
palazzo m pa·*la*·tso *palais*
palcoscenico m pal·ko·*chè*·ni·ko *scène*
palestra f pa·*lè*·stra *gymnase* • *salle de gym*
palla f *pal*·la *balle*

pallacanestro f pal·la·ka·*nè*·stro *basket-ball*
pallamuro f pal·la·*mou*·ro *hand-ball*
pallavolo f pal·la·*vo*·lo *volley-ball*
pallone m pal·*lo*·né *ballon*
pancetta f pann·*tchè*·ta *lard*
pane m pa·né *pain*
— **di segala** di *sè*·ga·la *de seigle*
— **integrale** inn·té·*gra*·lé *pain complet*
— **tostato** to·*sta*·to *pain grillé*
panetteria f pa·nét·té·*ri*·a *boulangerie*
panino m pa·*ni*·no *sandwich*
panna f *pa*·na *crème*
pannolino m pan·no·*li*·no *couche* • *serviette hygiénique*
pantaloncini m pl pann·ta·lonn·*tchi*·ni *short*
pantaloni m pl pann·ta·*lo*·ni *pantalon*
papà m pa·*pa* *papa*
parabrezza f pa·ra·*brè*·dza *pare-brise*
parcheggio m par·*kè*·djo *parking*
parco m *par*·ko *parc*
— **nazionale** na·tsyo·*na*·lé *parc national*
— **giochi** *djo*·ki *terrain de jeux*
parlamentare m et f par·la·*mènn*·ta·ré *parlementaire*
parlamento m par·la·*mènn*·to *parlement*
parlare par·*la*·ré *parler*
parola f pa·*ro*·la *mot*
parrucchiere m par·rou·*kyè*·ré *salon de coiffure*
parrucchiere/a m/f par·rou·*kyè*·ré/a *coiffeur(euse)*
parte f *par*·té *partie* • *côté*
partenza f par·*tènn*·tsa *départ* • **data di partenza** *da*·ta di par·*tènn*·tsa *date de départ*
partire par·*ti*·ré *partir*
partita f par·*ti*·ta *jeu* • *match*
partito m par·*ti*·to *parti (politique)*
Pasqua f *pa*·skwa *Pâques*
passaggio m pas·*sa*·djo *passage* • *passe (sport)*
passaporto m pas·sa·*por*·to *passeport*
passatempo m pas·sa·*tèmm*·po *passe-temps*
passato m pas·*sa*·to *passé*

passeggero/a m/f pas·sé·djè·ro/a *passager*
passeggiata f pas·sé·dja·ta *promenade*
passo m pas·so col (montagne) • *pas* •
  passage (morceau)
pasta f pa·sta *pâte* • *pâtes*
pasticceria f pa·sti·tché·ri·a
  pâtisserie
pasto m pa·sto *repas*
  — freddo frè·do *repas froid*
patata f pa·ta·ta *pomme de terre*
paté m pa·té *pâté*
patente f **(di guida)** pa·tènn·té (di gwi·da)
  permis de conduire
pavimento m pa·vi·mènn·to *sol*
pazzo/a m/f pa·tso/a *fou/folle*
pecora f pé·ko·ra *mouton* • *brebis*
pedale m pé·da·lé *pédale*
pedone m/f pé·do·né *piéton*
pelle f pèl·lé *peau*
pellicola f pél·li·ko·la *pellicule*
pene m pè·né *pénis*
penicillina f pé·ni·tchil·li·na
  pénicilline
penna f **(a sfera)** pènn·na (a sfè·ra)
  stylo (à bille)
pensare pènn·sa·ré *penser*
pensionato/a m/f pènn·syo·na·to/a
  retraité(e)
pensione f pènn·syo·né *pension (maison)*
  • *retraite*
pentola f pènn·to·la *casserole*
pepe m pè·pé *poivre*
peperoncino m pé·pé·ronn·tchi·no *piment*
peperone m pé·pé·ro·né *poivron*
per pér *pour* • *pendant* • *par*
  — esempio é·zèmm·pyo *par exemple*
  — sempre sèmm·pré *pour toujours*
pera f pè·ra *poire*
percentuale f pér·tchènn·tou·a·lé
  pourcentage
perché pér·ké *pourquoi* • *parce que*
perdere pèr·dé·ré *perdre*
perdonare pér·do·na·ré *pardonner*
pericoloso/a m/f pé·ri·ko·lo·zo/a
  dangereux(euse)
permanente m/f pér·ma·nènn·té
  permanent(e)
permesso m pér·mès·so
  permission • *permis*

perso/a m/f pèr·so/a *perdu(e)*
persona f pér·so·na *personne*
personale m/f pér·so·na·lé *personel(le)*
pesante pé·zann·té *lourd(e)*
pesca f pè·ska *pêche (fruit)*
pesca f pé·ska *pêche (activité)*
pesce m pè·ché *poisson* • **pesci** pl pè·chi
pescheria f pé·ské·ri·a *poissonnerie*
peso m pè·zo *poids*
petizione f pé·ti·tsyo·né *pétition*
pettine m pèt·ti·né *peigne*
petto m pèt·to *poitrine*
pezzo m pè·tso *pièce*
  — di antiquariato di
  ann·ti·kwa·rya·to *objet ancien*
  — d'artigianato dar·ti·dja·na·to
  de fabrication artisanale
piacere pya·tchè·ré *plaire*
pianeta m pya·nè·ta *planète*
piano m pya·no *étage*
pianta f pyann·ta *plan* • *plante*
piatto m pyat·to *assiette*
  — fondo fonn·do *assiette creuse*
piatto/a m/f pyat·to/a *plat(e)*
piazza f pya·tsa *place*
picchetto m pik·kè·to *piquet*
piccolo/a m/f pik·ko·lo/a *petit(e)*
piccone m pik·ko·né *pioche*
piccozza f pik·ko·tsa *piolet*
picnic m pik·nik *pique-nique*
pidocchi m pl pi·do·ki *poux*
piede m pyè·dé *pied*
pieno/a m/f pyè·no/a *plein(e)*
pietra f pyè·tra *pierre*
pignatta f pi·nyat·ta *marmite*
pigro/a m/f pi·gro/a *paresseux(euse)*
pila f pi·la *pile*
pillola f pil·lo·la *pilule*
  — anticoncezionale
  ann·ti·konn·tché·tsyo·na·lé *pilule contraceptive*
  — del mattino dopo dél ma·ti·no do·po
  pilule du lendemain
ping-pong m pinng·ponng *tennis de table*
pinzette f pl pinn·tsè·té *pince à épiler*
pioggia m pyo·dja *pluie*
piombo m pyomm·bo *plomb*
piscina f pi·chi·na *piscine*
pisello m pi·zè·lo *petit pois*

pista f *pi·*sta *piste*
pistacchio m pi·*sta·*kyo *pistache · pistachier*
pittore/pittrice m/f pit·to·ré/pit·tri·tché *peintre*
pittura f pit·*tou·*ra *peinture*
più *pyou* *plus*
plastica f *pla·*sti·ka *plastique*
un po' ounn *po* *(un) peu*
poco/a m/f *po·*ko/a *peu*
poesia f po·é·*zi·*a *poésie*
politica f po·*li·*ti·ka *politique*
politico m po·*li·*ti·ko *politicien*
polizia f po·li·*tsi·*a *police (nationale)*
polline m pol·li·né *pollen*
pollo m *pol·*lo *poulet*
polmoni m pl pol·*mo·*ni *poumons*
polso m pol·so *poignet · pouls*
polvere f *pol·*vé·ré *poussière*
pomeriggio m po·mé·*ri·*djo *après-midi*
pomodoro m po·mo·*do·*ro *tomate*
pompa f pomm·*pa* *pompe*
pompelmo m pomm·*pèl·*mo *pamplemousse*
ponte m *ponn·*té *pont*
popolare po·po·*la·*ré *populaire*
porro m *por·*ro *poireau*
porta f *por·*ta *porte*
portacenere m por·ta·tchè·né·ré *cendrier*
portafoglio m por·ta·fo·lyo *portefeuille*
portare por·*ta·*ré *porter · conduire*
portatile por·*ta·*ti·lé *portable*
porto m *por·*to *port*
posate f pl po·za·té *couverts*
possibile pos·*si·*bi·lé *possible*
posta f po·sta *courrier*
　— **elettronica** é·lét·*tro·*ni·ka *courrier électronique*
　— **ordinaria** or·di·*na·*rya *courrier ordinaire*
　— **prioritaria** pri·o·ri·*ta·*rya *courrier prioritaire*
　— **raccomandata** f rak·ko·mann·*da·*ta *recommandé*
posteggio m **di tassì** po·*stè·*djo di ta·*sí* *station de taxis*
posto m po·sto *place*
　— **di polizia** di po·li·*tsi·*a *commissariat*
potabile po·*ta·*bi·lé *potable*

potere m po·tè·ré *pouvoir*
potere po·tè·ré *pouvoir*
povero/a m/f po·vé·ro/a *pauvre*
povertà f po·vér·ta *pauvreté*
pranzo m prann·dzo *repas*
praticare pra·ti·*ka·*ré *faire (du sport)*
　— **il surf** il sourf *faire du surf*
prima colazione f *pri·*ma ko·la·*tsyo·*né *petit-déjeuner*
preferire pré·fé·*ri·*ré *préférer*
preferito/a m/f pré·fé·*ri·*to/a *préféré(e)*
pregare pré·*ga·*ré *prier*
preghiera f pré·*gyè·*ra *prière*
prendere *prènn·*dé·ré *prendre*
　— **in affitto** inn af·*fi·*to *louer*
　— **in prestito** inn *prè·*sti·to *emprunter*
prenotare pré·no·*ta·*ré *réserver*
prenotazione f pré·no·ta·*tsyo·*né *réservation*
preoccupato/a m/f pré·ok·kou·*pa·*to/a *inquiet(ète)*
preparare pré·pa·*ra·*ré *préparer*
preservativo m pré·zér·va·ti·vo *préservatif*
presidente m/f pré·zi·dènn·té *président*
pressione f prés·syo·né *pression*
　— **del sangue** dél sann·gwé *tension artérielle*
presto m/f *prè·*sto *bientôt · tôt · vite*
prete m prè·té *prêtre*
prezioso/a m/f pré·*tsyo·*zo/a *précieux(euse)*
prezzemolo m pré·*tsè·*mo·lo *persil*
prezzo m *prè·*tso *prix*
　— **d'ingresso** dinn·*grè·*so *prix du billet*
prigione f pri·djo·né *prison*
prigioniero/a m/f pri·djo·*nyè·*ro/a *prisonnier(ère)*
prima *pri·*ma *avant*
　— **classe** f *kla·*sé *première classe*
　— **colazione** f ko·la·*tsyo·*né *petit-déjeuner*
primavera f pri·ma·*vè·*ra *printemps*
primo ministro m/f *pri·*mo mi·*ni·*stro *premier ministre*
primo/a m/f *pri·*mo/a *premier(ère)*
principale prinn·tchi·*pa·*lé *principal(e)*
privato/a m/f pri·*va·*to/a *privé(e)*

problema m pro·blè·ma *problème*
— **cardiaco** kar·di·a·ko *problème cardiaque*
produrre pro·dou·ré *produire*
professore/professoressa m/f pro·fés·so·ré/pro·fés·so·rès·sa *professeur(e)*
profitto m pro·fit·to *profit*
profondo/a m/f pro·fonn·do/a *profond(e)*
profumo m pro·fou·mo *parfum*
programma m pro·gram·ma *programme*
proiettore m pro·yét·to·ré *projecteur*
promessa f pro·mès·sa *promesse*
pronto/a m/f pronn·to/a *prêt(e)*
pronto soccorso m pronn·to sok·kor·so *urgences*
proprietario/a m/f pro·pri·é·ta·ryo/a *propriétaire*
proroga f pro·ro·ga *prorogation • délai*
prosciutto m **(cotto)** pro·chout·to (kot·to) *jambon (cuit)*
prossimo/a m/f pros·si·mo/a *prochain(e)*
proteggere pro·tè·djé·ré *protéger*
protetto/a m/f pro·tèt·to/a *protégé(e)*
protestare pro·té·sta·ré *protester*
provare pro·va·ré *essayer*
provviste f pl prov·vi·sté *réserves*
— **alimentari** a·li·mènn·ta·ri *provisions alimentaires*
prugna f prou·nya *prune*
prurito m prou·ri·to *démangeaison*
pub m poub *pub*
pugilato m pou·dji·la·to *boxe*
pulce f poul·tché *puce*
pulito/a m/f pou·li·to/a *propre*
pulizia f pou·li·tsi·a *nettoyage*
pullman m poul·mann *bus*
punteggio m pounn·té·djo *score*
punto m pounn·to *point*
puntura f pounn·tou·ra *piqûre*
puro/a m/f pou·ro/a *pur(e)*

Q

quaderno m kwa·dèr·no *cahier*
quadro m kwa·dro *tableau*
qualcosa kwal·ko·za *quelque chose*
qualcuno/a m/f kwal·kou·no/a *quelqu'un*

qualità f kwa·li·ta *qualité*
quando kwann·do *quand*
quantità f kwann·ti·ta *quantité*
quanto/a m/f kwann·to/a *combien*
quarantena f kwa·rann·tè·na *quarantaine*
quaresima f kwa·rè·zi·ma *carême*
quartiere m kwar·tyè·ré *quartier*
quarto m kwar·to *quart*
questo/a m/f kwè·sto/a *ce(t)/cette*
questura f kwé·stou·ra *préfecture de police*
qui kwi *ici*
quota f kwo·ta *altitude*

R

racchetta f rak·kèt·ta *raquette*
raccogliere rak·ko·lyé·ré *ramasser*
raccomandare rak·ko·mann·da·ré *conseiller*
raccomandata f rak·ko·mann·da·ta *recommandé*
raccontare rak·konn·ta·ré *raconter*
racconto m ra·konn·to *récit*
radiatore m ra·dya·to·ré *radiateur*
rafano m ra·fa·no *raifort*
raffreddore m raf·fré·do·ré *rhume*
ragazza f ra·ga·tsa *fille • petite amie*
ragazzo m ra·ga·tso *garçon • petit ami*
ragione f ra·djo·né *raison*
ragno m ra·nyo *araignée*
rapido/a m/f ra·pi·do/a *rapide*
rapinare ra·pi·na·ré *braquer • voler*
rapporti m pl **protetti** rap·por·ti pro·tèt·ti *rapports protégés*
rapporto m ra·por·to *rapport*
raro/a m/f ra·ro/a *rare*
rasatura f ra·za·tou·ra *rasage*
rasoio m **(elettrico)** ra·zo·yo (é·lè·tri·ko) *rasoir (électrique)*
ravanello m ra·va·nèl·lo *radis*
razzismo m ra·tsiz·mo *racisme*
re m ré *roi*
realistico/a m/f ré·a·li·sti·ko/a *réaliste*
recente ré·tchènn·té *récent(e)*
recinzione m ré·tchinn·tsyo·né *clôture*
regalo m ré·ga·lo *cadeau*
— **di nozze** di no·tsé *cadeau de mariage*

reggiseno m ré-dji-sè-no *soutien-gorge*
regina f ré-dji-na *reine*
regione f ré-djo-né *région*
regista m et f ré-dji-sta *réalisateur(trice)*
registrazione f ré-dji-stra-tsyo-né *enregistrement*
regolare ré-go-la-ré *régulier(ère)*
regole f pl ré-go-lé *règles*
religione f ré-li-djo-né *religion*
religioso/a m/f ré-li-djo-zo/a *croyant(e)*
reliquia f ré-li-kwi-a *relique*
remoto/a m/f ré-mo-to/a *lointain(e)*
respirare ré-spi-ra-ré *respirer*
resto m rè-sto *monnaie*
rete f rè-té *réseau*
ricco/a m/f rik-ko/a *riche*
ricetta f ri-tchèt-ta *recette • ordonnance médicale*
ricevere ri-tchè-vé-ré *recevoir*
ricevuta f ri-tché-vou-ta *reçu*
richiedere ri-kyè-dé-ré *demander*
riciclabile ri-tchi-kla-bi-lé *recyclable*
riciclare ri-tchi-kla-ré *recycler*
ricordino m ri-kor-di-no *souvenir*
ridere ri-dé-ré *rire*
rifiutare ri-fyou-ta-ré *refuser*
rifugiato/a m/f ri-fou-djya-to/a *réfugié(e)*
rifiuti m pl ri-fyou-ti *ordures*
rilassarsi ri-la-sar-si *se détendre*
rimborso m rimm-bor-so *remboursement*
ringraziare rinn-gra-tsya-ré *remercier*
riparare ri-pa-ra-ré *réparer*
ripido/a m/f ri-pi-do/a *raide*
riposare ri-po-za-ré *se reposer*
riscaldamento m ri-skal-da-mènn-to *chauffage*
　— centrale tchènn-tra-lé *chauffage central*
rischio m ri-skyo *risque*
riscuotere un assegno ri-skwo-té-ré ounn a-sè-nyo *encaisser un chèque*
riso m ri-zo *riz*
　— integrale inn-té-gra-lé *riz intégral*
risposta f ri-spos-ta *réponse*
ristorante m ri-sto-rann-té *restaurant*
ritardo m ri-tar-do *retard*
ritiro m **bagagli** ri-ti-ro ba-ga-lyi *retrait des bagages*
ritmo m ri-tmo *rythme*

ritornare ri-tor-na-ré *retourner*
ritorno m ri-tor-no *retour*
rivista f ri-vi-sta *revue*
roba f ro-ba *choses • affaires*
roccia f ro-tcha *roche • escalade (sport)*
　andare su roccia ann-da-ré sou ro-tcha *faire de l'escalade*
romantico/a m/f ro-mann-ti-ko/a *romantique*
romanzo m ro-mann-dzo *roman*
rompere romm-pé-ré *casser*
rosa m/f ro-za *rose*
rossetto m ros-sèt-to *rouge à lèvres*
rosso/a m/f ros-so/a *rouge*
rotonda m ro-tonn-da *rond-point*
rotondo/a m/f ro-tonn-do/a *rond(e)*
rotto/a m/f rot-to/a *cassé(e)*
roulotte f rou-lotte *caravane*
rovine f pl ro-vi-né *ruines*
rubare rou-ba-ré *voler*
rubato/a m/f rou-ba-to/a *volé(e)*
rubinetto m rou-bi-nèt-to *robinet*
rugby m roug-bi *rugby*
rullino m roul-li-no *pellicule photo*
rumoroso/a m/f rou-mo-ro-zo/a *bruyant(e)*
ruota f rwo-ta *roue*
ruscello m rou-chè-lo *ruisseau*

S

sabato m sa-ba-to *samedi*
sabbia f sab-bya *sable*
sacchetto m sak-kè-to *sachet*
sacco m sa-ko *sac*
　— a pelo a pè-lo *sac de couchage*
sala f sa-la *salle • salon*
　— di transito di trann-zi-to *salle de transit*
　— d'aspetto da-spè-to *salle d'attente*
salame m sa-la-mé *saucisson*
salario m sa-la-ryo *salaire*
saldo m sal-do *solde* • **saldi** pl sal-di *soldes*
sale m sa-lé *sel*
salire sa-li-ré *monter*
　— su su *monter dans (un avion, bateau)*
salmone m sal-mo-né *saumon*
salsa f sal-sa *sauce*
salsiccia f sal-si-tcha *saucisse*
saltare sal-ta-ré *sauter*
salumeria f sa-lou-mé-ri-a *charcuterie*

salute f sa-*lou*-té *santé* • **in buona salute**
inn bwo-na sa-*lou*-té *en bonne santé*

salva slip m pl *sal*-va slip *serviette hygiénique*

san Silvestro m sann sil-*vè*-stro *Saint-Sylvestre*

sandali m pl *sann*-da-li *sandales*

sangue m sann-gwé *sang*

santo/a m/f sann-to/a *saint(e)*

santuario m sann-*tou*-a-ryo *sanctuaire*

sapere sa-*pè*-ré *savoir*

sapone m sa-*po*-né *savon*

sardina f pl sar-*di*-na *sardine*

sarto/a m/f sar-to/a *couturier(ère)*

sauna f *sa*-ou-na *sauna*

sbagliato/a m/f sba-*lya*-to/a *faux/fausse*

sbaglio m *sba*-lyo *erreur*

scacchi m pl *skak*-ki *échecs*

scala f mobile *ska*-la mo-bi-lé *escalator*

scalare ska-*la*-ré *escalader*

scale f pl *ska*-lé *escalier*

scanner m *skan*-nér *scanner*

scarpe f pl *skar*-pé *chaussures*

scarpette f pl skar-*pèt*-té *chaussures de foot*

scarponi m pl skar-*po*-ni *chaussures (de marche, de ski)*

scatola f *ska*-to-la *boîte*

scatoletta f ska-to-*lèt*-ta *boîte*

scheda telefonica skè-da te-lé-*fo*-ni-ka *carte téléphonique*

scherma f *skèr*-ma *escrime*

scherzo m *skèr*-tso *plaisanterie*

schiena f *skyè*-na *dos*

sci m chi *ski*
— **acquatico** a-*kwa*-ti-ko *ski nautique*

sciare chi-*a*-ré *skier*

sciarpa f *char*-pa *écharpe*

scienza f *chènn*-tsa *science*

sciopero m *cho*-pé-ro *grève*

sciovia f cho-*vi*-a *remonte-pente*

sciroppo m chi-*rop*-po *sirop*
— **per la tosse** pér la *tos*-sé *sirop pour la toux*

scogliera f sko-*lyè*-ra *récifs*

scommessa f skom-*mès*-sa *pari*

scomodo/a m/f *sko*-mo-do/a *inconfortable*

sconosciuto/a m/f sko-no-*shou*-to/a *inconnu(e)*

sconto m *skonn*-to *ristourne*

scorie f pl *sko*-ryé *déchets*
— **radioattive** ra-dyo-a-*ti*-vé *déchets nucléaires*
— **tossiche** *tos*-si-ké *déchets toxiques*

scottatura f skot-ta-*tu*-ra *brûlure*

Scozia f *sko*-tsya *Écosse*

scrittore/scrittrice m/f skrit-*to*-ré/ skrit-*tri*-tché *écrivain(e)*

scrivere skri-vé-ré *écrire*

scultura f skoul-*tou*-ra *sculpture*

scuola f *skwo*-la *école*
— **superiore** sou-pé-*ryo*-ré *lycée*

scuro/a m/f *skou*-ro/a *sombre*

se sé *si*

seccato/a m/f sék-*ka*-to/a *irrité(e)* • *énervé(e)*

secchio m sék-kyo *seau*

secco/a m/f sék-ko/a *sec/sèche*

seconda classe f sé-*konn*-da kla-sé *deuxième classe* • *seconde*

(di) seconda mano m/f di sé-*konn*-da *ma*-no *d'occasion*

secondo m sé-*konn*-do *seconde*

secondo/a m/f sé-*konn*-do/a *second(e)*

sedere sé-*dè*-ré *s'asseoir*

sedia f *sè*-dya *chaise*
— **a rotelle** a ro-*tèl*-lé *fauteuil roulant*

sedile m sé-*di*-lé *siège*

seggiolino m sé-djo-*li*-no *siège enfant*

seggiovia f sé-djo-*vi*-a *télésiège*

segnale m sé-*nya*-lé *signal*
— **acustico** a-*kou*-sti-ko *tonalité*

segnare sé-*nya*-ré *marquer* • *noter*

segno m *sè*-nyo *signe*

segretario/a m/f sé-gré-*ta*-ryo/a *secrétaire*

seguire sé-*gwi*-ré *suivre*

sella f *sè*-la *selle*

semaforo m sé-*ma*-fo-ro *feu (tricolore)*

semplice m/f *sèmm*-pli-tché *simple*

sempre *sèmm*-pré *toujours*

senape f *sè*-na-pé *moutarde*

seno m *sè*-no *sein*

sensuale m/f sènn-sou-*a*-lé *sensuel(le)*

sentiero m sènn-*tyè*-ro *sentier*
— **di montagna** di monn-*ta*-nya *sentier de montagne*

sentimento m pl sènn-ti-*mènn*-to *sentiment*

sentire sènn-*ti*-ré *sentir* • *entendre*

senza *sènn·tsa sans*
— **piombo** *pyomm·bo sans plomb*
senzatetto m et f *sènn·tsa·tèt·to sans-abri*
• *sans domicile fixe*
separato/a m/f *sé·pa·ra·to/a séparé(e)*
sera f *sè·ra soir*
serie f *(televisiva)* *sè·ryé (té·lé·vi·si·va)*
série (télévisée)
serio/a m/f *sè·ryo/a sérieux(euse)*
serpente m *sér·pènn·té serpent*
serratura f *sé·ra·tou·ra serrure*
servizi m pl *igienici* *sér·vi·tsi i·djè·ni·tchi*
toilettes
servizio m *sér·vi·tsyo service*
— **militare** *mi·li·ta·ré service militaire*
sessismo m *sés·siz·mo sexisme*
sesso m *sès·so sexe*
seta f *sè·ta soie*
sete f *sè·te soif*
settimana f *sét·ti·ma·na semaine*
— **santa** *sann·ta semaine de Pâques*
sfogo m *sfo·go rougeurs*
— **da pannolino** *da pan·no·li·no*
érythème fessier
sfruttamento m *sfrout·ta·mènn·to*
exploitation
shampoo m *chamm·pou shampooing*
sì *si oui*
sicuro/a m/f *si·kou·ro/a sûr(e)*
sidro m *si·dro cidre*
sieropositivo/a m/f *syé·ro·po·zi·ti·vo/a*
séropositif(ive)
sigaretta f *si·ga·rèt·ta cigarette* • **con filtro**
konn *fil·tro avec filtre*
sigaro m *si·ga·ro cigare*
simile m/f *si·mi·lé semblable*
simpatico/a m/f *simm·pa·ti·ko/a*
sympathique
sinagoga f *si·na·go·ga synagogue*
sindaco m *sinn·da·ko maire*
sinistra f *si·ni·stra gauche*
sintetico/a m/f *sinn·tè·ti·ko/a*
synthétique
siringa f *si·rinn·ga seringue*
slitta f *slit·ta traîneau* • *luge*
soccorso m *sok·kor·so secours* • *aide*
socialista m et f *so·tcha·li·sta socialiste*
socio/a m/f *so·tcho/a membre*

soffice m/f *sof·fi·tché doux/douce*
• *moelleux(euse)*
sognare *so·nya·ré rêver*
sogno m *so·nyo rêve*
soldato m *sol·da·to soldat*
soldi m pl *sol·di argent*
sole m *so·lé soleil*
soleggiato/a m/f *so·lé·dja·to/a*
ensoleillé(e)
solo *so·lo seulement*
— **andata** f *ann·da·ta aller simple*
sonnifero m *son·ni·fé·ro somnifère*
sonno m *son·no sommeil* • **avere sonno**
a·vè·ré *son·no avoir sommeil*
sopra *so·pra sur* • *dessus*
soprannome m *so·pran·no·mé surnom*
sordo/a m/f *sor·do/a sourd(e)*
sorella f *so·rèl·la sœur*
sorpresa f *sor·prè·za surprise*
sorridere *so·ri·dé·ré sourire*
sostenitore/sostenitrice m/f
so·sté·ni·to·ré/so·sté·ni·tri·tché
partisan(e) • *fan*
sotto *sot·to sous*
sott'aceti m pl *sot·to·a·tchè·ti légumes*
marinés
sottotitolo m *sot·to·ti·to·lo sous-titre*
spacciatore/spacciatrice m/f
spa·tcha·to·ré/spa·tcha·tri·tché
dealer
Spagna f *spa·nya Espagne*
spago m *spa·go ficelle*
spalla f *spal·la épaule*
spazio m *spa·tsyo espace*
spazzatura f *spa·tsa·tou·ra ordures*
spazzolino m **da denti**
spa·tso·li·no da dènn·ti brosse à dents
specchio m *spèk·kyo miroir*
speciale *spé·tcha·lé spécial(e)*
specialista m et f *spé·tcha·li·sta*
spécialiste
specie f *spè·tché espèce*
— **in via di estinzione** inn *vi·a di*
é·stinn·tsyo·né espèce en voie de
disparition
— **protetta** *pro·tèt·ta espèce protégée*
spermicida f *spér·mi·tchi·da*
spermicide
spesso *spès·so souvent*

spesso/a m/f *spès*·so/a *épais(se)*
spettacolo m spét·*ta*·ko·lo
   spectacle • séance
spiaggia f *spya*·dja *plage*
spiccioli m pl *spi*·tcho·li *monnaie de ce qui
   a été payé*
spina f *spi*·na *prise*
   — **multipla** *moul*·ti·pla *prise multiple*
spinaci m pl spi·*na*·tchi *épinards*
spingere *spinn*·djé·ré *pousser*
spirale f spi·*ra*·lé *spirale*
spogliatoio m spo·lya·*to*·yo
   vestiaire
sporco/a m/f *spor*·ko/a *sale*
sport m sport *sport*
sportivo/a m/f spor·*ti*·vo/a
   sportif(ive)
sposalizio m spo·za·*li*·tsyo *mariage*
sposare spo·*za*·ré *épouser*
sposato/a m/f spo·*za*·to/a *marié(e)*
spremuta f spré·*mou*·ta *jus de fruit*
   — **d'arancia** da·*rann*·tcha *jus d'orange
   (frais)*
spuntino m spounn·*ti*·no *en-cas*
squadra f *skwa*·dra *équipe*
stadio m *sta*·dyo *stade*
stagione f sta·*djo*·né *saison*
stampante f stamm·*pann*·té *imprimante*
stanco/a m/f *stann*·ko/a *fatigué(e)*
stanza f *stann*·tsa *chambre*
stasera sta·*sè*·ra *se soir*
Stati Uniti d'America m pl *sta*·ti ou·*ni*·ti
   da·*mé*·ri·ka *États-Unis d'Amérique*
stato m civile *sta*·to tchi·*vi*·lé *état civil*
statua f *sta*·tou·a *statue*
stazione f sta·*tsyo*·né *station*
   — **d'autobus** *da*·ou·to·bous *gare routière*
   — **della metropolitana** *dèl*·la
   mé·tro·po·li·*ta*·na *station de métro*
   — **di servizio** di sér·*vi*·tsyo
   station-service
   — **ferroviaria** fér·ro·*vya*·rya *gare
   ferroviaire*
stella f *stèl*·la *étoile*
stendersi *stènn*·dér·si *s'allonger*
sterlina f stér·*li*·na *livre sterling*
stesso/a m/f *stès*·so/a *même*
stile m *sti*·lé *style*

stipendio m sti·*pènn*·dyo *salaire*
stitichezza f sti·ti·*kè*·tsa *constipation*
stivale m sti·*va*·le *botte*
stoffa f *stof*·fa *étoffe*
stomaco m *sto*·ma·ko *estomac*
stordito/a m/f stor·*di*·to/a *étourdi(e)*
storia f *sto*·rya *histoire*
storico/a m/f *sto*·ri·ko/a *historique*
storta f *stor*·ta *entorse*
strada f *stra*·da *route • chemin • rue*
straniero/a m/f stra·*nyè*·ro/a *étranger(ère)*
strano/a m/f *stra*·no/a *étrange*
strato m **d'ozono** *stra*·to do·*dzo*·no *couche
   d'ozone*
stretto/a m/f *strèt*·to/a *étroit(e)*
studente/studentessa m/f stou·*dènn*·té/
   stou·dènn·*tès*·sa *étudiant(e)*
stufa f *stou*·fa *poêle*
   — **a gas** a gaz *poêle à gaz*
stupido/a m/f *stou*·pi·do/a *stupide*
stupro m *stou*·pro *viol*
stuzzicadenti m stou·tsi·ka·*dènn*·té
   cure-dent
su sou *sur • allez !*
succo m *souk*·ko *jus*
   — **d'arancia** da·*rann*·tcha *jus d'orange
   (en bouteille)*
   — **di frutta** di *frout*·ta *jus de fruit*
sud m soud *sud*
sugo m *sou*·go *sauce*
suocera f *swo*·tché·ra *belle-mère*
suocero m *swo*·tché·ro *beau-père*
suonare (la chitarra) swo·*na*·ré (la ki·*tar*·ra)
   jouer (de la guitare)
suora f *swo*·ra *sœur*
supermercato m sou·pér·mér·*ka*·to
   supermarché
superstizione f sou·pér·sti·*tsyo*·né
   superstition
surf da neve sourf da *nè*·vé
   surf des neiges
surgelati m pl sour·djé·*la*·ti *surgelés*
sussidio m **di disoccupazione** sous·*si*·dyo
   di di·zok·kou·pa·*tsyo*·né *allocations
   chômage*
sveglia f *svè*·lya *réveil*
svegliarsi své·*lyar*·si *se réveiller*
Svizzera f svi·*tsè*·ra *Suisse*

T

tabaccheria f ta·bak·ké·*ri*·a *tabac (magasin)*

tabacco m ta·*bak*·ko *tabac (produit)*

tabellone m segnapunti ta·bél·*lo*·né sé·nya·*pounn*·ti *panneau d'affichage*

tacchino m tak·*ki*·no *dinde*

tachimetro m ta·*ki*·mé·tro *compteur de vitesse • tachymètre*

taglia f ta·lya *taille*

tagliare ta·*lya*·ré *couper*

tagliaunghie m ta·lya·*ounn*·guyé *coupe-ongles*

taglio m di capelli ta·lyo di ka·*pèl*·li *coupe de cheveux*

tamponi m pl tamm·*po*·ni *tampons*

tappa f *tap*·pa *étape • arrêt*

tappeto m tap·*pè*·to *tapis*

tappi m pl **per le orecchie** *tap*·pi pér lé o·*rèk*·kyé *bouchons d'oreille*

tappo m *tap*·po *bouchon*

tardi *tar*·di *tard*

targa f *tar*·ga *plaque d'immatriculation*

tariffa f postale ta·*rif*·fa po·*sta*·lé *frais d'envoi*

tasca f *ta*·ska *poche*

tassa f *tas*·sa *taxe*

tassì m tas·*si* *taxi*

tasso m di cambio *tas*·so di *kamm*·byo *taux de change*

tastiera f ta·*styè*·ra *clavier*

tavola f *ta*·vo·la *table*

— **da surf** da sourf *planche de surf*

tazza f *ta*·tsa *tasse*

tè m tè *thé*

teatro m té·*a*·tro *théâtre*

— **dell'opera** dél·*lo*·pé·ra *opéra (bâtiment)*

telecomando m té·lé·ko·*mann*·do *télécommande*

telefonare té·lé·fo·*na*·ré *téléphoner*

telefonata f té·lé·fo·*na*·ta *coup de fil*

telefono m té·*lè*·fo·no *téléphone*

— **cellulare** tchél·lou·*la*·ré *portable*

— **diretto** di·*rèt*·to *ligne téléphonique directe*

— **pubblico** poub·*bli*·ko *téléphone public*

telegramma m té·lé·*gram*·ma *télégramme*

telenovela f té·lé·no·*vè*·la *série télévisée*

teleobiettivo m té·lé·o·byét·*ti*·vo *téléobjectif*

telescopio m té·lé·*sko*·pyo *télescope*

televisione f té·lé·vi·*zyo*·né *télévision*

temperatura f tèmm·pé·ra·*tou*·ra *température*

temperino m tèmm·pé·*ri*·no *taille-crayon*

tempio m *tèmm*·pyo *temple*

tempo m *tèmm*·po *temps*

— **pieno** *pyè*·no *plein temps*

temporale m tèmm·po·*ra*·lé *orage*

tenda f *tènn*·da *tente*

tensione f premestruale *tènn*·syo·né pré·mé·*strou*·a·lé *douleurs prémenstruelles*

terra f *tèr*·ra *terre*

terremoto m tér·ré·*mo*·to *tremblement de terre*

terribile m/f tér·*ri*·bi·lé *terrible*

terzo/a m/f *tèr*·tso/a *troisième*

tessera f *tès*·sé·ra *carte*

test m di gravidanza tést di gra·vi·*dann*·tsa *test de grossesse*

testa f *tè*·sta *tête*

tiepido/a m/f *tyè*·pi·do/a *tiède*

tifoso/a m/f ti·*fo*·zo/a *supporter(trice)* • **fare il tifo** *fa*·ré il *ti*·fo *supporter*

timido/a m/f *ti*·mi·do/a *timide*

tipico/a m/f *ti*·pi·ko/a *typique*

tipo m *ti*·po *type*

tirare ti·*ra*·ré *pousser*

titolo m *ti*·to·lo *titre*

titoli m pl di studio *ti*·to·li di *stou*·dyo *diplômes*

toccare tok·*ka*·ré *toucher*

tofu m *to*·fou *tofu*

tomba f *tomm*·ba *tombe*

tonno m *ton*·no *thon*

topo m *to*·po *souris • rat*

torcia f elettrica *tor*·tcha é·*lèt*·tri·ka *torche électrique*

torre f *tor*·ré *tour*

torta f *tor*·ta *gâteau • tourte*

tossico/a m/f tos·si·ko/a *toxique*

tossicodipendenza f tos·si·ko·di·*pènn*·dènn·tsa *toxicomanie*

tossire tos·*si*·ré *tousser*

tostapane m to·sta·*pa*·né grille-pain
tovaglia f to·*va*·lya nappe
tovagliolo m to·va·lyo·lo serviette de table
tradurre tra·*dour*·ré traduire
traffico m *traf*·fi·ko trafic
traghetto m tra·*guèt*·to bac
tram m tram tram
tramezzino m tra·mé·*dzi*·no sandwich
tramonto m tra·*monn*·to coucher du soleil
tranquillo/a m/f trann·*kwil*·lo/a tranquille
trasporto m tra·*spor*·to transport
travestito m tra·vé·*sti*·to travesti
treno m *trè*·no train
triste *tri*·sté triste
troppo (caro/a) *trop*·po ka·ro/a
   trop (cher/chère)
troppo/a m/f *trop*·po/a trop de • trop
trovare tro·*va*·ré trouver
trucco m *trouk*·ko maquillage
tu tou tu
tubo m **di scappamento** *tou*·bo di
   skap·pa·*mènn*·to tube d'échappement
tuffi m pl *touf*·fi plongeons
turista m et f *too*·ri·sta touriste
tutti/e m/f *tout*·ti/e tous/toutes
tutto m *tout*·to tout
tutto/a m/f *tout*·to/a tout(e)
TV f ti·*vou* TV

U

ubriaco/a m/f ou·bri·*a*·ko/a ivre
uccello m ou·*tchèl*·lo oiseau
ufficio m ouf·*fi*·tcho bureau
   — **del turismo** dél tou·*riz*·mo
   office du tourisme
   — **oggetti smarriti** o·*djèt*·ti smar·*ri*·ti
   bureau des objets perdus
   — **postale** po·*sta*·lé bureau de poste
ultimo/a m/f *oul*·ti·mo/a dernier(ère)
un po' ounn po un (petit) peu
una volta f ou·na *vol*·ta autrefois
università f ou·ni·vèr·si·*ta* université
universo m ou·ni·*vèr*·so univers
uomo m *wo*·mo homme
   — **d'affari** daf·*fa*·ri homme d'affaires
uovo m *wo*·vo œuf
urgente m/f our·*djènn*·té urgent

urlare our·*la*·ré hurler
usare ou·*za*·ré utiliser
usa e getta *ou*·za é *djét*·ta jetable
uscire con ou·*chi*·ré konn sortir avec
uscita f ou·*chi*·ta sortie
utile *ou*·ti·lé utile
uva f pl *ou*·va raisin
   — **passa** *pa*·sa raisins secs

V

vacanza f va·*kann*·tsa vacance
vacanze f pl va·*kann*·tsé vacances
vaccinazione f va·tchi·na·*tsyo*·né
   vaccination
vagina f va·*dji*·na vagin
vagone m va·*go*·né wagon
   — **letto** *lèt*·to wagon-lit
valigetta f va·li·*djèt*·ta kit
   — **del pronto soccorso** dél *pronn*·to
   so·*kor*·so kit d'urgence
valigia f va·*li*·dja valise
valle f *val*·lé vallée
valore m va·*lo*·ré valeur
vanga f *vann*·ga bêche
vecchio/a m/f *vè*·kyo/a vieux/vieille
vedere vé·*dè*·ré voir
vedovo/a m/f *vé*·do·vo/a veuf/veuve
veduta f vé·*dou*·ta panorama • vue
vegetariano/a m/f vé·djé·ta·*rya*·no/a
   végétarien(ne)
velenoso/a m/f vé·lé·*no*·zo/a
   vénéneux(euse)
veloce vé·*lo*·tché rapide
velocità f vé·lo·tchi·*ta* rapidité
vendere *vènn*·dé·ré vendre
vendita f *vènn*·di·ta vente
venire vé·*ni*·ré venir
ventilatore m vènn·ti·la·*to*·ré
   ventilateur
vento m *vènn*·to vent
verde *vèr*·dé vert(e)
verdura f vèr·*dou*·ra légumes (verts)
vero/a m/f *vè*·ro/a vrai(e)
vescica f vé·*chi*·ka ampoule • cloque
vetro m *vè*·tro verre • vitre
via f *vi*·a via
   — **aerea** a·*è*·ré·a par avion

viaggiare vya-*dja*-ré *voyager*
viaggio m *vya*-djo *voyage*
— **d'affari** daf-*fa*-ri *voyage d'affaires*
viale m *vya*-lé *avenue*
vicino/a m/f vi-*tchi*-no/a *proche*
vicino (a) vi-*tchi*-no (a) *près (de)*
vicolo m *vi*-ko-lo *ruelle*
videocamera f vi-dé-o-*ka*-mé-ra
caméra vidéo
videonastro m vi-dé-o-*na*-stro
cassette vidéo
videoregistratore m
vi-dé-o-ré-dji-stra-*to*-ré
magnétoscope
vigna f *vi*-nya *vigne*
vigneto m vi-*nyè*-to *vignoble*
villaggio m vil-*la*-djo *village*
vincere vinn-*tché*-ré *vaincre*
vincitore/vincitrice m/f vinn-tchi-*to*-ré/
vinn-tchi-*tri*-tché *gagnant(e)*
vino m *vi*-no *vin*
— **bianco** byann-ko *vin blanc*
— **rosso** ros-so *vin rouge*
— **spumante** spou-*mann*-té *vin*
mousseux
viola *vyo*-la *violet*
virus m *vi*-rous *virus*
visita f *vi*-zi-ta *visite (à un ami/médicale)*
— **guidata** gwi-*da*-ta *visite guidée*
vista f *vi*-sta *vue*
visto m *vi*-sto *visa*
vita f *vi*-ta *vie*

vitamine f pl vi-ta-*mi*-né *vitamines*
vitello m vi-*tèl*-lo *veau*
vitto m *vit*-to *nourriture*
vivere *vi*-vé-ré *vivre*
vocabolarietto m vo-ka-bo-la-*ryèt*-to
mini-dictionnaire
vocabolario m vo-ka-bo-*la*-ryo *dictionnaire*
voce f *vo*-tché *voix*
volare vo-*la*-ré *voler*
volere vo-*lè*-ré *vouloir*
volo m *vo*-lo *vol*
volta f *vol*-ta *fois* • *voûte* • *tour* • **due volte**
dou-é *vol*-té *deux fois*
volume m vo-*lou*-mé *volume*
vomitare vo-mi-*ta*-ré *vomir*
votare vo-*ta*-ré *voter*
vuoto/a m/f *vwo*-to/a *vide*

Y

yogurt m *yo*-gourt *yaourt*

Z

zaino m *dza*-i-no *sac à dos*
zanzara f dzann-*dza*-ra *moustique*
zenzero m dzènn-dzé-ro *gingembre*
zia f *tsi*-a *tante*
zoom m dzoumm *zoom*
zucca f *tsouk*-ka *potiron*
zucchero m *tsouk*-ké-ro *sucre*
zucchini m pl tsouk-*ki*-ni *courgettes*

Grec

Croate

Turc

Italien

Portugais
et brésilien

guide
de conversation

Anglais

guide
de conversation inclus

Espagnol

guide
de conversation

Espagnol
latino-américain

Dictionnaire bilingue inclus

guide
de conversation

Allemand

guide
de conversation

Russe

Pour voyager
en V.O.

**Et la collection
"Petite conversation en"**
Allemand
Anglais
Espagnol
Italien